D1262823

CODEX 632
LE SECRET DE CHRISTOPHE COLOMB

Du même auteur

La Formule de Dieu, Éditions Hervé Chopin, 2012
L'Ultime Secret du Christ, Éditions Hervé Chopin, 2013
La Clé de Salomon, Éditions Hervé Chopin, 2014

POUR JOINDRE L'AUTEUR

Si vous souhaitez entrer en contact avec l'auteur,
vous pouvez lui envoyer un mail à l'adresse suivante :
jrsnovels@gmail.com
L'auteur se fera un plaisir de répondre aux lecteurs
qui lui écriront au sujet de *Codex 632*.

JOSÉ RODRIGUES DOS SANTOS

CODEX 632
LE SECRET DE CHRISTOPHE COLOMB

TRADUIT DE L'ANGLAIS PAR CINDY KAPEN

L'édition originale de cet ouvrage a paru chez Gradiva en 2005, sous le titre :
O Codex 632

ISBN 9782357201774

À Florbela, Catarina et Inês,
les trois femmes de ma vie.

« Christophe Colomb n'a découvert aucune île ni récif aussi solitaires que lui-même. »

Ralph Waldo EMERSON

NOTE DE L'AUTEUR

Tous les livres, manuscrits et documents mentionnés dans ce roman existent réellement.
Y compris le *Codex 632*.

PROLOGUE

RIO DE JANEIRO

Quatre.

Le vieil historien ne pouvait pas savoir qu'il ne lui restait que quatre minutes à vivre.

Les portes grandes ouvertes de l'ascenseur de l'hôtel semblaient attendre de le piéger, prêtes à se refermer sur lui. Il entra, appuya sur le bouton du douzième étage et profita de son ascension pour s'examiner dans le miroir de la cabine. Il se dit qu'il avait tout du vieil historien hagard. Le haut de son crâne était dégarni et ses rares cheveux étaient devenus aussi blancs que la barbe éparse qui cachait les rides profondes de ses joues creuses. Inconscient de ce qui allait bientôt lui arriver, il se força à sourire et étudia ses dents tordues. Elles étaient jaunes et ternes, à l'exception de quelques-unes, celles en ivoire – blanches, mais fausses.

Trois.

Le discret *ding* de l'ascenseur lui indiqua qu'il était arrivé au douzième étage. L'historien s'engouffra dans le couloir, tourna à gauche et chercha à tâtons la carte magnétique dans sa poche droite. Il glissa la clé dans le lecteur et une lumière verte s'alluma. Il pressa la poignée, puis entra dans la chambre.

Deux.

Le souffle froid et sec de la climatisation lui donna la chair de poule, mais ce mur d'air frais était agréable après une matinée passée dans la chaleur écrasante de l'extérieur. Il prit un jus de fruit dans le minibar installé dans un coin de la chambre et se dirigea vers la grande fenêtre. Avec un soupir, il admira la vue des buildings qui formaient la ligne d'horizon de Rio. Face à lui se dressait un petit bâtiment blanc de cinq étages, au sommet duquel l'eau turquoise d'une piscine miroitait sous le soleil offensif de ce début d'après-midi. Les collines qui encerclaient la ville formaient une barrière naturelle entre le gris du béton urbain et le vert luxuriant de la jungle environnante. Au sommet du Corcovado, la plus haute montagne de la cité, se dressait le Christ rédempteur, une mince silhouette couleur ivoire, fragile et minuscule, embrassant la ville depuis les cieux, en équilibre au-dessus de l'abysse. Un duvet de nuages blancs s'était accroché à la poutre horizontale du célèbre crucifix.

L'historien repensa aux derniers mois de sa vie et aux secrets qu'il avait exhumés – une découverte capitale, sans doute la plus importante de sa carrière. Il réfléchit à la prochaine étape. Ce qu'il ferait de toutes les informations qu'il avait amassées serait décisif. Absolument décisif. Il devait se montrer prudent.

Un.

Le vieil homme porta la bouteille à sa bouche. Le jus coula dans sa gorge, frais et sucré. La mangue était son fruit préféré, le sucre en faisait ressortir la douce acidité. Les bars de Rio extrayaient le jus à partir de fruits frais qu'ils épluchaient sur place pour qu'ils conservent leurs fibres et leurs vitamines. Il le but les yeux fermés, le savourant jusqu'à la dernière goutte, lentement, avec gourmandise. Lorsqu'il eut terminé, il rouvrit les yeux et contempla avec un air de satisfaction le bleu resplendissant de la piscine sur l'immeuble d'en face. Ce fut la dernière chose qu'il vit.

Une douleur fulgurante traversa sa poitrine. Il fut pris de convulsions, de spasmes incontrôlables. Une douleur insupportable. Il s'effondra sur le sol. Ses yeux roulèrent dans leurs orbites, puis se fixèrent, vitreux, sur le plafond. Étendu sur le sol, les bras et les jambes écartés, son corps fut secoué d'une dernière contraction.

Ses paupières ne se refermeraient jamais.

Et sa découverte serait une nouvelle fois étouffée par le silence.

I

Lisbonne

Si quelqu'un avait dit à Tomás Noronha, ce matin-là, qu'il passerait les prochains mois de sa vie à parcourir le monde pour démêler une conspiration vieille de cinq cents ans et résoudre un des plus grands mystères de l'âge des découvertes, il ne l'aurait pas cru. C'était pourtant ce qui l'attendait.

À 9 h 30, il se gara sur le parking de l'université, encore à moitié vide. Les étudiants étaient rassemblés dans le hall, absorbés par leurs bavardages matinaux, et il entendit sur son passage les murmures émoustillés de quelques jeunes filles – Tomás était un homme de trente-cinq ans, grand, aux yeux verts pétillants, hérités de son arrière-grand-mère, une belle Française. Il ouvrit la porte de la salle T9, actionna une série d'interrupteurs et posa sa sacoche sur le bureau.

Les étudiants arrivèrent en masse et se dispersèrent en groupes dans la petite salle, s'asseyant pour la plupart à leur place habituelle. Tomás sortit ses notes de sa sacoche et s'assit, attendant que tout le monde s'installe et que les retardataires arrivent. Il étudia leurs visages – des filles, en majorité ; certains étaient encore ensommeillés, d'autres dopés à la caféine et pleins d'entrain.

Au bout de quelques minutes, il se leva et salua la classe.

– Bonjour à tous.

– Bonjour, répondirent en chœur les étudiants.

– La dernière fois, commença Tomás en faisant quelques pas devant la première rangée de tables, nous avons examiné une stèle en l'honneur du dieu Marduk et analysé les symboles d'Akkad, d'Assyrie et de Babylone. Nous avons ensuite parlé des Égyptiens et des hiéroglyphes, en lisant des extraits du *Livre des morts*, les inscriptions sur le temple de Karnak et plusieurs papyrus. Pour conclure notre discussion sur l'Égypte, nous allons aujourd'hui apprendre comment les hiéroglyphes ont été déchiffrés.

Il s'immobilisa et parcourut la salle du regard.

» Quelqu'un a-t-il une idée ?

Les étudiants souriaient, habitués aux tentatives maladroites de leur professeur pour les faire participer.

– La pierre de Rosette, dit un étudiant.

– Oui, répondit Tomás, la pierre de Rosette a bien joué un rôle, mais on ne peut pas dire qu'elle ait été le seul facteur. Et elle n'a pas non plus été le plus important.

Les étudiants semblèrent surpris. Celui qui venait de répondre à la question parut dépité. D'autres remuèrent sur leur chaise.

– Donc ce n'est pas la pierre de Rosette qui a fourni la clef pour déchiffrer les hiéroglyphes ? demanda une jeune fille à lunettes, petite et potelée, une des étudiantes les plus attentives et les plus impliquées.

Tomás sourit. Amoindrir l'importance de la pierre de Rosette avait produit l'effet escompté : il avait réussi à réveiller la classe.

– Elle a aidé, dit-il, mais il y avait beaucoup plus que ça. Comme vous le savez, les hiéroglyphes sont restés un grand mystère pendant plusieurs siècles. Les premiers datent de trois mille ans avant notre ère. Les hiéroglyphes cessèrent d'être utilisés à la fin du IVe siècle après J.-C., et seulement une génération plus tard, plus personne ne savait les lire. Est-ce que quelqu'un sait pourquoi ?

La classe resta silencieuse.

– Les Égyptiens ont fait une crise d'amnésie ? répondit pour plaisanter un des rares garçons de la classe.

– À cause de l'Église chrétienne, expliqua Tomás avec un sourire forcé. Les chrétiens ne laissèrent pas les Égyptiens utiliser leurs hiéroglyphes. Ils voulaient les couper de leur passé païen, leur faire oublier leurs nombreux dieux. Ce fut une mesure si drastique que la connaissance de l'ancienne forme d'écriture disparut complètement, en un clin d'œil, elle fut oubliée. L'intérêt pour les hiéroglyphes s'épuisa, et ce n'est qu'à la fin du XVIe siècle qu'il fut ravivé, lorsque le pape Sixte V, influencé par un livre mystérieux intitulé *Hypnerotomachia Poliphili* et écrit par Francesco Colonna, fit placer des obélisques égyptiens aux angles des rues de Rome.

L'explication de Tomás fut interrompue par le grincement de la porte. Le professeur lança un regard distrait à la jeune femme qui venait d'entrer. Il eut un instant d'hésitation avant de porter son attention sur la nouvelle venue. Il ne l'avait encore jamais vue. Elle avait les cheveux blonds, les yeux bleu turquoise et la peau d'un blanc laiteux. Elle se fraya un chemin jusqu'au dernier rang et s'assit à l'écart du reste de la classe. Sa démarche assurée montrait qu'elle était parfaitement consciente de sa beauté.

Au bout de quelques instants, Tomás poursuivit.

– Les spécialistes commencèrent à essayer de déchiffrer les hiéroglyphes, sans succès. Lorsque Napoléon envahit l'Égypte, il demanda à une équipe d'historiens et de scientifiques de le suivre, leur donnant pour mission de cartographier, enregistrer et mesurer tout ce qu'ils trouveraient. Cette équipe atteignit l'Égypte en 1798, et l'année suivante, les soldats stationnés au fort Julien, sur le delta du Nil, leur demandèrent de venir examiner un objet qu'ils avaient trouvé dans la ville de Rosette. Les soldats avaient en effet reçu l'ordre de démolir un mur dans le fort qu'ils occupaient, et ils y avaient découvert une pierre portant trois types d'inscriptions.

Tomás déduisit que la jeune femme était étrangère – des cheveux aussi clairs étaient très rares au Portugal.

– Les scientifiques français examinèrent la pierre et identifièrent des caractères grecs, des caractères démotiques et des hiéroglyphes.

Ils en conclurent qu'il s'agissait du même texte écrit dans trois langues différentes et comprirent immédiatement l'importance de leur découverte.

» Après la défaite des Français, la pierre devint une possession britannique et fut envoyée au British Museum. La traduction du grec révéla que la pierre contenait un décret pris par un conseil de prêtres égyptiens, consignant les bénéfices que le pharaon Ptolémée avait offerts au peuple égyptien et les honneurs que les prêtres avaient accordés au pharaon en échange.

» Les Anglais se dirent que si les deux autres inscriptions contenaient le même texte, déchiffrer les caractères démotiques ne serait pas compliqué. Mais il y avait trois problèmes. – Tomás leva un pouce. – Premièrement, le texte était abîmé. Le grec était relativement intact, mais il manquait de nombreuses parties dans les sections en démotique et, surtout, en hiéroglyphes. La moitié des lignes du texte hiéroglyphique avait disparu et les quatorze lignes restantes étaient gravement détériorées. – Il leva son index. – Deuxième problème, les deux textes qui devaient être déchiffrés étaient écrits en égyptien, une langue qui n'avait, semblait-il, pas été parlée depuis au moins huit siècles. Les Anglais réussirent à associer les hiéroglyphes aux mots grecs, mais ils ne savaient pas comment prononcer ces mots. – Il leva un troisième doigt. – Enfin, les spécialistes étaient fermement convaincus que les hiéroglyphes étaient des sémagrammes, c'est-à-dire des symboles représentant une idée complète, plutôt que des phonogrammes, des symboles représentant des sons, comme c'est le cas de notre alphabet phonétique.

– Alors comment ont-ils déchiffré les hiéroglyphes ? demanda un étudiant.

– La première avancée a été réalisée par un Anglais très talentueux nommé Thomas Young. À l'âge de quatorze ans, il avait déjà étudié le grec, le latin, l'italien, l'hébreu, le chaldéen, le perse, l'arabe, l'éthiopien, le turc et... hmm... un instant...

– Le chinois ? suggéra le plaisantin du groupe.

La classe éclata de rire.

– Le samaritain, se souvint Tomás.

– Ah, ce devait être quelqu'un de bien alors, insista le plaisantin, encouragé par son succès. Un bon Samaritain !

Les rires redoublèrent. Tomás les ignora et poursuivit.

– Eh bien, Young emporta une copie des trois inscriptions de la pierre de Rosette en vacances pendant l'été 1814. Lorsqu'il commença à les étudier en détail, quelque chose attira son attention : c'était une suite de hiéroglyphes dans un cartouche, une sorte d'anneau. Il supposa que la finalité du cartouche était de mettre en exergue quelque chose d'une importance particulière. Grâce au texte grec, il savait que la section concernait le pharaon Ptolémée et il en conclut rapidement que le cartouche contenait le nom « Ptolémée » et soulignait l'importance du pharaon. Puis il adopta une démarche révolutionnaire. Au lieu de partir de l'hypothèse que l'écriture était seulement idéographique, il se dit que le mot était peut-être écrit phonétiquement, et il commença à établir des conjectures sur le son de chaque hiéroglyphe du cartouche.

Tomás marcha prestement jusqu'au tableau blanc et dessina un carré.

– Il supposa que ce symbole, le premier du cartouche, correspondait au premier son du nom du pharaon, un *p*. – À côté du carré, Tomás dessina un demi-cercle, la base orientée vers le bas : – Il supposa que ce symbole, le deuxième du cartouche, était un *t*… – Il dessina un lion allongé de profil :  – et que ce petit lion représentait un *l*.

Tomás dessina ensuite un autre symbole, formé de deux lignes horizontales jointes par la gauche :

– Il déduisit que ceci était un *m*… – Puis il dessina deux couteaux verticaux parallèles : – … ces couteaux, un *i*… – Enfin, un crochet renversé : – … et ce symbole, pensa-t-il, devait être *os*.

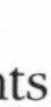

Il se tourna vers les étudiants.

– Vous voyez ? – Il montra du doigt les dessins en les épelant.– *P, t, l, m, i, os* : ptlmios. Ptolémée.

Tomás se tourna de nouveau vers la classe et sourit en voyant les visages fascinés de ses étudiants.

– Nous savons maintenant qu'il avait raison pour la plupart de ces sons, poursuivit-il en s'éloignant du tableau pour se rapprocher du premier rang. Et c'est ici, mes chers amis, que s'arrête le rôle de la pierre de Rosette.

Il laissa cette idée faire son effet.

– Ce fut un premier pas très important, c'est vrai, mais il y avait encore beaucoup à faire. Après avoir accompli le premier déchiffrage d'un hiéroglyphe, Thomas Young partit à la recherche de confirmations. Il découvrit un autre cartouche dans le temple de Karnak, à Thèbes, et déduisit qu'il contenait le nom d'une reine ptolémaïque, Bérénice. Il avait encore une fois raison. Le problème était que Young pensait que ces transcriptions phonétiques ne s'appliquaient qu'aux noms étrangers, comme c'était le cas de la dynastie ptolémaïque, qui descendait d'un général d'Alexandre le Grand, et il ne poursuivit pas dans cette direction. Par conséquent, le code ne fut jamais déchiffré, simplement égratigné.

– Pourquoi pensait-il que seuls les noms étrangers étaient écrits phonétiquement ?

Tomás hésita un instant, réfléchissant à la meilleure réponse à donner.

– Eh bien, c'est comme le chinois, dit-il finalement. Est-ce que quelqu'un ici parle chinois ?

Silence.

» Aucun problème, dit-il en souriant. L'écriture chinoise est idéographique. Le souci avec ce type d'écriture, c'est que chaque fois qu'un nouveau mot apparaît, un nouveau caractère doit être inventé. Les Chinois auraient fini par se retrouver avec des milliers et des milliers de caractères, impossibles à mémoriser. Face à ce problème, qu'ont-ils fait ?

– Ils ont pris du ginkgo biloba ? suggéra le plaisantin.

– Ils ont phonétisé leur écriture, dit Tomás en l'ignorant. Pour être plus précis, ils ont gardé les anciens symboles idéographiques, mais lorsque de nouveaux mots apparaissaient, ils utilisaient phonétiquement les symboles existants.

Il parcourut la salle du regard pour s'assurer que l'idée avait été intégrée.

– Young pensa que c'était ce qu'avaient fait les Égyptiens.

– Donc c'est Young qui a résolu l'énigme.

– Eh bien, non, répondit Tomás. C'est un Français, Jean-François Champollion.

Tomás regarda la jeune femme blonde assise au fond de la salle et se demanda ce qu'elle faisait là. Peut-être était-elle allemande… ou bien hollandaise. Elle semblait captivée par ce qu'il disait, dans une posture aussi inquisitrice que son regard d'acier.

– Notre ami Champollion appliqua l'approche de Young à d'autres cartouches contenant les noms de Ptolémée et de Cléopâtre, avec succès. Il décrypta également une référence à Alexandre le Grand. Le problème, c'est qu'il s'agissait uniquement de noms d'origine étrangère, ce qui ne fit que renforcer sa conviction que ce déchiffrage phonétique ne s'appliquait qu'aux mots qui n'appartenaient pas au vocabulaire égyptien traditionnel. Tout changea en septembre 1822.

Il fit une pause pour ménager son effet.

– Cette année-là, Champollion accéda aux bas-reliefs du temple d'Abou Simbel et découvrit des cartouches antérieurs à l'époque gréco-romaine, ce qui signifiait qu'aucun des noms s'y trouvant ne pouvait être d'origine étrangère. Après avoir examiné attentivement tous les hiéroglyphes, il décida de se concentrer sur un cartouche particulier.

Tomás se dirigea vers le tableau et dessina quatre hiéroglyphes à l'intérieur d'un cartouche :

– Les deux premiers hiéroglyphes de ce cartouche étaient inconnus, mais les deux derniers se trouvaient dans deux autres cartouches qu'il avait déjà étudiés : celui contenant *Ptlmios* et celui contenant *Alksentr*, ou « Alexandre ».

Il désigna le dernier hiéroglyphe.

– Ici, ce symbole correspondait à un *s*. Champollion supposa ainsi qu'il avait déchiffré les deux derniers sons du cartouche d'Abou Simbel.

Tomás écrivit sur le tableau les sons correspondants dans l'alphabet latin, en laissant deux points d'interrogation à la place des deux premiers hiéroglyphes. On pouvait désormais lire un énigmatique *?- ?-s-s*. Il se retourna vers la classe en montrant du doigt les deux points d'interrogation.

– Les deux premiers hiéroglyphes étaient toujours manquants. À quoi pouvaient-ils correspondre ? Et comment les prononcer ? – Il désigna le premier. – En regardant attentivement ce hiéroglyphe rond, avec un point au milieu, Champollion trouva qu'il ressemblait au soleil. Partant de cette hypothèse, il essaya d'imaginer le son correspondant. Il se souvint qu'en copte « soleil » se prononçait *ra* et décida de substituer ce *ra* au premier point d'interrogation.

Tomás fit de même. On pouvait donc lire : *ra- ?-s-s*.

– Et maintenant ? Comment déchiffrer le second point d'interrogation ? Champollion réfléchit longuement et arriva à la conclusion que ce devait être quelque chose de très simple. Quel que fût le mot, le fait qu'il se trouvait dans un cartouche laissait fortement supposer qu'il s'agissait du nom d'un pharaon. Et quel pharaon avait un nom commençant par *ra* et se terminant par un double *s* ?

La question resta en suspens dans la salle de classe silencieuse.

– C'est alors qu'une idée lui vint à l'esprit. Une idée audacieuse, extraordinaire et déterminante.

Une dernière pause exacerba l'impatience de ses étudiants.

– Et pourquoi pas un *m* ?

Tomás se tourna vers le tableau, effaça le point d'interrogation et le remplaça par un *m*.

– *Ramsès*. Et c'est ainsi que la découverte d'un universitaire modifia radicalement notre compréhension de l'histoire mondiale.

II

Un brouhaha emplit la salle lorsque Tomás termina son cours, mêlé au grincement des chaises poussées sous les tables et au claquement des cahiers refermés. Certains étudiants se pressaient vers la sortie tandis que d'autres restaient debout à bavarder. Comme toujours, quelques-uns se dirigèrent vers son bureau pendant qu'il rassemblait ses affaires.

– Monsieur, je n'ai pas pu assister aux derniers cours parce que je travaille à temps partiel. Est-ce que vous avez fixé la date de l'examen final ?

– Oui, il aura lieu pendant le dernier cours.

– Quel jour ça tombe ?

– Là, tout de suite, je ne me souviens pas. Regardez le calendrier.

– Et en quoi il consistera ?

– Ce sera un examen pratique. – Tomás finit de ranger ses affaires. – Vous devrez analyser des documents et déchiffrer des textes anciens.

– Des hiéroglyphes ?

– Oui, mais pas uniquement. Je peux vous demander d'analyser des tablettes sumériennes gravées d'écriture cunéiforme, des inscriptions en grec, des textes hébraïques ou araméens, ou des choses beaucoup plus simples, comme des manuscrits du Moyen Âge ou du XVIe siècle.

L'étudiante le regarda d'un air ébahi.

– Je plaisante, dit Tomás en riant, juste quelques bricoles.

– Mais je ne connais rien à tout ça, répondit-elle sur un ton plaintif.

Elle était visiblement paniquée. Tomás la regarda.

– C'est pour ça que vous suivez ce cours, non ? demanda-t-il en levant les sourcils. Pour apprendre.

Il réalisa que la jolie retardataire s'était avancée et attendait son tour. L'étudiante lui tendit un morceau de papier.

– Il faut que vous signiez ça, dit-elle finalement.

Tomás s'exécuta d'un air absent, distrait par la beauté de la jeune inconnue.

– Qu'est-ce que c'est, exactement ? demanda-t-il soudain en réalisant qu'il n'avait aucune idée de ce qu'il venait de signer.

– Je dois donner ça au travail pour justifier une absence en raison du cours.

Il hocha la tête et la regarda partir, intrigué par ce que le monde était devenu.

Il ne restait que deux étudiantes devant lui, une jeune femme aux cheveux noirs ondulés et la jolie blonde. Il s'adressa d'abord à la brune.

– Bonjour, monsieur. Je me demandais : quand les scribes égyptiens utilisaient-ils des rébus ?

– Ça dépendait du contexte, répondit Tomás. Les scribes égyptiens obéissaient à des règles flexibles. Ils utilisaient les rébus pour contracter des mots ou pour suggérer un double sens.

– D'accord, merci monsieur.

– À la semaine prochaine.

Il allait enfin pouvoir lui parler, seul à seule. Elle devait avoir l'habitude que les hommes se comportent ainsi avec elle, pensa-t-il. Il était décontenancé par sa beauté et sa taille – elle était presque aussi grande que lui –, mais il ne se laissa pas intimider. Ils échangèrent un sourire.

– Bonjour, dit-il.

– Bonjour, professeur.

Elle avait un accent étranger.

» Je suis nouvelle.

Tomás eut un petit rire.

– Je l'avais deviné. Quel est votre nom ?

– Lena Lindholm.

– Lena ?

Il feignit la surprise, comme s'il venait de remarquer qu'elle avait quelque chose de différent.

» C'est le diminutif d'Elena en portugais...

Elle rit timidement.

– Oui, mais je suis suédoise.

– Ah ! s'exclama-t-il. Bien sûr.

Il hésita, cherchant ses mots.

» Laissez-moi un instant... Hmm... *Hej, trevligt att träffas.*

Lena ouvrit de grands yeux.

– Pardon ? demanda-t-elle, l'air agréablement surprise. *Talar du svenska ?*

Tomás secoua la tête.

– *Jag talar inte svenska*, dit-il en souriant. C'est tout ce que je sais dire en suédois.

Il haussa les épaules, comme pour s'excuser.

» *Förlat.*

Elle le regarda avec une expression d'admiration.

– Pas mal du tout. Mais il faut encore travailler votre accent. Il doit être plus chantant, sinon on pensera que vous êtes danois. Où avez-vous appris ?

– J'ai passé quatre jours à Malmö pendant mes études. J'en ai rapporté une ou deux choses. Je sais demander : *Var är toaletten ?*

– *Hur mycket kostar det ?* répondit-elle en riant.

– *Äppelkaka med vaniljsås.*

Cette dernière phrase la fit froncer les sourcils.

– Ne me parlez pas d'*äppelkaka.*

– Pourquoi donc ?

Elle passa sa langue sur ses lèvres roses.

– C'est délicieux, et ça me manque tellement...

Il rit, essayant de masquer la réaction qu'elle provoquait en lui.

– Je suis désolé, *kaka* est un mot ancien pour « dessert » – mais *Caca* signifie « merde » en portugais.

– C'est vrai, mais il ne faut pas se fier à son nom, c'est succulent !

Lena ferma les yeux et sembla se remémorer la première fois qu'elle avait mangé de ce dessert.

La jeune femme intriguait beaucoup Tomás. Il avait l'habitude d'être entouré de jolies étudiantes, mais il était marié et fidèle. Pendant un court instant, pourtant, il s'imagina l'attirer à lui, l'embrasser, et il dut faire un effort surhumain pour ignorer le désir qu'elle éveillait en lui. Il s'éclaircit la voix avec un « hmm hmm » rauque.

– Rappelez-moi votre nom ?

– Lena.

– Ah oui, Lena. – Il marqua une pause.– Dites-moi, Lena, où avez-vous appris à parler si bien le portugais ?

– Mon père était ambassadeur en Angola, et j'y ai vécu pendant cinq ans.

Tomás referma sa sacoche et se redressa.

– Je vois. Ça vous a plu ?

– J'ai adoré. On avait une maison à Miramar et on passait nos week-ends à Mussulo. Une vie de rêve.

– Ça se situe dans quelle région de l'Angola ?

Elle le regarda d'un air surpris, comme s'il était étrange que ces lieux ne soient pas familiers à un Portugais.

– À Luanda, bien sûr. Miramar, c'était notre quartier, il donnait sur la plage, le fort et l'île. Mussulo, c'est une île au sud de Luanda. Vous n'y êtes jamais allé ?

– Non, je ne suis jamais allé en Angola.

– Quel dommage !

Tomás se dirigea vers la porte en lui faisant signe de le suivre. Lena se rapprocha. Elle devait mesurer un mètre quatre-vingts. Son pull-over bleu était en parfaite harmonie avec ses yeux et ses cheveux blonds ondulés, qui tombaient sur ses épaules. Tomás lutta pour ne pas regarder plus bas.

– Alors dites-moi ce qui vous amène dans mon cours, dit-il en se décalant pour la laisser sortir en premier.

– Je suis venue dans le cadre du programme Erasmus, répondit-elle en passant devant lui.

– Pardon ?

– Le programme Erasmus, répéta-t-elle en se tournant pour lui faire face.

Ils traversèrent le hall principal et elle le suivit en haut des escaliers.

– Le programme Erasmus ?

– Oui. Vous connaissez ?

Tomás secoua la tête.

– Ah, oui. Bien sûr… Erasmus.

Il marqua une courte pause avant de finalement comprendre de quoi elle parlait.

» Ah ! Alors vous êtes venue dans le cadre du programme Erasmus.

Elle esquissa un sourire, intriguée par sa maladresse. Elle avait perçu à quel point elle le rendait nerveux.

– Oui, c'est ce que je disais.

La plupart des étudiants Erasmus qui venaient étudier dans le département d'histoire de la Nouvelle Université de Lisbonne étaient espagnols, et quelques-uns venaient de l'Europe du Nord.

– De quelle université êtes-vous ? J'ignorais que vous deviez nous rejoindre.

– Stockholm.

– Vous étudiez l'histoire ?

– Oui.

Ils montèrent trois étages avant d'arriver au bureau de Tomás. Il s'arrêta devant la porte et fouilla dans ses poches à la recherche de sa clef.

– Et pourquoi avez-vous choisi le Portugal ?

– Pour deux raisons, répondit Lena. D'abord, pour la langue. Je parle et lis le portugais couramment, donc ce n'est pas un problème pour moi de suivre les cours. Écrire est un peu plus difficile.

– Si vous avez du mal à écrire en portugais, vous pouvez écrire en anglais, ce n'est pas un souci. – Il mit la clef dans la serrure. – Et la seconde raison ?

Lena attendait derrière lui.

– J'envisage d'écrire mon mémoire sur les grands voyages d'exploration. J'aimerais établir des parallèles entre les voyages des Vikings et ceux des Portugais.

La porte s'ouvrit, et d'un geste courtois Tomás invita l'étudiante à entrer. Son bureau était en désordre, le mobilier et le sol encombrés de devoirs à corriger et de papiers éparpillés.

– Les découvertes portugaises sont un sujet très vaste, dit Tomás en se tournant vers la fenêtre pour profiter du soleil hivernal qui se déversait dans la pièce. Vous avez une idée de la quantité de travail qui vous attend ?

– Tout petit poisson espère devenir une baleine.

– Pardon ?

– C'est un proverbe suédois. Ça veut dire que je suis tout à fait prête à travailler dur.

Tomás sourit.

– Je n'en doute pas, mais il est important que vous délimitiez votre zone de recherche. Quelle période vous intéresse précisément ?

– Je m'intéresse à tout ce qui précède le voyage de Vasco de Gama de 1498. J'ai commencé à étudier et à me préparer à venir ici il y a un an. – Ses yeux s'agrandirent. – Vous pensez que je pourrai avoir accès aux journaux originaux ? Ceux des grands chroniqueurs marins ?

– Qui ? Zurara et compagnie ?

– Oui.

Tomás soupira.

– Ça va être difficile. Les textes originaux sont précieux, des reliques fragiles que les bibliothèques protègent farouchement. – Il sembla pensif. – Mais vous pouvez consulter des fac-similés et des copies. C'est presque la même chose.

– Ah, mais je veux voir les originaux.

Elle le fixa de ses yeux bleus suppliants, presque boudeurs.

– Vous pourriez m'aider ? S'il vous plaît…

– Eh bien, je suppose que je peux essayer, répondit Tomás, de plus en plus nerveux.

– Super ! s'exclama-t-elle avec un grand sourire.

Tomás était vaguement conscient qu'il s'était laissé manipuler, mais il était tellement sous son charme que cela lui était égal.

– Mais vous savez lire le portugais du XVIe siècle ?

– Un voleur trouvera le Graal plus vite qu'un sacristain.

– Pardon ?

Lena sourit en voyant son expression perplexe.

– C'est un autre proverbe suédois. Ça signifie que quand on veut, on peut.

– Je n'en doute pas, mais ça ne répond pas à ma question, insista-t-il. Pouvez-vous lire le portugais de l'époque, dans sa calligraphie complexe ?

– Pas vraiment.

– Alors quel est l'intérêt d'avoir accès à ces textes ?

Lena sourit malicieusement, avec la confiance de quelqu'un qui n'a pas l'habitude d'être contrarié.

– Je suis sûre que vous me donnerez un coup de main.

Tomás savait que son enrôlement dans cette affaire ne mènerait à rien de bon. Il approuvait cette règle tacite dans l'enseignement à l'université : ne jamais devenir trop proche des étudiantes. Il se demanda pourquoi Lena le perturbait autant. Son intérêt pour elle était indéniable. Mais il y avait quelque chose en elle qui le rendait extrêmement curieux, il voulait en savoir plus. Beaucoup plus.

III

Son après-midi avait été accaparé par une réunion du département d'histoire, avec ses sempiternelles intrigues, ses manœuvres politiques et ses discussions interminables. Lorsque Tomás rentra enfin chez lui, la nuit était tombée et Constance et Margarida étaient déjà à table : steak haché et spaghettis au ketchup, le plat préféré de sa fille. Il accrocha son manteau, les embrassa toutes les deux et s'assit pour manger.

– Steak haché et spaghettis, pour changer, dit-il sèchement.

Constance le regarda et haussa les épaules.

– Ça lui fait plaisir.

– Bon spaghettis ! baragouina Margarida gaiement, en aspirant bruyamment un long filet de pâtes.

– Alors si ça lui fait plaisir, ça me fait plaisir aussi, répondit Tomás, résigné, en se servant.

Il regarda sa fille et caressa ses cheveux bruns et raides.

– Bonjour, ma puce. Qu'est-ce que tu as appris, aujourd'hui ?

– A pour Avion. B pour Ballon.

– Mais tu as déjà appris ça l'année dernière, n'est-ce pas ? Tu n'as rien appris de nouveau aujourd'hui ?

– C pour Chat. D pour Dauphin.

– Tu vois ? dit-il en se tournant vers sa femme. Elle régresse.

– Je sais, répondit Constance. J'ai pris rendez-vous avec le directeur pour la semaine prochaine.

– E pour Éléphant.

Un an plus tôt, Margarida avait commencé l'école, où elle était aidée par un éducateur spécialisé, une sorte d'entraîneur qui était toujours derrière elle. Malheureusement, une restriction budgétaire l'avait obligé à quitter l'école, laissant tous les écoliers nécessitant des besoins particuliers sans autre soutien que celui de l'instituteur. Et même si Margarida oubliait peu à peu ce qu'elle avait appris, convaincre l'école qu'un simple instituteur n'était pas adapté ne serait pas une tâche facile.

Tomás essaya de regarder sa fille comme un étranger le ferait, son visage rond, ses membres courts, ses yeux en amande et ses fins cheveux noirs. Est-ce que ses camarades de classe l'affublaient de surnoms ? Probablement. La cruauté des enfants.

Il se rappela cette matinée de printemps, neuf ans plus tôt, à la maternité. Euphorique, il s'était précipité dans la chambre avec un bouquet de chèvrefeuille, avait étreint sa femme et embrassé sa fille, qui venait de naître. Il l'avait embrassée comme si elle était un bien précieux, ému de la voir emmitouflée dans une couverture, avec ses joues roses et sa peau douce. Elle ressemblait à un minuscule bouddha endormi, si sage et si paisible.

Ce moment de pure joie, céleste et transcendante, avait été de courte durée. Vingt minutes plus tard, la pédiatre entrait dans la chambre et, d'un geste discret, invitait Tomás à l'accompagner jusqu'à son bureau. Avec une expression grave, elle lui avait alors expliqué que Margarida semblait souffrir du syndrome de Down, ou trisomie 21.

C'était comme s'il avait reçu un coup dans l'estomac. La terre semblait s'ouvrir sous ses pieds tandis qu'il plongeait dans des ténèbres sans fond. Lorsqu'il l'avait annoncé à sa femme, elle avait réagi par un profond silence et refusé d'en parler ; ses projets pour sa fille venaient de s'effondrer. Ils disposaient malgré tout d'une semaine d'espoir ténu, le temps d'effectuer l'analyse de son caryotype, le test génétique qui éliminerait tout doute. Tomás trouvait pourtant que la petite avait hérité de certaines expressions de sa grand-mère maternelle, et selon Constance, elle avait un peu le nez de sa tante. Les médecins devaient se tromper, en avaient-ils déduit. Mais un appel téléphonique une semaine plus tard avait confirmé leurs craintes.

Le choc avait été brutal. Pendant des mois, ils avaient projeté leurs espoirs sur leur fille, nourrissant des rêves pour celle qui allait donner un nouveau sens à leur vie. Désormais, il ne restait que de l'incrédulité, un sentiment d'injustice, un maelström d'indignation. C'était la faute de l'obstétricien, qui n'avait rien détecté, des hôpitaux, qui n'étaient pas adaptés pour ce genre de situation, des politiciens, qui se fichaient des vrais problèmes des gens. En résumé, c'était la faute de tous, sauf la leur.

Étaient venus ensuite la douleur, profonde, de la perte et un insurmontable sentiment de culpabilité. Ils avaient passé des nuits entières à se demander ce qu'ils avaient fait de mal, à réfléchir à leur responsabilité, à chercher des erreurs, des fautes commises, des raisons, en quête d'un sens.

Finalement, ils avaient cessé de se préoccuper d'eux-mêmes, et leur attention s'était portée sur leur fille. Ils s'étaient interrogés sur son avenir. Comment allait-elle grandir ? Serait-elle heureuse ? Et s'il leur arrivait quelque chose, qui prendrait soin d'elle ? Parfois, ils en étaient venus à souhaiter une intervention divine, de la charité ou de la miséricorde – un secret si horrible qu'ils ne pouvaient même pas le partager entre eux. Une telle issue lui eût épargné tant de souffrances inutiles...

Mais un simple bâillement du bébé, un premier échange de regards ou un petit geste avaient suffi pour tout changer. Comme par un coup de baguette magique, ils avaient accepté leur fille telle qu'elle était et s'étaient mis à l'aimer intensément. Et très vite, toute leur énergie s'était concentrée sur elle. Lorsque les médecins leur avaient annoncé que son cœur risquait d'être défaillant, leur vie était devenue un tourbillon, une succession d'institutions, d'hôpitaux, de cliniques et un flot incessant d'examens et de tests.

Tomás avait réussi à terminer son doctorat d'histoire, malgré la difficulté d'étudier la cryptanalyse de la Renaissance et les chiffres complexes d'Alberti, Porta et Vigenère, entre deux visites chez le médecin. Ils n'avaient pas beaucoup d'argent ; le salaire que l'université versait à Tomás et celui de Constance pour ses cours d'arts plastiques au lycée suffisaient tout juste à couvrir leurs dépenses journalières.

Un tel stress avait eu des conséquences inévitables sur leur couple. Immergés dans leurs problèmes, ils ne se touchaient presque plus. Ils n'en avaient pas le temps. De l'argent et du temps. Les deux manquaient, et leur relation en souffrait. Ils étaient cordiaux et se souciaient l'un de l'autre, mais leur mariage était basé sur l'habitude et le devoir. La passion des premières années avait disparu, et avec elle la vie heureuse qu'ils avaient rêvé de mener. Ils le savaient tous les deux, mais aucune alternative ne s'était jamais présentée. Résignés, ils continuaient à vivre comme ils étaient censés le faire.

Tomás avala un morceau de steak et but une gorgée de vin rouge d'Alentejo. Margarida avait déjà terminé son dessert, des tranches de pomme épluchées, et se leva pour débarrasser la table.

– Margarida, tu peux débarrasser plus tard, tu sais ? dit-il.

– Non, répliqua-t-elle fermement en rangeant la vaisselle sale dans le lave-vaisselle. Dois nettoyer, dois nettoyer !

– Tu peux nettoyer plus tard.

– Non. C'est sale, beurk. Dois nettoyer !

– Cette gamine va finir par ouvrir une société de nettoyage, dit Tomás dans un rire étouffé, s'agrippant à son assiette pour qu'elle ne puisse pas la prendre.

Nettoyer et ranger étaient les principales obsessions de Margarida. Dès qu'elle voyait une tache, elle était là, courageuse, prête à la combattre. Cette manie avait mis ses parents dans des situations assez embarrassantes chez des amis : à la simple vue d'une toile d'araignée ou d'un voile de poussière sur un meuble, Margarida poussait un cri et pointait un doigt accusateur, désignant la saleté. Elle le faisait avec un dégoût tellement sincère que les hôtes, alarmés, se lançaient dans des opérations de nettoyage de grande ampleur avant d'inviter la famille Noronha.

Margarida allait se coucher après dîner. Tomás lui brossa les dents et Constance l'aida à enfiler son pyjama, puis Tomás prépara ses affaires pour le lendemain pendant que Constance lui lisait une histoire – ce soir, *Le Chat botté*. Une fois leur fille endormie, ils s'assirent sur le canapé du salon pour se détendre et essayer d'oublier un moment les problèmes de la journée.

– Je ne tiens plus debout, dit Constance, les yeux fixés au plafond.

– Et moi donc.

Le salon était petit, mais décoré avec goût. Des tableaux abstraits que Constance avait peints lorsqu'elle était étudiante étaient accrochés aux murs. Sur les meubles en hêtre clair étaient dispersés des vases remplis de fleurs rouge vif émergeant d'épaisses feuilles vertes.

– Qu'est-ce que c'est, ces fleurs ? demanda Tomás.

– Des camélias.

Il se pencha au-dessus d'un vase sur la table basse et renifla les pétales luxuriants.

– Je ne sens rien, observa-t-il, intrigué.

– Évidemment, idiot ! répondit Constance en riant. Les camélias n'ont pas de parfum.

– Ah, répondit Tomás.

Il se pencha en arrière et caressa la paume de la main de Constance.

» Parle-moi des camélias.

Constance était une passionnée de fleurs. Étrangement, cette passion était une des choses qui les avaient rapprochés pendant leurs études. Tomás adorait les devinettes et les jeux de lettres, les symboles et les messages secrets, et il passait son temps à déchiffrer des codes et des cryptogrammes. Lorsqu'ils s'étaient rencontrés, Constance lui avait ouvert la porte d'un nouveau monde de symbologie, celui des fleurs. Elle lui avait parlé des femmes dans les harems turcs qui utilisaient les fleurs pour entrer en contact avec le monde extérieur, grâce à un brillant code floral. Cette pratique avait donné naissance à la floriographie, un système de symboles devenu extrêmement populaire au

XIXe siècle, associant les significations turques originelles à la mythologique ancienne et au folklore traditionnel. Pour la plus grande joie de Tomás, les fleurs, qu'il s'était jusqu'alors contenté d'admirer, avaient commencé à lui révéler des sens cachés, dévoilant confidentiellement des émotions que leurs porteurs n'osaient exprimer. Par exemple, il était imprudent, voire impensable, pour un homme de dire à une femme qu'il était amoureux d'elle lors de leur premier rendez-vous, mais il était acceptable de lui offrir un bouquet de gloxinias, symbole de l'amour au premier regard.

La floriographie fut intégrée à la fabrication des bijoux, à l'art préraphaélite et à la mode. La cape portée par la reine Elizabeth II lors de son couronnement était brodée de branches d'olivier et d'épis de blé pour que son règne soit un règne de paix et d'abondance. Constance, qui aimait autant l'art créé par l'homme que celui créé par la nature, était devenue une spécialiste du déchiffrement du sens subliminal des fleurs.

– Les camélias viennent de Chine, où ils étaient très appréciés, expliqua-t-elle en coiffant ses cheveux en arrière. Ils ont été popularisés en Occident par Alexandre Dumas fils, qui écrivit *La Dame aux camélias*, un roman fondé sur l'histoire vraie d'une courtisane parisienne du XIXe siècle, Marie Duplessis. Mademoiselle était apparemment allergique aux parfums floraux et choisit les camélias précisément parce qu'ils étaient inodores.

Elle lança un regard espiègle à Tomás.

» Tu sais ce qu'est une courtisane, je suppose...

– Ma chérie, je suis historien.

– Eh bien, Mademoiselle Duplessis portait en permanence un bouquet de camélias, blancs pendant vingt-cinq jours, pour montrer qu'elle était disponible, et rouges les autres jours, pour montrer qu'elle était indisposée.

– Oh, s'exclama Tomás, feignant la déception.

– Verdi, inspiré par le roman de Dumas, écrivit *La Traviata*, en adaptant légèrement l'histoire. Dans cet opéra, l'héroïne est forcée de vendre ses bijoux, qu'elle remplace par des camélias.

– Oh non ! dit Tomás avec un sourire taquin. La pauvre chérie !

Il jeta un regard vers les fleurs que sa femme avait dispersées dans le salon.

» Donc, à en juger par les camélias rouges que tu as achetés, il n'y aura rien à espérer ce soir...

– Bien vu, dit Constance avec un soupir. Je suis épuisée.

Tomás regarda sa femme. Elle avait toujours cet air mélancolique qui l'avait séduit lorsqu'il l'avait connue à l'École des beaux-arts. À l'époque, il étudiait l'histoire à la Nouvelle Université de Lisbonne, et un ami lui avait vanté la beauté des étudiantes en beaux-arts. « De véritables chefs-d'œuvre, avait dit Augusto en plaisantant, satisfait de son bon mot, alors qu'ils se promenaient dans la cour de l'université après le déjeuner, par un bel après-midi de printemps. Je t'assure. Un jour, je t'y emmènerai. »

Entraîné par son ami, Tomás avait accepté de déjeuner à la cafétéria des Beaux-Arts et constaté que la rumeur était fondée : dans aucune autre école à Lisbonne la beauté n'était aussi flagrante. Ils avaient tenté d'engager la conversation avec d'élégantes jeunes femmes blondes, mais elles les avaient rabroués. Après avoir réglé leur repas, ils avaient erré, leurs plateaux dans les mains, l'air perdu, cherchant la meilleure place pour s'asseoir. Ils avaient choisi une table près de la fenêtre, occupée en partie par trois jeunes femmes, dont une brunette à l'air angélique.

– La nature est généreuse, avait commenté Augusto, avec un clin d'œil, en guidant son ami.

La brunette s'était prise d'intérêt pour les yeux verts de Tomás, mais celui-ci avait porté toute son attention sur une de ses amies, une jeune femme à la peau d'albâtre, avec des taches de rousseur sur le nez et des yeux marron à l'expression rêveuse. Ses gestes délicats et alanguis dénotaient une nature douce et nostalgique, même si cela, comme il le découvrirait plus tard, n'était qu'une illusion. Derrière l'apparence douce de Constance se cachait un véritable volcan ; derrière le chat domestique, un lion implacable. Il n'était pas parti avant d'avoir obtenu son numéro de téléphone. Deux semaines plus tard, après lui avoir offert son premier bouquet de chèvrefeuille, dont il avait appris qu'il était la promesse d'un amour éternel, Tomás avait embrassé Constance à la gare d'Oeiras, puis ils avaient marché le long des vastes plages de Carcavelos en se tenant par la main. Ce souvenir du passé laissa soudain place au visage de Margarida, comme si Tomás avait fait un bond dans le temps pour revenir au présent ; la photographie de sa fille lui souriait dans un cadre, à côté d'un vase de camélias.

– Il faut qu'on l'emmène voir le docteur Oliveira la semaine prochaine.

– Ces visites m'épuisent, dit Tomás.

– Elle aussi, répondit sa femme. N'oublie pas qu'elle va bientôt devoir se faire opérer.

– Pas la peine de me le rappeler.

– Écoute, Tomás, que ça te plaise ou non, tu vas devoir m'aider.

– D'accord, d'accord.

– C'est juste que j'en ai assez de faire ça toute seule. Elle a besoin d'aide, et moi aussi. Tu es son père.

Tomás se sentit acculé. Sa femme était accablée par les soucis de Margarida, et malgré tous ses efforts, il semblait incapable de résoudre ne fût-ce que la moitié des problèmes que Constance, avec son pragmatisme, résolvait tous les jours.

– Je suis désolé. Ne t'inquiète pas, j'irai avec toi chez le docteur Oliveira.

Constance sembla plus calme. Elle s'adossa au canapé et bâilla.

– Il est temps d'aller dormir, dit-elle en se levant. Tu restes ici ?

– Juste un moment. Je vais lire un peu.

Elle se pencha et l'embrassa doucement sur les lèvres, laissant les notes sensuelles de son Chanel N°5 flotter dans l'air. Tomás se leva et se dirigea vers la bibliothèque, devant laquelle il resta un moment à se gratter le crâne, indécis. Au moment où il porta son choix sur les *Histoires extraordinaires* d'Edgar Allan Poe – il voulait relire *Le Scarabée d'or* –, son téléphone portable sonna.

– Allô ?

– Pourrais-je parler à M. Noronha ?

L'homme parlait un portugais du Brésil, devina Tomás, mais il était anglophone. À en juger par son timbre nasal, certainement un Américain.

– C'est moi. Qui êtes-vous ?

– Mon nom est Nelson Moliarti, et je travaille pour le conseil d'administration de la Fondation pour l'histoire des Amériques. J'appelle de New York. Comment allez-vous ?

– Bien, merci.

– Je m'excuse d'appeler aussi tard. Est-ce que le moment est mal choisi ?

– Non, pas du tout.

– Bien, dit-il. Je ne sais pas si vous connaissez notre fondation…

Il marqua une pause comme s'il attendait une confirmation.

– Non, désolé.

– Aucun problème. Nous sommes une organisation à but non lucratif qui soutient la recherche sur l'histoire des Amériques. Nous sommes basés à New York et nous travaillons actuellement sur un projet très important, mais nous avons malheureusement rencontré un problème délicat qui menace notre travail. Le conseil d'administration m'a demandé de trouver une solution, sur laquelle je travaille depuis deux semaines. Il y a une demi-heure, j'ai présenté ma proposition. Elle a été acceptée, et c'est pour cette raison que je vous appelle.

Il marqua une nouvelle pause.

– Oui ? demanda Tomás.

– Monsieur Noronha ?

– Oui, oui, je vous écoute.

– Vous êtes cette solution.

– Pardon ?

– Vous êtes la solution à notre problème. Dans combien de temps pouvez-vous être à New York ?

IV

New York

Un nuage de vapeur jaillit du sol, comme craché par un volcan caché sous le goudron, avant de se dissoudre dans l'air froid de la nuit. Il répandit sur son passage une odeur écœurante de friture. Se calfeutrant dans son fin manteau, les mains enfouies dans ses poches, Tomás s'efforça de braver le vent glacial. New York n'est pas une ville agréable lorsque ses rues sont frappées par des bourrasques de vent, surtout pour qui ne porte pas de vêtements adéquats. Tomás l'apprit à ses dépens.

Il était arrivé à l'aéroport JFK quelques heures plus tôt. Une imposante limousine noire, mise à sa disposition par la Fondation pour l'histoire des Amériques, l'avait conduit de l'aéroport au Waldorf Astoria, le magnifique hôtel Art déco qui occupait un bloc entier entre Lexington et Park Avenue. Trop excité pour apprécier à leur juste valeur les superbes détails du décor et l'architecture de l'hôtel, il déposa rapidement ses affaires dans sa chambre, demanda au concierge une carte de la ville, et sortit, renonçant aux services de la limousine.

C'était une erreur. La nuit était déjà tombée sur l'incroyable métropole. Au début, quand son corps était encore chaud, le froid ne l'avait pas dérangé. Il était même tellement à l'aise qu'il avait pris la Cinquième Avenue à l'est, subjugué par les immeubles immenses qui effleuraient le ciel. Mais, lorsqu'il traversa la Sixième Avenue et atteignit la Septième, il commença à sentir le froid le saisir. Il avait toujours entendu dire que la meilleure façon d'apprendre à connaître « la ville qui ne dort jamais », c'était de la parcourir à pied, mais personne ne lui avait précisé qu'il fallait également que le temps soit clément. Et une nuit passée dans le vent glacial de New York est une chose que l'on n'oublie jamais. Le froid était si intense que tout semblait disparaître autour de lui. Sa vision devint floue. Mais c'étaient ses oreilles qui souffraient le plus ; elles étaient comme cisaillées par des lames de rasoir.

La vision du chaudron de lumière de Times Square le guida jusqu'à la 42e rue, l'attirant par ses explosions successives de couleurs. Ici, la nuit semblait laisser place au jour ; des soleils multiples chassaient l'obscurité et projetaient leurs lumières chatoyantes sur l'avenue pleine de vie. La circulation était chaotique et les piétons se contournaient tout en esquivant les voitures, certains marchant d'un pas décidé, d'autres se promenant simplement, observant le spectacle d'un air ébahi. Des néons clignotaient sur les immeubles, des mots gigantesques défilaient sur les panneaux d'affichage ; des écrans géants diffusaient des publicités et même des programmes télévisés. Le tout formait un ensemble tumultueux d'images et de couleurs, une grisante orgie de lumière.

Tomás sentit son téléphone portable vibrer avant de l'entendre sonner. Il sortit à contrecœur sa main de sa poche pour décrocher.

– Allô ?

– Monsieur Noronha ?

– Oui ?

– Ici Nelson Moliarti. Comment allez-vous ? Vous avez fait bon voyage ?

– Oh, bonjour. Tout va bien, merci.

– Le chauffeur s'est bien occupé de vous ?

– Service cinq étoiles.

– Et l'hôtel, il vous plaît ?

– Fantastique.
– Est-ce que vous avez mangé ?
– Non, pas encore.
– Eh bien, n'hésitez pas à manger dans l'un des restaurants de l'hôtel. Mettez cela sur la note de votre chambre et la fondation se chargera de la régler.
– Merci, mais ce ne sera pas nécessaire. Je vais manger un bout ici, à Times Square.
– Vous êtes à Times Square ?
– Oui.
– En ce moment même ?
– Oui.
– Mais il fait un froid de canard ! Le chauffeur est avec vous ?
– Non, je l'ai laissé partir.
– Comment êtes-vous arrivé là ?
– À pied.
– Par moins cinq degrés ? Et ils ont dit tout à l'heure à la télévision que la température ressentie avec le vent serait de moins quinze degrés. J'espère au moins que vous êtes bien couvert !
– Oui, on peut dire ça.
Tomás entendit un soupir désapprobateur.
– Vous devez faire plus attention. Appelez-moi si vous souhaitez que je vous envoie le chauffeur.
– Oh, ce ne sera pas nécessaire. Je prendrai un taxi.
– Comme vous voudrez. Enfin, bon, j'appelais simplement pour vous souhaiter la bienvenue et pour vous dire que l'on se verra dans nos bureaux demain à 9 heures. Le chauffeur vous attendra à 8 h 30 dans le hall d'entrée de Park Avenue. Les bureaux ne sont pas loin de l'hôtel.
– D'accord, merci. À demain.
– À demain.

Cette nuit-là, Tomás sentit les effets du décalage horaire. Il était 6 heures du matin lorsqu'il se réveilla. Dehors, l'obscurité régnait toujours. Il essaya de se rendormir, se tournant et se retournant dans son lit pendant une demi-heure, avant de se rendre à l'évidence, il ne dormirait pas plus longtemps. Il était 11 h 30 du matin à Lisbonne. L'heure de la pause de Constance.

Il regarda autour de lui et apprécia pour la première fois sa chambre. Les murs bordeaux étaient ornés de moulures dorées et le sol était couvert d'une épaisse moquette. Des plantes vertes apportaient un peu de fraîcheur, et une bouteille de cabernet attendait d'être ouverte sur la table de nuit. Il aurait tellement aimé que Constance puisse voir tout ça.

Il l'appela sur son téléphone portable.

– Hé, tigresse, dit-il, utilisant le surnom qu'il lui avait donné au début de leur relation. Tout va bien ?

– Hé, Tomás ! Alors, c'est comment, New York ?

– Glacé !

– Mais encore ?

– C'est une ville étrange, mais assez incroyable.

– Qu'est-ce que tu vas me rapporter ?

– Ha ha ! gloussa-t-il. Je vais me ramener moi, sain et sauf. J'ai toujours su que tu te servais de moi.

– Tu es parti t'amuser en Amérique pendant que je m'occupe de ta maison et de ta fille, et c'est moi qui me sers de toi ?

– D'accord, d'accord. Je te rapporterai l'Empire State Building, avec King Kong en bonus.

– Ne te donne pas tant de mal, dit-elle en riant. Je préférerais le MoMA.

– Le quoi ?

– Le MoMA. Le musée d'Art moderne.

– Bien sûr.

– Rapporte-moi *La Nuit étoilée* de Van Gogh. Mais je veux aussi les *Nymphéas* de Monet, *Les Demoiselles d'Avignon* de Picasso et le *Divan japonais* de Toulouse-Lautrec.

– Et King Kong ?

– Que veux-tu que je fasse de King Kong ? Je t'ai, toi.

– Très amusant, dit-il en riant. Pour les peintures, des posters ça ira ?

– Absolument pas. Je veux que tu t'enfuies avec les originaux.

– Bon, d'accord. Comment va Margarida ?

– Bien. Elle va bien, répondit Constance. – Sa voix devint plus grave. – Mais, hier, elle m'a dit qu'elle sentait quelque chose de bizarre dans sa poitrine. J'ai peur pour son cœur...

Tomás inspira profondément. La réalité brutale s'immisçait dans sa pause urbaine.

– Il va falloir qu'elle retourne voir le cardiologue, dit-il au bout de quelques instants.

– Et tu devais nous accompagner.

– Je suis à l'étranger.

– Cette fois, tu as une excuse, admit-elle avant de rapidement changer de sujet. Alors, les Américains t'ont dit ce qu'ils te voulaient ?

– Non, j'ai rendez-vous avec eux ce matin. Je le saurai bientôt.

– Je parie qu'ils veulent ton expertise sur un manuscrit.

– Probablement.

Tomás entendit une sonnerie retentir à l'autre bout du fil.

– C'est la sonnerie, dit-elle. Je dois y aller, j'ai un cours. De toute façon, cet appel doit coûter une fortune. Je t'aime. Sois sage, d'accord ?

– D'accord. Et ne t'inquiète pas pour Margarida, ça va aller.

– Je sais. Enfin, j'espère. Et n'oublie pas de me rapporter des fleurs.

Il finit de déjeuner peu après 8 h 30 et se dirigea vers le lobby de l'hôtel, côté Park Avenue, selon les instructions de Moliarti. Un magnifique chandelier éclairait la mosaïque incrustée dans le sol de marbre.

– Bonjour, Monsieur. Comment allez-vous, aujourd'hui ?

Tomás se retourna et reconnut le chauffeur de la veille.

– Bonjour.

– Pouvons-nous y aller ? demanda l'homme en faisant signe à Tomás, de sa main gantée, de le suivre.

La matinée était froide, mais un soleil radieux illuminait la ville. Tomás s'installa dans la Cadillac tandis que le chauffeur prenait place au volant. La vitre de sécurité s'abaissa avec un léger bourdonnement et le chauffeur se pencha pour indiquer une petite télévision côté passager, où une bouteille de Glenlivet, une autre de Moët et une carafe de jus d'orange l'attendaient, scintillantes, dans un saut de glace.

– Profitez bien du trajet, dit-il avec un sourire.

La limousine démarra et Tomás regarda New York défiler devant lui dans toute son effervescence. Ils empruntèrent Madison Avenue et sa circulation dense jusqu'à ce qu'ils arrivent à la Sony Tower, reconnaissable à son toit de style Chippendale. La voiture ralentit et s'arrêta à l'angle.

– Les bureaux sont ici, dit le chauffeur en désignant l'entrée d'un gratte-ciel. M. Moliarti vous attend.

Tomás descendit de la voiture et admira le bâtiment. C'était une impressionnante tour de trente-sept étages de granite poli vert-gris, aux lignes modernes, presque aérodynamiques. Une bourrasque de vent froid balaya le trottoir, puis un homme vêtu d'un épais manteau sortit rapidement du bâtiment et s'approcha de lui.

– Monsieur Noronha ?

Tomás reconnut le portugais brésilien teinté d'une pointe d'accent américain.

– *Bom dia.*

– *Bom dia.* Je suis Nelson Moliarti. Ravi de faire votre connaissance.

– Tout le plaisir est pour moi, répondit Tomás en lui serrant la main.

Moliarti était un petit homme mince, aux cheveux gris ondulés. Il rappelait à Tomás un oiseau de proie, avec ses petits yeux et son nez fin et busqué.

– Bienvenue.

– Merci, répondit Tomás. Quel froid !

– Oui, en effet.

Moliarti lui indiqua la porte d'un signe de la main.

– Venez, rentrons.

Après s'être réfugié dans la chaleur de l'immeuble, Tomás admira les lignes élégantes du hall en marbre, orné d'une surprenante sculpture, un bloc de granite qui semblait suspendu dans un réservoir d'acier et dont s'écoulait un mince filet d'eau. Moliarti le vit observer la sculpture et sourit.

– Étrange, n'est-ce pas ?

– Intéressant.

– Suivez-moi. Nos bureaux sont au vingt-troisième étage.

Moliarti ne semblait pas avoir le temps de lui fournir plus d'explications. Il était visiblement pressé.

L'ascenseur était étonnamment rapide ; les portes se rouvrirent au bout de quelques secondes sur l'étage occupé par la Fondation pour l'histoire des Amériques. La porte principale était en verre poli, sur lequel était gravé le logo de la fondation : un aigle doré tenait une branche d'olivier dans l'une de ses serres tandis que l'autre tenait un ruban sur lequel on pouvait lire l'inscription latine *Hos successus alit : possunt, quia posse videntur*. Les initiales FHA étaient calligraphiées en dessous. Tomás répéta la phrase dans sa tête et essaya de retrouver son auteur.

– Virgile, dit-il finalement.

– Pardon ?

– Cette phrase, dit Tomás en pointant du doigt le ruban dans la serre de l'aigle, c'est une citation de *L'Énéide* de Virgile. – Il traduisit. – « Le succès les nourrit ; ils peuvent parce qu'ils pensent qu'ils peuvent. »

– Ah, oui. C'est notre devise. – Moliarti sourit. – Le succès conduit au succès, aucun obstacle n'est assez grand pour être surmonté. – Il regarda Tomás avec respect. – Vous connaissez le latin ?

– Le latin, le grec et le copte, même si je ne pratique pas assez. – Tomás soupira. – J'adorerais me plonger dans l'hébreu et l'araméen. Cela m'ouvrirait bien des horizons...

L'Américain siffla, impressionné, et, d'un geste, invita Tomás à entrer. Ils passèrent devant la réception et empruntèrent un couloir conduisant à un bureau moderne, où les attendait une femme austère, d'une soixantaine d'années.

– Voici notre invité, dit Moliarti en désignant Tomás.

La femme se leva et le salua d'un signe de tête.

– Bonjour, dit-elle.

– Je vous présente Mme Teresa Racca, assistante du président.

– Bonjour, dit Tomás en lui serrant la main.

– Est-ce que John est là ? demanda Moliarti.

– Oui.

Il frappa à la porte avant de l'ouvrir. L'homme assis derrière l'imposant bureau en acajou était presque chauve. Ses quelques cheveux gris étaient peignés en arrière et il avait un double menton. Il se leva et tendit les bras.

– Nel, entre donc.

Moliarti entra et présenta son invité.

– Voici Tomás Noronha, de Lisbonne. Monsieur Noronha, je vous présente John Savigliano, président du conseil d'administration.

Savigliano s'avança vers eux en tendant les bras avec un grand sourire.

– Bienvenue ! Bienvenue à New York !

– Merci, dit Tomás en passant à l'anglais, et ils échangèrent une poignée de main chaleureuse.

– Vous avez fait bon voyage ?

– Oui, excellent.

– Merveilleux ! Merveilleux ! – Savigliano leur indiqua deux fauteuils en cuir confortables dans un angle du bureau. – Je vous en prie, asseyez-vous.

Tomás s'assit et scruta la pièce. La décoration était assez classique, du lambris de chêne sur les murs et au plafond, et des meubles européens du XVIIIe siècle. Une immense fenêtre donnait sur la forêt d'immeubles de Manhattan au sud. Tomás reconnut les arches en acier rayonnant du Chrysler Building à sa gauche et la cime de l'Empire State Building à sa droite. Le sol était en noyer verni. De grandes plantes occupaient tous les coins de la pièce et une belle peinture abstraite ornait l'un des murs.

– C'est un Franz Marc, expliqua Savigliano, remarquant l'intérêt de son invité pour le tableau. Vous connaissez son travail ?

– Non, répondit Tomás en secouant la tête.

– C'était un ami de Kandinsky. C'est avec lui qu'il a fondé le groupe *Der Blaue Reiter* en 1911, expliqua-t-il. J'ai acheté ce tableau il y a quatre ans lors d'une vente aux enchères à Munich. – Il siffla. – Il coûte une fortune, croyez-moi. Une fortune !

– John est un passionné d'art, expliqua Moliarti. Il possède un Pollock et un Mondrian chez lui, imaginez un peu !

Savigliano sourit et baissa les yeux.

– Oh, c'est un de mes petits plaisirs. – Il regarda Tomás. – Je peux vous offrir quelque chose à boire ?

– Non, merci.

– Un café, peut-être ? Notre cappuccino est délicieux.

– Un cappuccino alors, merci.

Savigliano se tourna vers la porte.

– Teresa !

– Oui, monsieur ?

– Vous voudrez bien nous apporter trois cappuccinos et des biscuits, s'il vous plaît ?

– Tout de suite, monsieur.

Savigliano se frotta les mains et sourit.

– Tomás Noronha, dit-il. Je peux vous appeler Tom ?

– Tom ? demanda Tomás en riant. Comme Tom Hanks ? D'accord.

– J'espère que cela ne vous dérange pas. Nous, les Américains, préférons la simplicité. – Il se pointa lui-même du doigt. – S'il vous plaît, appelez-moi John.

– Et moi Nel, dit Moliarti en riant.

– Comme ça, c'est réglé.

Savigliano sourit et regarda par la fenêtre.

– Donc c'est votre première fois à New York ?

– Oui. C'est la première fois que je quitte l'Europe, admit Tomás, légèrement embarrassé.

– Et ça vous plaît ?

– Eh bien, je n'ai pas vu grand-chose pour le moment, mais ce que j'ai vu m'a plu, oui. – Tomás marqua une pause. – New York semble tout droit sorti d'un film de Woody Allen.

Les deux Américains éclatèrent de rire.

– Elle est bien bonne, celle-là ! rétorqua Savigliano. Un film de Woody Allen !

– Y a qu'un Européen pour sortir ce genre de chose ! renchérit Moliarti en riant et en secouant la tête.

Tomás resta assis à sourire, ne comprenant pas ce qu'il y avait de drôle.

– Vous n'êtes pas d'accord ? demanda-t-il.

– Eh bien, c'est une question de perspective, dit Savigliano. J'imagine que c'est ce que penserait quelqu'un qui n'aurait vu New York qu'au cinéma. Mais vous savez, ce n'est pas New York qui ressemble à un décor de film ; ce sont les décors de films qui ressemblent à New York, dit-il avec un clin d'œil.

Mme Racca entra dans le bureau avec un plateau, leur servit des cappuccinos fumants et des biscuits au chocolat, puis repartit. Ils portèrent tous les trois leur tasse à leurs lèvres. Savigliano se pencha en arrière sur le sofa et s'éclaircit la voix.

– Tom, parlons maintenant des raisons de votre présence ici. – Il jeta un rapide coup d'œil à Moliarti. – Je suppose que Nel vous a expliqué ce qu'est notre fondation.

– Oui, il m'en a donné une idée générale.

– La Fondation pour l'histoire des Amériques est une organisation à but non lucratif financée par des fonds privés. Elle s'est établie en 1958 ici, à New York, pour promouvoir l'étude de l'histoire des Amériques. Nous avons créé une bourse pour les étudiants américains et étrangers, afin de récompenser les recherches innovantes qui révèlent de nouvelles facettes de notre passé.

– La bourse Christophe Colomb, précisa Moliarti.

– Oui. Nous avons également financé les recherches d'archéologues et d'historiens professionnels.

– Quel genre d'études ? demanda Tomás.

– Tout ce qui touche aux Amériques, répondit le président, des dinosaures qui vivaient sur ce continent aux études sur les Amérindiens, les colonies européennes et les mouvements migratoires. Mais parlons plus spécifiquement de notre problème. – Il marqua une pause, cherchant par où commencer. – Comme vous le savez, en 1992, nous avons célébré le cinq centième anniversaire de la découverte des Amériques. Les cérémonies étaient magnifiques, et je suis fier de dire que la Fondation pour l'histoire des Amériques a joué un rôle important. Peu après, nous avons commencé à réfléchir à notre prochain projet, car nous nous concentrons en général sur un seul gros dossier à la fois. En regardant le calendrier, nous avons réalisé qu'une date importante nous avait échappé. Nous étions extrêmement embarrassés car c'est une date sur laquelle nous aurions dû porter toute notre attention. – Il regarda Tomás fixement. – Une idée de ce que peut être cette date ?

– Non.

– Le 22 avril 2000.

– La découverte du Brésil, dit Tomás sur un ton détaché.

– Exactement, répondit Savigliano. Son cinq centième anniversaire. – Il reprit une gorgée de cappuccino. – On a vraiment merdé en 2000, puisque nous n'avons rien commémoré du tout – aucune célébration, aucune proclamation, rien. Pour une fondation aussi réputée que la nôtre, c'était un faux pas que je ne voudrais surtout pas répéter. Nous avons donc organisé une réunion avec nos experts. Le défi était de trouver comment célébrer cette date après coup et de façon appropriée. L'un de nos experts est Nel, qui a enseigné l'histoire dans une université brésilienne et qui connaît très bien le pays. Nel a suggéré une idée que nous avons trouvée intéressante. – Il se tourna vers Moliarti. – Il vaut peut-être mieux que tu l'expliques toi-même.

– Bien sûr, John, dit Moliarti. Pour faire simple, disons qu'elle repose sur une controverse historiographique assez ancienne : l'explorateur portugais Pedro Álvares Cabral a-t-il découvert le Brésil par accident ou savait-il précisément ce qu'il faisait ? Comme vous le savez, les historiens suspectent que les Portugais connaissaient déjà l'existence du Brésil et que Cabral n'a fait qu'officialiser une découverte qui avait déjà eu lieu. J'ai proposé au conseil d'administration de financer une étude qui pourrait fournir une réponse définitive à cette question. Elle permettrait de consolider les études sur cette période et contribuerait à apporter à la fondation un respect dont elle a bien besoin.

– Le conseil d'administration a accepté et le projet a été lancé, ajouta Savigliano. Nous avons décidé d'engager les meilleurs experts dans ce domaine, mais nous cherchions des personnes à la fois rigoureuses et audacieuses, des personnes qui auraient le courage de remettre en question des idées bien ancrées, qui ne se contenteraient pas de consulter des sources établies, mais qui seraient capables de mettre au jour des vérités cachées.

– Comme je suis sûr que vous le savez, poursuivit Moliarti, de nombreuses découvertes portugaises ont d'abord été considérées comme des secrets d'État. Il semble d'ailleurs logique que le Portugal ait choisi de taire certaines informations. Un petit pays aux ressources limitées n'aurait pas été capable de rivaliser avec les grandes puissances européennes si tout le monde avait accès aux mêmes données. Les Portugais savaient que le pouvoir réside dans la connaissance, et ils ont donc décidé de garder ces connaissances pour eux et de s'assurer ainsi le monopole de ces informations stratégiques pour le futur. Cette mise sous le boisseau n'a pas été absolue mais sélective. Ils n'ont caché que certains faits et découvertes sensibles. Il y avait certaines choses, bien sûr, qu'il était dans leur intérêt de rendre publiques, puisqu'être le premier pays à explorer un territoire était le principal critère pour pouvoir en revendiquer la souveraineté.

– Exactement, dit Savigliano. Et puisque certaines découvertes ont été gardées secrètes, les documents officiels ont été rédigés de façon à cacher la vérité et ne peuvent pas être considérés comme fiables. C'est pour cette raison que nous avions besoin de chercheurs audacieux.

Tomás fronça les sourcils d'un air sceptique.

– Mais comment pouvez-vous attendre d'un historien sérieux qu'il ignore les documents officiels ? Si chacun laissait libre cours à son imagination, on ne parlerait plus d'histoire mais de fiction historique, n'est-ce pas ?

– Sans doute, oui.

– Il est évident que les documents doivent être soumis à la critique, insista Tomás. Il est important de comprendre les intentions qui se cachent dans les manuscrits et de jauger leur fiabilité. Mais vous savez comme moi que les recherches historiques doivent être fondées sur des preuves solides.

– Bien sûr, répondit immédiatement Moliarti. Bien sûr. C'est pour cette raison que nous avons besoin de chercheurs sérieux. Mais nous pensons aussi qu'ils doivent être capables de regarder au-delà des documents, dont le but – comme le voulait alors la monarchie portugaise – n'était pas d'informer mais de dissimuler. C'est pour cette raison que nos historiens doivent être capables de réfléchir en dehors des sentiers battus. – Il croqua dans un biscuit. – Le conseil d'administration m'a chargé de trouver la personne correspondant à ce profil, et j'ai passé plusieurs mois sur cette recherche, à étudier des CV, à poser des questions, à lire des articles de recherche et à discuter avec des amis. Jusqu'à ce que je trouve enfin la personne répondant à ces critères.

Moliarti marqua une pause si longue que Tomás se sentit obligé de demander :

– Qui ?

– Le professeur Martinho Vasconcelos Toscano, du département des lettres de l'Université de Lisbonne.

Tomás écarquilla les yeux.

– Le professeur Toscano ? Mais il…

– Oui, mon ami, dit Moliarti avec gravité, il est mort il y a deux semaines.

– C'est ce que j'ai entendu. Ils en ont même parlé aux informations.

Moliarti soupira bruyamment.

– Le professeur Toscano a attiré mon attention par ses recherches innovantes sur Duarte Pacheco Pereira, en particulier son travail le plus connu, l'énigmatique *Esmeraldo de Situ Orbis*. J'ai passé en revue ses recherches et j'ai été très impressionné par son analyse, sa capacité à voir au-delà des apparences, à remettre en question les vérités établies. En outre, son travail était très respecté par le département d'histoire de la PUC.

– La PUC ?

– L'Université pontificale catholique de Rio de Janeiro, où j'enseignais, expliqua Moliarti. Je suis donc allé à Lisbonne pour lui parler et je l'ai convaincu de prendre la tête de ce projet. – Il sourit. – Je pense aussi que notre rémunération généreuse a aidé à le persuader.

– La Fondation pour l'histoire des Amériques est fière de la compensation financière généreuse qu'elle offre, se vanta Savigliano. Nous demandons le meilleur, et nous payons en conséquence.

– Bref, le professeur Toscano semblait avoir le profil recherché, poursuivit Moliarti. Il n'écrivait pas particulièrement bien, c'est vrai. Cela semble être un problème fréquent chez les historiens portugais, mais ce n'était pas vraiment un obstacle. Nous avons des spécialistes pour ce qui est des questions de style, de véritables Hemingway qui peuvent faire passer les écrits du professeur Toscano pour du John Grisham.

Les deux Américains rirent en chœur.

– Et pourquoi pas James Joyce ? demanda Tomás. On dit que c'est le plus grand écrivain de langue anglaise.

– Joyce ? hurla Savigliano. Bon sang, il était pire que Toscano !

Et ils rirent de plus belle.

– Bien, assez plaisanté, déclara Moliarti. – Il inspira profondément. – Pour être honnête, je n'irais pas jusqu'à dire que le professeur Toscano avait le profil parfait. Mais il avait le profil qu'on m'avait demandé de trouver.

– Ce n'était pas la même chose ?

Moliarti fit la grimace.

– Le professeur Toscano avait des problèmes, comme nous avons fini par le comprendre. – Il but une gorgée de cappuccino. – D'une part, il n'était pas du genre à se cantonner à son domaine de recherche. Il a suivi des pistes qui, bien qu'intéressantes, étaient sans rapport avec l'étude en cours, et il a gaspillé une quantité incroyable de temps et d'argent. D'autre part, il ne prenait pas la peine de fournir des rapports sur son travail. Je voulais me tenir informé de l'avancée de son enquête, mais il refusait toujours de répondre à mes questions. Jusqu'au jour où il m'a annoncé qu'il avait fait une découverte capitale, quelque chose qui remettrait en question tout ce que nous savions sur les grandes découvertes. Une véritable révélation. Lorsque je lui ai demandé de quoi il s'agissait, il a refusé de me le dire. Il disait qu'on allait devoir attendre. Dans tous les cas, ce qu'il a trouvé lors de ses recherches sur la découverte du Brésil était capital. Assez pour le rendre complètement paranoïaque.

Le silence régna pendant quelques instants.

– Est-ce que vous avez attendu ? demanda finalement Tomás.

– Nous n'avions pas vraiment le choix, n'est-ce pas ?

– Et ensuite ?

– Ensuite, il est mort, dit Savigliano d'un ton grave.

– Hmm, murmura Tomás. Sans avoir donné plus d'informations sur cette découverte capitale.

– Exactement.

– Je vois, dit Tomás en s'adossant au sofa. C'est donc ça, votre problème.

Moliarti s'éclaircit la voix.

– C'est notre problème principal. – Il leva un doigt. – Nous devons trouver ce qu'avait découvert Toscano avant de mourir, afin que notre battage médiatique sur la découverte du Brésil permette, malgré son retard, de continuer à attirer le respect et les donations. Nous parlons d'une potentielle arrivée d'argent de plusieurs millions de dollars. Comme je l'ai expliqué, le professeur Toscano aimait avoir ses petits secrets et il ne nous a envoyé aucun document. C'est pourquoi nous avons les mains vides. Nous n'avons absolument rien. Que dalle.

– Ce sera la première fois dans l'histoire de la fondation que nous n'avons pas commémoré un jour important de l'histoire de notre continent, ajouta Savigliano.

– C'est très gênant, dit Moliarti en soupirant et en secouant la tête.

– En outre, poursuivit Savigliano, si ce que Toscano a découvert est aussi important qu'il l'a laissé penser, assez important pour transformer un vieil historien discret en un fou paranoïaque, alors ces recherches pourraient encourager les contributions des donateurs à un niveau que nous n'avons jamais connu auparavant.

Ils regardèrent Tomás, dans l'expectative.

– C'est pour cette raison que nous vous avons contacté, expliqua Savigliano. Nous souhaitons que vous repreniez les recherches de Toscano.

– Moi ?

– Oui, vous, dit-il en pointant son index sur lui. Il y a beaucoup à faire, et il faudra que ce soit fait rapidement. Nous avons d'abord besoin de ses recherches. Notre éditeur peut s'occuper du livre rapidement, mais il ne peut pas faire de miracles. Il est crucial que tout soit prêt à la mi-mars.

Tomás le regarda, interloqué.

– Je suis désolé, mais je pense que vous faites erreur. – Il se pencha en avant et pressa la paume de sa main contre sa poitrine. – Je ne suis pas un expert dans le domaine des découvertes. Je suis paléographe et crypto-analyste. Mon travail consiste à déchiffrer des messages cachés, à interpréter des textes et à déterminer la fiabilité de documents. Si vous avez besoin d'un spécialiste en découvertes, je peux vous recommander certaines personnes de mon département qui sont plus que qualifiées pour vous aider dans votre enquête. À vrai dire, si vous êtes intéressés, j'ai déjà un ou deux noms en tête, qui seraient parfaits pour ce travail. Mais je ne suis pas celui dont vous avez besoin.

Les deux Américains échangèrent un regard.

– Tom, nous avons bien compris, dit Savigliano. Mais c'est vous que nous voulons engager.

Tomás le fixa pendant deux longues secondes.

– Je n'ai peut-être pas été assez clair, finit-il par dire.

– Vous avez été très clair. C'est peut-être nous qui ne nous sommes pas bien exprimés.

– Comment ça ?

– Écoutez, nous n'avons pas besoin d'un expert en découvertes, dit Savigliano en haussant les sourcils. Nous avons besoin de quelqu'un qui pourra nous aider à réorganiser les recherches du professeur Toscano sur la découverte du Brésil. Le Nouveau Monde.

– Mais c'est bien ce que j'essaie de vous dire, insista Tomás. Je crains que ce ne soit malheureusement pas mon domaine d'expertise.

Au bout de quelques instants de silence, Savigliano se tourna vers Moliarti.

– Dis-lui tout. On ne s'en sortira jamais sinon.

– Voici donc le problème, dit Moliarti avec un changement de ton soudain. Comme je viens de vous l'expliquer, le professeur Toscano aimait avoir ses petits secrets. Il n'a pas rédigé de rapport d'avancement, il ne nous disait rien et restait toujours très évasif. – Il inspira profondément. – Son penchant pour le secret lui a fait faire des choses vraiment ridicules. Il tenait absolument à ce que personne ne sache ce qu'il avait découvert, et comme il était toujours convaincu que quelqu'un voulait lui voler ses secrets, il a caché toutes les informations qu'il avait réunies.

– Comment ça ?

– Il a laissé toutes ses notes écrites en code, et ça n'a pour nous ni queue ni tête. Tout ce qu'il a appris, il l'a caché, et nous avons besoin de vous pour comprendre ce qu'il faisait. – Il se pencha vers Tomás, aiguisant son regard tel un prédateur. – Tom, vous êtes portugais, vous vous y connaissez suffisamment dans le domaine des explorations, et vous êtes un expert en cryptanalyse. Vous êtes la solution.

Tomás s'adossa au sofa, surpris.

– Oui... mais... c'est vraiment...

– Et je vous aiderai, ajouta Moliarti. J'irai moi-même à Lisbonne pour y effectuer des recherches, et peu importe ce dont vous aurez besoin, je serai toujours disponible pour vous aider. – Il hésita un moment. – Il faudra aussi que vous me teniez régulièrement au courant de vos progrès.

– Attendez une minute, interrompit Tomás. Je ne suis pas sûr d'avoir le temps pour tout ça. Je donne des cours à l'université, et surtout, j'ai des problèmes familiaux.

Tomás pensait à la santé de sa fille, et à son mariage, une union qui ne survivrait peut-être pas à une nouvelle source d'inquiétudes.

– Nous sommes prêts à payer ce qu'il faudra, dit Savigliano, jouant la carte qu'il avait gardée dans sa manche. Cinq mille dollars par semaine, plus les frais divers. Si vous résolvez le problème dans le délai que nous avons établi, vous recevrez également un bonus d'un demi-million de dollars. – Il avait articulé le nombre en prenant son temps, marquant une pause après chaque mot. – Pensez-y. Un demi-million de dollars. – Il tendit la main. – À prendre ou à laisser.

Tomás n'eut pas besoin d'y réfléchir à deux fois. Cinq cent mille dollars, c'était une somme d'argent colossale. C'était la solution à tous ses problèmes. Les factures médicales sans fin de Margarida, l'éducateur spécialisé. Ils pourraient avoir une maison plus grande, un futur plus sûr, et faire toutes ces petites choses dont ils se passaient parce que leur budget était trop serré, comme manger au restaurant, passer un week-end à Paris pour que Constance puisse aller au Louvre et Margarida à Disneyland.

Tomás se pencha en avant et regarda Savigliano dans les yeux.

– Où est-ce que je signe ?

Il prit le contrat qu'on lui tendait et le signa.

Puis ils se serrèrent la main avec enthousiasme. Le marché était conclu.

– Bienvenue à bord, Tom ! s'exclama Savigliano avec un large sourire. Nous allons faire de grandes choses ensemble, de grandes choses !

– Je l'espère, dit Tomás pendant que l'Américain, euphorique, broyait sa main dans la sienne. Je commence quand ?

– Immédiatement. Le professeur Toscano est mort il y a deux semaines dans un hôtel à Rio de Janeiro, dit Moliarti. Il a fait une crise cardiaque en buvant un jus de fruit, c'est un comble ! Nous savons qu'il avait consulté des documents à la Bibliothèque nationale du Brésil. Vous y trouverez peut-être des indices sur ce qu'il trafiquait réellement.

John Savigliano feignit la pitié.

– Tom, je suis désolé de vous l'apprendre, mais dès demain, vous partez pour Rio de Janeiro.

V

Rio de Janeiro

Les barreaux du portail de fer offraient une vue quadrillée sur le Palácio de São Clemente, un élégant édifice blanc de trois étages dont l'architecture avait, de toute évidence, été inspirée par les grandes demeures européennes du XVIIIe siècle. Le bâtiment était entouré d'un jardin parfaitement entretenu, où poussaient de grands bananiers, des cocotiers, des manguiers et des flamboyants. La végétation luxuriante des bois du quartier de Botafogo encerclait le palais et, derrière lui, tel un géant silencieux, s'élevait le flanc nu et sombre de la colline Santa Marta.

Tomás s'essuya le front d'un revers de la main en sortant du taxi, accablé par la chaleur. Après avoir passé la sécurité, il suivit le chemin en mosaïque conduisant au bâtiment du consulat, en prenant soin de ne pas piétiner le jardin, jusqu'à la porte que le garde avait montrée du doigt. Il gravit les escaliers, franchit la porte en bois sculpté et se trouva dans un petit vestibule. Deux portes en chêne doré étaient ouvertes sur un immense hall, dans lequel Tomás entra.

Un jeune homme en costume bleu marine et aux cheveux coiffés en arrière s'approcha de Tomás, ses pas résonnant sur le sol de marbre.

– Monsieur Noronha ?

– Oui ?

– Lourenço de Mello, dit-il en tendant la main. Je suis l'attaché culturel du consulat.

– Enchanté.

– Le consul est en chemin. – Il désigna une pièce à sa gauche. – Venez, attendons-le dans la salle de réception.

C'était une pièce longue et étroite, au plafond très haut. Ils s'assirent sous une immense peinture de Jean VI, le roi qui avait fui à Rio lorsque Napoléon avait envahi le Portugal. Tomás remarqua un piano à queue noir et brillant à l'autre bout de la salle. Il ressemblait à un Érard.

– Je peux vous offrir quelque chose à boire ? demanda l'attaché.

– Non, merci, répondit Tomás en s'installant dans un fauteuil.

Lourenço se mordit la lèvre inférieure.

– Hmm, je vois, soupira-t-il. Quel fâcheux incident, la mort du professeur Toscano. Vous n'imaginez pas le…

– Bonjour.

Un homme énergique et élégant, qui devait avoir une cinquantaine d'années, avait fait irruption dans la pièce. Lourenço de Mello se leva et Tomás l'imita.

– Monsieur l'ambassadeur, je vous présente Tomás Noronha, dit l'attaché en désignant Tomás. Monsieur Noronha, je vous présente l'ambassadeur, Álvaro Sampayo.

– Ravi de faire votre connaissance.

– Tout le plaisir est pour moi, dit le consul.

Les trois hommes s'assirent.

– Mon cher Lourenço, avez-vous offert une tasse de café à notre invité ?

– Oui, monsieur, mais il a refusé.

– Vous n'en voulez pas ? demanda le diplomate, visiblement surpris, en réprimandant Tomás du regard. C'est du café brésilien, mon ami. Le seul café meilleur que celui-ci vient d'Angola.

– Je serais ravi de le goûter, monsieur l'ambassadeur, mais pas l'estomac vide. Ça ne me réussit pas.

Le consul se frappa le genou de la paume de la main et bondit hors de son fauteuil.

– Vous avez parfaitement raison ! – Il regarda l'attaché. – Lourenço, demandez-leur de servir le déjeuner, je vous prie. Il se fait tard.

– Oui, monsieur l'ambassadeur, dit Lourenço en quittant la pièce.

– Venez avec moi, dit le consul à Tomás en le prenant par le coude. Allons dans la salle à manger.

C'était une salle immense, dominée par une longue table de jacaranda, assortie de vingt chaises de chaque côté, toutes tapissées de tissu bordeaux. Trois places avaient été préparées, avec des bols en porcelaine, des couverts en argent et des verres en cristal.

– Je vous en prie, dit le consul, qui s'assit au bout de la table en désignant le siège à sa droite.

Quelques secondes plus tard, Lourenço les rejoignit. Un homme en uniforme blanc aux boutons dorés apparut avec un plateau et leur servit une soupe de légumes.

– C'est votre première visite à Rio ? demanda le consul.

– Oui.

Ils commencèrent à manger.

– Qu'en pensez-vous ?

Tomás avala une cuillerée de soupe.

– Je ne suis arrivé qu'hier soir, assez tard. Mais j'imagine qu'il est difficile de ne pas aimer le Brésil. Cela ressemble un peu à un Portugal tropical.

– Oui, c'est une bonne définition, un Portugal tropical.

Tomás leva sa cuillère.

– Monsieur l'ambassadeur, pardonnez ma curiosité, mais si vous êtes ambassadeur, pourquoi vous appelle-t-on également « consul » ?

– Rio de Janeiro est un endroit particulier, vous savez. – Il baissa la voix. – Je préfère travailler au consulat de Rio plutôt qu'à l'ambassade de Brasilia, notre capitale.

– Je vois, répondit Tomás, toujours intrigué. Pourquoi cela ?

– Eh bien, Rio de Janeiro est beaucoup plus accessible que Brasilia, qui est située sur une haute plaine au milieu de nulle part, répondit le consul.

Ils finirent leurs bols de soupe et le serveur débarrassa la table. Il revint quelques minutes plus tard avec un plateau fumant de cuisses de porc rôties, accompagnées de riz et de pommes de terre sautées. Il remplit également leurs verres d'eau et de vin rouge d'Alentejo.

– Monsieur l'ambassadeur, c'est très aimable de votre part de m'avoir invité ici.

– Allons, vous n'avez pas à me remercier. C'est un grand plaisir pour moi de pouvoir vous aider.

Ils entamèrent les cuisses de porc.

» Pour tout vous dire, après votre appel de New York, j'ai reçu un appel du ministère à Lisbonne. Ils souhaitent que je vous apporte toute l'aide dont vous pourriez avoir besoin. Les recherches sur la découverte du Brésil sont considérées comme d'un intérêt stratégique pour les relations entre nos deux pays. Je n'ai donc pas l'impression de vous faire une faveur, je ne fais que mon travail.

– Eh bien, je tiens tout de même à vous remercier. – Tomás marqua une pause. – Avez-vous réussi à obtenir les informations que j'ai mentionnées au téléphone ?

– Hmm.... – L'ambassadeur hocha la tête. – La mort du professeur Toscano a paralysé tout le consulat. Vous n'avez pas idée de l'enfer qu'a été le rapatriement de son corps au Portugal. – Il soupira. – Croyez-moi, un véritable casse-tête. Bon sang ! Il y avait des liasses entières de papiers et de formulaires à trier, plus l'enquête policière, des problèmes à la morgue, des autorisations à n'en plus finir, des tampons, de la bureaucratie... Puis il y a eu tout un bazar avec la compagnie aérienne. Un véritable cauchemar, vous n'avez jamais rien vu de tel ! – Il regarda l'attaché. – Lourenço a vécu un enfer, n'est-ce pas, Lourenço ?

– Ne m'en parlez pas, monsieur.

– Quant aux informations que vous avez demandées, nous

avons jeté un coup d'œil aux documents du professeur Toscano et découvert qu'il avait effectué la plupart de ses recherches à la Bibliothèque nationale du Brésil.

– Où se trouve-t-elle ?

– En ville. – Sampayo but une gorgée de vin. – Hmm, ce vin rouge est vraiment divin ! s'exclama-t-il en levant son verre pour l'examiner à la lumière.

Il regarda Tomás.

– Vous ne devriez pas avoir tant que ça à déterrer, si ? Le professeur Toscano n'a passé que trois semaines ici, avant de mourir.

Tomás s'éclaircit la voix.

– Vous disiez que vous aviez jeté un coup d'œil aux documents du professeur Toscano…

– Hmm, hmm...

– Je suppose que vous les avez déjà fait envoyer à Lisbonne.

– Bien sûr.

Lourenço s'éclaircit la voix, interrompant la conversation.

– Pas exactement, dit-il.

– Comment ça, pas exactement ? demanda le consul.

– Il y a eu un problème avec la valise diplomatique. Les documents du professeur Toscano sont toujours ici. Ils doivent partir demain.

– Vraiment ? s'exclama le consul.

Il regarda Tomás.

– Eh bien, voilà, finalement les documents sont toujours ici.

– Pourrais-je les voir ?

– Bien sûr. – Il se tourna vers l'attaché. – Lourenço, vous voulez bien aller les chercher, s'il vous plaît ?

Lourenço se leva et disparut par la porte.

– Comment trouvez-vous votre viande ? demanda le consul en désignant l'assiette de son invité.

– Délicieuse, répondit Tomás.

Lourenço réapparut quelques minutes plus tard avec une mallette. Il s'assit, l'ouvrit sur la table et en sortit plusieurs liasses de papiers.

– Ce sont surtout des photocopies et des notes, précisa-t-il.

Tomás prit les documents et commença à les étudier. Il s'agissait de photocopies de vieux livres, qui, d'après le type d'impression et de texte, devaient dater du XVIe siècle. Il y avait des textes en italien, d'autres en vieux portugais, et quelques-uns en latin, ornés de miniatures et de belles enluminures, dessinées au pinceau et à la plume. Les notes, en revanche, étaient des pattes de mouche indéchiffrables. Tomás reconnut quelques noms : Cantino, Pinzón et Cabral, l'homme officiellement crédité pour avoir découvert le Brésil.

Parmi ces notes, Tomás remarqua une page volante sur laquelle trois mots étaient écrits avec soin. Les lettres calligraphiées semblaient déchirer le papier, formant des contours obscurs et suggestifs, comme si elles contenaient une ancienne formule magique.

Moloc
Ninundia Omastoos

– Étrange, n'est-ce pas ? dit Lourenço, intrigué. On l'a trouvée pliée dans le portefeuille du professeur. Ces mots ne semblent avoir aucun sens.

Tomás resta silencieux, analysant la page qu'il tenait dans ses mains.

– Bon sang ! s'exclama le consul. Ça ressemble à du flamand.

– Ou à l'une de ces langues anciennes, suggéra Lourenço.

– Peut-être, dit finalement Tomás sans lever les yeux du texte. Mais quelque chose me dit que c'est une sorte de message codé.

Le consul se pencha pour examiner la page.

– À New York, ils m'ont dit que le professeur Toscano notait tout ce qui concernait ses découvertes en messages codés, expliqua Tomás. Apparemment, il était paranoïaque au sujet de sa sécurité et il avait un penchant pour les jeux de mots. – Il soupira. – D'après ce que je vois, ils avaient raison.

– Est-ce que ça a un sens pour vous ?

– Oui, il y a quelques indices ici, murmura Tomás. Ce *moloc*, pour commencer. C'est le premier mot du message et le seul dont le sens semble clair, bien qu'énigmatique. Moloch était une divinité. – Il se gratta le menton. – J'ai rencontré ce mot pour la première fois quand j'étais enfant, dans une bande dessinée sur l'un de mes héros préférés, Bernard Prince. Le titre était *Le Souffle de Moloch*, et, si je me souviens bien, l'histoire se déroulait sur une île avec un volcan en éruption appelé Moloch. Je lisais aussi les bandes dessinées des aventures d'Alix, dans lesquelles le dieu Moloch apparaît. Je me rappelle même avoir vu un livre d'Henry Miller intitulé *Moloch*.

– Mais là, ce n'est pas Moloch, mais Moloc.

– Moloc, Moloch, Melech, c'est la même chose. Le mot original était *melech*, qui signifie « roi » dans les langues sémitiques. Les Juifs l'ont intentionnellement déformé pour créer le mot hébreu Molech, de façon à associer *melech*, le roi, à *bosheth*, la chose honteuse. C'est comme ça qu'est né le nom Moloch, bien que l'orthographe Moloc soit plus fréquente en portugais.

– Quel genre de roi était-il ?

– Molech était un roi cruel et divin. – Tomás se mordit la lèvre inférieure. – C'était un dieu vénéré par les peuples de Moab, Canaan, Tyr et Carthage, qui ont accompli de terribles sacrifices en son nom, comme brûler des premiers-nés. – Il jeta un coup d'œil autour de lui. – Vous avez une bible ?

– Je vais la chercher, proposa Lourenço en se levant de table pour quitter une nouvelle fois la pièce.

– Pourquoi avez-vous besoin de la Bible ? demanda le consul.

– Je crois qu'il y a une référence à Moloch dans l'Ancien Testament, répondit Tomás.

– Ça alors ! s'exclama le consul. Ce Moloc était un sacré numéro ! – Il posa de nouveau les yeux sur le message énigmatique. – Que pouvait bien vouloir suggérer le professeur Toscano en mentionnant un tel personnage ?

Tomás haussa les sourcils, visiblement excité à l'idée de découvrir le secret de Toscano.

– C'est précisément ce que j'aimerais savoir.

Lourenço revint avec une bible à la main, qu'il posa sur la table. Tomás la feuilleta, tournant parfois plusieurs pages en même temps, s'arrêtant parfois pour étudier un passage. Au bout de quelques minutes, il leva la main.

– J'ai trouvé. – Il montra du doigt le paragraphe. – C'est la partie où Dieu, parlant par l'intermédiaire de Moïse, interdit le sacrifice d'enfants à Moloch. – Il marqua une pause avant de commencer à lire. – « Le peuple du pays le lapidera [...] je le retrancherai de son peuple, lui et tous ceux qui le suivent en se prostituant à Moloc. » – Il leva les yeux. – Vous voyez ?

– Ah ! s'exclama le consul, complétement déconcerté. Et qu'est-ce que cela signifie ?

– Eh bien, je n'en suis pas sûr, admit Tomás. La loi de Moïse interdit le sacrifice d'enfants à Moloch. Elle prescrit la peine de mort pour tout homme ayant ordonné ou autorisé une telle offrande, bien que l'Ancien Testament décrive de nombreuses violations de cette interdiction.

– Mais quel est le lien entre ce que dit la Bible et l'étrange message que le professeur Toscano nous a laissé ?

– Il va falloir que je l'examine plus attentivement. Dans tout ce que je vous ai dit, il peut y avoir des éléments susceptibles de nous aider à déchiffrer ce message, c'est tout. Lorsqu'on a affaire à un message chiffré ou codé, il faut être attentif aux détails que nous comprenons pour pouvoir, petit à petit, décrypter ce message.

– Ce n'est pas la même chose ?

– Quoi donc ?

– Un message codé et un message chiffré ?

Tomás secoua la tête.

– Pas toujours. Dans un message codé, les mots ont été remplacés par d'autres mots, tandis que dans un message chiffré, ce sont les lettres qui ont été remplacées. Le code est une forme complexe de chiffrement.

– Et ça ? demanda le consul en désignant la page écrite par le professeur Toscano, c'est un message codé ou chiffré ?

– Hmm... je ne suis pas sûr, dit Tomás. Le mot *moloc* suggère de toute évidence un code, mais le reste...

Sa phrase resta en suspens. Après quelques secondes de réflexion, il poursuivit.

– Non, le reste doit aussi être codé. – Il pointa du doigt les deux autres mots. – Vous voyez la façon dont les voyelles sont liées aux consonnes pour former des syllabes et produire des sons ? *Ninundia*. *Omastoos*. Ce sont des mots, monsieur l'ambassadeur. Les messages chiffrés sont différents. Ils comprennent rarement des syllabes et semblent plus chaotiques, confus, impénétrables. Ce sont des séquences, comme « HSDB » ou « JHWG » par exemple. Mais pas ici. Là, les lettres forment des mots et suggèrent des sons.

Tomás gardait les yeux fixés sur la feuille, dans l'espoir que quelque chose qu'il n'avait pas remarqué jusqu'alors lui saute aux yeux, révélant ce qui se cachait derrière ces mots mystérieux.

– Ces mots n'ont aucun sens pour vous ? demanda le consul.

– Eh bien, concernant *ninundia* et *omastoos*, pour être honnête… je n'ai pas la moindre idée, admit Tomás.

Il se concentra sur le premier mot, le prononça à voix basse, puis eut une idée.

– Hmm… murmura-t-il. Ce *ninundia* ressemble à un nom de pays, vous ne trouvez pas ?

Il sourit, comme encouragé d'avoir trouvé une piste potentielle.

– La dernière syllabe, *dia*, rappelle les noms de lieux en portugais.

– Un lieu ?

– Oui. Comme dans *Normandia*, *Gronelândia*, *Finlândia*…

– Et comment peut-on bien appeler les habitants ? demanda le consul pour plaisanter. Les Ninundiens ?

– C'est simplement une intuition. Je vais devoir y réfléchir plus longuement. En utilisant le mot *ninundia*, le professeur Toscano suggérait peut-être que la clef du code était liée à un lieu. Ce que nous savons pour le moment, c'est qu'il mentionne une divinité ancienne, le terrible Moloch de Canaan. Ce qu'il pouvait bien vouloir dire en plaçant ce dieu et cette potentielle *terra incognita* dans le même message reste pour l'instant un mystère. – Il regarda le consul et agita la feuille. – Je peux garder cette page ?

– Non, dit le consul. Je suis vraiment désolé, mais tout ceci doit être envoyé à sa veuve.

Tomás eut du mal à cacher sa déception.

– C'est vraiment dommage.

– Mais vous pouvez la photocopier. Ça, et tout ce dont vous avez besoin, tant que ça n'est pas personnel.

– Parfait ! s'exclama Tomás, soulagé. Et où puis-je faire ça ?

– Lourenço va s'en charger pour vous, dit le consul en désignant l'attaché.

– De quoi avez-vous besoin ? demanda Lourenço à Tomás.

– De tout. Je vais avoir besoin de tout. – Il brandit la page portant le message énigmatique. – Mais cette page-ci est la plus importante.

– Aucun problème, dit l'attaché culturel pour le rassurer. Je reviens tout de suite.

Il prit la pile de documents et quitta la pièce.

– Merci, dit Tomás au consul. Ça va beaucoup m'aider.

– Oh, ce n'est rien. Avez-vous besoin d'autre chose ?

– Eh bien, oui.

– Quoi donc ?

– Je dois contacter les personnes en charge de la bibliothèque où le professeur Toscano a effectué ses recherches.

– La Bibliothèque nationale du Brésil.

– Oui.

– Aucun problème.

C'était la canicule. Un soleil implacable s'abattait sur la ville, et un après-midi de liberté s'offrait à Tomás, plein de promesses. Toutes les conditions semblaient réunies pour faire un tour à la plage. La fondation lui avait réservé une chambre dans le même hôtel du bord de mer que celui du professeur Toscano, et, revenu du consulat, Tomás fut incapable de résister à l'appel de l'océan. Il enfila son maillot de bain, prit l'ascenseur jusqu'à la buanderie, attrapa une serviette et sortit. Il emprunta la rue Maria-Quitéria jusqu'à la magnifique Vieira Souto, où il traversa la grande avenue jusqu'à la plage.

Sautillant sur le sable fin et doré qui lui brûlait les pieds, il alla demander une chaise longue et un parasol sous le chapiteau de l'hôtel. Deux employés à la peau mate et aux corps musclés, vêtus de tee-shirts bleus et de casquettes, déplièrent un transat blanc aussi près de l'eau que possible, et installèrent un parasol bleu et blanc orné du logo de l'hôtel. Tomás leur donna un real de pourboire. Il devait y avoir des milliers de personnes sur la plage, serrées comme des sardines, et pas plus d'un mètre carré de place libre. « Glaces à l'eau ! » entendit-il crier. Tomás s'assit sur le bord de la chaise, se tartina de crème solaire, puis s'allongea pour se reposer.

Il regarda autour de lui. Un groupe de jeunes Italiens étaient étendus sur le sable à sa droite. Une femme d'une soixantaine d'années était assise juste en face de lui, portant un chapeau et des lunettes noires, et il vit à sa gauche trois Brésiliennes voluptueuses. « Thé glacé au citron ! Thé glacé ! » chantonna un autre vendeur. Les rayons violents du soleil lui brûlaient la peau, et il se replaça à l'ombre du parasol.

Une odeur agréable flotta jusqu'à ses narines : un des vendeurs ambulants préparait un toast au fromage pour un client à la gauche de Tomás. « Jus de carotte et d'oraaaange ! Jus de carotte et d'oraaange ! » Chargés comme des mulets, la peau brûlée par le soleil, transpirant sous leurs tee-shirts et leurs casquettes bariolées, ces vendeurs étaient un spectacle à eux tout seuls. « Eau minérale et Coca light ! Maté ! » Tomás réfléchissait à ce qu'il allait s'offrir lorsque son téléphone sonna. « Glaces à l'eau ! Sorbets ! Glaces à l'eau bien fraîches ! »

– Allô ?

– Monsieur Noronha ? Ici Lourenço de Mello, du consulat. Je me suis occupé de tout pour demain. Vous avez de quoi noter ?

– Un instant.

Tomás se pencha pour attraper un stylo et un carnet dans son sac, pressant son téléphone contre son oreille.

» Allez-y.

– Le président de la Bibliothèque nationale du Brésil en personne vous recevra à 15 heures pour vous aider dans vos recherches. Il a déjà été informé de votre mission et a proposé de vous aider. Son nom est Paulo Ferreira da Lagoa.

– Hmm… Daaa La-go-a. C'est noté. À 15 heures. Est-ce que vous avez l'adresse de la bibliothèque ?

– La Bibliothèque nationale se trouve sur la place où commence l'avenue Rio Branco. N'importe quel taxi saura vous y conduire. Si vous avez besoin de quoi que ce soit d'autre, n'hésitez pas à me contacter.

– Parfait. Merci beaucoup.

Les bruits de la plage l'enveloppèrent à nouveau. À sa droite, au loin, surplombant Leblon, s'élevaient les sommets jumeaux de Morro dos Dois Irmãos. Le fouillis de béton de la favela de Vidigal s'étendait sur leurs pentes, courant jusqu'à la mer.

– Eau ! Maté !

Les minuscules îles de Cagarras mouchetaient de vert l'horizon bleu.

– Sandwichs de Crazy Shorty !

Tomás voulait réfléchir au message énigmatique de Toscano, mais la chaleur intense et le brouhaha de la plage l'empêchaient de se concentrer, en particulier lorsque son attention fut attirée par des boucles blondes. Il se leva et se fraya un chemin entre les vacanciers jusqu'à la mer, riant de lui-même. Bien sûr que ce n'était pas elle. Tomás se fustigea d'avoir cru pendant une seconde que les boucles blondes qu'il avait aperçues étaient celles de Lena. Manifestement, son esprit optimiste lui jouait des tours.

L'eau lui caressa les pieds. Elle était froide, un peu trop froide pour une plage tropicale. Tomás essaya de se concentrer sur Toscano et la tâche qui l'attendait tout en donnant des coups de pied dans les vagues.

La première chose à résoudre était évidemment le sens du mot *moloc*, d'autant que ce mot apparaissait seul. Pourquoi Toscano avait-il choisi le dieu cruel de Canaan, le dieu des sacrifices, pour introduire son énigme ? Pour suggérer que trouver la clef impliquait un sacrifice ? Il devait aussi envisager la possibilité que Toscano ait mélangé des systèmes chiffrés et codés dans le même message ; il décida de commencer à travailler en partant du principe qu'il avait affaire à un code.

Si c'était un message codé, que pouvait bien vouloir dire *ninundia* ? Et quel était le lien entre Ninundia et le dieu Moloch ? S'il pouvait décrypter la relation entre ces deux parties, pensa-t-il, il serait probablement capable de déchiffrer l'autre mot codé, *omastoos*, de la même manière que Champollion, plus de deux cents ans plus tôt, était parvenu à résoudre le mystère des hiéroglyphes simplement grâce à deux *s* et un *ra*.

Une autre possibilité, qu'il devrait finir par envisager si sa recherche n'aboutissait à rien, était que Toscano ait pu avoir un cadre de référence très personnel, que Tomás, quelles que fussent ses compétences, ne serait jamais capable d'imaginer. Il espérait que ce ne serait pas le cas.

– Aaaahh ! cria quelqu'un au moment où Tomás s'étendait pour sécher au soleil.

Il bondit sur ses pieds, le cœur battant à tout rompre, et vit un homme pointer un couteau sur la femme en face de lui. Il y avait quelque chose de rose au bout du couteau. L'homme avait un air assez étrange : il était petit, brun, avec des gants noirs et un énorme panier en osier en équilibre sur la tête. Plutôt curieux, pour un voleur.

– Une pastèque, madame ? demanda l'homme à la femme.

Un vendeur ambulant.

– Vous m'avez fait une peur bleue, se plaignit la femme.

– C'est à cause de ma voix virile.

Il lui adressa un sourire contagieux. La femme rit et fit « non » de la tête. Il la remercia en souriant et reprit son chemin, le panier de pastèques posé en équilibre sur sa tête, comme un grand sombrero mexicain, et un morceau de fruit planté au bout de son couteau. Il fit quelques pas en direction d'une jeune femme, qui ne le vit pas approcher, et hurla dans son oreille.

– Agahhh ! De la pastèque, madame ?

La fille bondit, le regarda d'un air méfiant en pressant ses mains sur sa poitrine et s'exclama :

– Vous m'avez foutu la frousse !

Le Brésil, pensa Tomás, était le dernier endroit qu'il imaginait visiter un jour. Si l'avant-veille, quelqu'un lui avait dit qu'il serait aujourd'hui allongé sur une plage, il l'aurait pris pour un fou. Et Moloch. À quoi pouvait bien penser Toscano ? Quelle était sa grande découverte ? Tomás se rassit et inspira l'air de la mer. Il y avait tant de questions en suspens...

VI

Il ne fallut pas longtemps à Tomás pour découvrir les délices d'Ipanema. Il essaya les bars à jus de fruits du quartier, jetant son dévolu sur la mangue et la canne à sucre, ainsi que sur des roulés au fromage moelleux tout juste sortis du four. À la tombée de la nuit, suivant le conseil d'un employé de l'hôtel, il se rendit au Sindicato do Chopp, un restaurant très fréquenté, ouvert sur la rue. Il commanda un rumsteck accompagné de riz blanc, de haricots noirs, de chou cavalier et de pain au manioc, et fit descendre le tout avec une caïpirinha fraîchement préparée.

Tout en mangeant, il continua à réfléchir à l'énigme de Toscano. Il se souvint qu'une des plus anciennes œuvres de littérature était intitulée *Les Aventures de Ninurta*, un texte sumérien préservé à Akkad. Ninundia était-il une référence à la terre natale de Ninurta ? Mais Ninurta était originaire de Nippur, en Irak actuel ; le lien avec le Brésil était donc très mince, voire inexistant. Non, conclut-il. Puis il tenta de percer le mystère des deux mots de la seconde ligne, mais toutes ses tentatives, griffonnées sur une serviette du restaurant, échouèrent.

Frustré, il commença à se demander quelle était la relation entre Moloch et la découverte du Brésil. Le mot « Ninundia » faisait-il référence au Brésil ? Plus important encore, il devait déterminer si le message était d'une manière ou d'une autre lié à la grande découverte que Toscano prétendait avoir faite, une percée susceptible de révolutionner tout ce que l'on savait au sujet des découvertes portugaises. Toscano avait-il découvert que les Cananéens étaient arrivés au Brésil ? Ce serait fascinant, mais ce n'était pas vraiment une révolution dans le domaine des découvertes. Et si c'en était une… Tomás se tortura l'esprit en réfléchissant aux hypothèses possibles. Il essayait de se mettre à la place de Toscano, de comprendre son raisonnement, lorsque ses réflexions furent interrompues par la sonnerie de son téléphone.

– Allô ?

– *Hej ! Kan jag få tala med Tomás ?*

– Pardon ?

Pour toute réponse, il entendit un rire de femme.

– *Jag heter Lena*. C'est moi, Lena. Je testais votre suédois. – Elle rit de nouveau. – Vous avez besoin de leçons !

– Ah, Lena ! dit Tomás décontenancé. Comment avez-vous eu mon numéro ?

– La secrétaire du département me l'a donné. – Elle marqua une pause. – Pourquoi ? Cela vous embête que je vous appelle ?

– Non, non, répondit-il rapidement, inquiet de lui avoir fait mauvaise impression. Aucun souci, j'étais juste surpris, c'est tout. Je ne m'attendais pas à votre appel.

– Vous êtes sûr que ce n'est pas un problème ?

– Absolument !

– D'accord. Alors, pour commencer, bonsoir.

– Bonsoir, Lena. Comment allez-vous ? Que vous arrive-t-il ?

– Je vais bien, merci.

Son ton changea légèrement.

– J'appelle parce que j'ai besoin de votre aide.

– Mon aide ?

– Comme vous le savez, je n'ai commencé les cours qu'il y a quelques jours car mon dossier Erasmus a été retardé et je me suis inscrite trop tard à Lisbonne.

– Oui, le secrétariat vient de vous ajouter à la liste des étudiants.

– Il faut donc que je rattrape tout ce que j'ai raté.

– Eh bien, le plus simple serait peut-être que vous demandiez les notes d'un de vos camarades.

– J'y ai déjà pensé. Le problème, c'est que je ne peux pas apprendre tout ce que je dois apprendre juste avec des notes. Est-ce que vous pensez qu'on pourrait se voir pour que vous m'aidiez ? Demain, si vous voulez, ou même aujourd'hui, si vous êtes disponible.

– Aujourd'hui ? Non, c'est impossible.

– Et demain ?

– Non plus. Ni aujourd'hui ni demain. Je suis au Brésil, à Rio de Janeiro.

– Waouh ! Quelle chance ! Vous êtes déjà allé à la plage ?

– Eh bien, oui, aujourd'hui, justement.

– Je suis tellement jalouse ! Est-ce qu'il fait chaud ?

– Trente degrés.

– Et pendant ce temps, votre pauvre étudiante suédoise meurt de froid ici, dit-elle. Vous n'avez pas un peu pitié ?

– Si, un peu, répondit Tomás en riant.

– Vous devez donc m'aider, répliqua-t-elle sur un ton enjoué.

– D'accord. Je ne sais pas encore quand je serai de retour à Lisbonne. Tout dépend de l'avancée de mes recherches ici, à Rio, mais je serai dans tous les cas de retour lundi, puisque j'ai un cours. Appelez-moi à ce moment-là, d'accord ?

– D'accord, professeur. Merci beaucoup.

– Je vous en prie.

– Vous savez, ajouta-t-elle, espiègle, je suis certaine que ce sera un plaisir d'étudier avec vous.

Étrange, pensa-t-il dans son taxi, momentanément distrait des recherches du professeur Toscano par la voix de son étudiante qui résonnait encore dans sa tête. Très, très étrange.

Revenant à son problème, il réfléchit à l'énigme toujours en suspens. Son esprit bouillonnait de questions, et la relation établie par Toscano entre Moloch, *ninundia* et la découverte du Brésil le rendait de plus en plus perplexe ; quelle que fût la façon dont il abordait le problème, il ne voyait pas de solution. Coincé, il décida de revenir à l'idée qu'il avait rejetée en voyant l'énigme pour la première fois au São Clemente Palace. Et si le message était, en définitive, chiffré ? Cela semblait peu probable, puisque rien dans ces étranges structures verbales n'avait l'apparence chaotique des messages chiffrés. À défaut d'une meilleure idée, Tomás décida de le soumettre à une analyse de fréquence. Il devait d'abord déterminer dans quelle langue le message avait été écrit. Puisque Toscano était portugais, il semblait logique que le message caché fut écrit en portugais.

Il sortit la photocopie qui était pliée dans son carnet et l'étudia avec attention. Il compta les lettres des deux mots de la seconde ligne et découvrit que deux d'entre elles, le *O* et le *N*, apparaissaient trois fois, tandis que le *A*, le *S* et le *I* apparaissaient deux fois, et que le *D*, le *T*, le *U* et le *M* n'apparaissaient qu'une fois. Tomás savait que les lettres les plus fréquentes dans les langues européennes étaient le *E* et le *A*. Il décida donc de les placer respectivement à la place des *N* et des *O*, les lettres les plus récurrentes dans l'énigme. D'autres lettres fréquentes étaient le *S*, le *I* et le *R*, qui viendraient à la place des *A*, des *S* et des *I*. Il écrivit la phrase dans son carnet et commença à remplacer les lettres. Lorsqu'il eut fini, il observa le résultat.

N I N U N D I A O M A S T O O S

E R E ? E ? R S A ? S I ? A A I

Que pouvait bien être le premier mot, *ere?e?rs ?* Il décida de placer des lettres plus rares dans les espaces vides de son premier mot et effectua une série de simulations : d'abord avec des *C* : ere*c*e*c*rs ; puis avec des *M* : ere*m*e*m*rs ; et enfin avec des *D* : ere*d*e*d*rs.

Il secoua la tête. Cela n'avait aucun sens.

Il passa au second mot, *a?si?aai*, mais celui-ci restait également impénétrable. A*c*si*c*aai ? A*m*si*m*aai ? A*d*si*d*aai ? Frustré, il se dit qu'il avait peut-être essayé la mauvaise séquence, et, pour être sûr, il inversa les *A* et les *E,* et examina le résultat.

C'était encore pire. De nouveau, il secoua la tête, et abandonna, convaincu que ce n'était pas un message chiffré, en tout cas pas en portugais.

Tous ses espoirs résidaient désormais dans la Bibliothèque nationale, où Toscano semblait avoir passé la plus grande partie de son temps. C'était peut-être là qu'il avait fait sa découverte cruciale.

Tomás descendit du taxi et traversa le square et l'Avenida Rio Branco. Il gravit les larges marches de pierre de la Bibliothèque nationale jusqu'à l'entrée, où un agent de sécurité l'accueillit et lui indiqua l'accueil sur sa gauche. Quatre jeunes femmes s'ennuyaient derrière le comptoir, attendant les visiteurs.

– Bonjour, dit Tomás. – Il ouvrit son carnet, à la recherche du nom que l'attaché du consul lui avait donné. – Je souhaiterais parler à Paulo Ferreira da Lagoa.

– Est-ce que vous avez rendez-vous ? demanda une réceptionniste à la peau mate et aux yeux verts.

– Oui, je suis attendu.

– Votre nom ?

Tomás le lui donna et la réceptionniste décrocha le téléphone. Quelques secondes plus tard, elle lui tendit un passe et lui dit de se rendre au quatrième étage en indiquant l'ascenseur. Il montra son passe à l'agent de sécurité, une femme à la carrure impressionnante, qui fronça les sourcils en voyant le carnet qu'il tenait.

– Vous ne pouvez utiliser que des crayons dans la salle de lecture. Vous pouvez en emprunter un ici, ou, s'ils n'en ont pas, vous pouvez en acheter un à la boutique de souvenirs.

Il attendit quelques instants que les portes s'ouvrent, puis entra dans l'ascenseur, déjà bondé. Il sortit au dernier étage, repéra à sa droite le bureau du président et ouvrit la porte. Sa première sensation fut celle d'un agréable souffle d'air climatisé sur son visage. La seconde fut de la surprise. Il s'attendait à voir un bureau, mais découvrit un grand atrium. Il se situait sur un large balcon, qui encerclait un hall où se trouvaient des bureaux, des placards et des gens qui travaillaient. Le plafond était une grande fenêtre en verre teinté somptueusement décorée, qui permettait à la lumière du jour de se répandre dans la pièce.

– Bonjour, dit une jeune femme assise derrière un bureau près de la porte. Je peux vous aider ?

– Je suis ici pour voir le président.

– Vous êtes monsieur Noronha ?

– Oui.

– Je vais chercher M. Lagoa. Il vous attend.

Un homme d'environ quarante-cinq ans, aux cheveux châtain clair, clairsemés sur le haut du crâne, vint accueillir Tomás.

– Monsieur Noronha, ravi de faire votre connaissance, dit-il en tendant la main. Je suis Paulo Ferreira da Lagoa.

– Enchanté, répondit Tomás en lui serrant la main.

– Le consul m'a appelé pour m'expliquer votre mission. J'ai fait quelques recherches et j'ai demandé à un agent de faire remonter toutes les requêtes du professeur Toscano. – Il fit un signe à son assistante. – Celia, vous avez le dossier ?

– Oui, monsieur, répondit la jeune femme en tendant un dossier beige à Tomás.

Il examina les documents, des copies des requêtes faites quelques semaines plus tôt par Toscano. La première chose qui attira son attention était la qualité de la liste. La première requête de Toscano était *Cosmographiae introductio cum quibusdam geometriae ac astronomiae principiis ad eam rem necessariis, Insuper quatuor Americi Vespucii navigationes*, de Martin Waldseemüller, qui datait de 1507, suivi de *Narratio regionum indicarum per Hispanos quosdam devastatarum verissima*, un texte de Bartolomé de Las Casas datant de 1598 *Epistola de Insulis nuper inventis*, de Christophe Colomb, datant de 1493, et *De Orbe Novo Decades*, de Pierre Martyr d'Anghiera, écrit en 1516. Il y avait également *Psalterium* d'Agostino Giustiniani, aussi écrit en 1516, et *Paesi novamente retrovati et novo mondo,* publié par Fracanzano da Montalboddo en 1507.

– C'est ce que vous cherchiez ?

– Oui, répondit Tomás, l'air pensif.

Le président remarqua son hésitation.

– Tout va bien ?

– Hmm… oui… enfin… il y a quelque chose d'assez curieux.

– Quoi donc ?

Tomás lui tendit la liste des requêtes.

– Dites-moi, monsieur Lagoa, lesquels de ces travaux sont en lien avec la découverte du Brésil par Pedro Álvares Cabral ?

Le président analysa les titres.

– Voyons, commença-t-il. Le *Cosmographiae* de Waldseemüller inclut une des premières cartes représentant le Brésil. – Il examina une autre requête. – Et le *Paesi* de Montalboddo fut le premier livre à publier l'annonce de la découverte du Brésil. Jusqu'en 1507, les détails du voyage de Cabral n'étaient connus que des Portugais. Ils n'avaient jamais été publiés dans un livre. Le *Paesi* fut le premier livre à le faire.

– Hmm… et les autres livres ?

– Pas à ma connaissance.

– C'est étrange.

Les deux hommes restèrent silencieux pendant quelques secondes.

– Souhaitez-vous consulter certains de ces ouvrages ? demanda le président.

– Oui, dit Tomás. Le *Paesi*.

– Quelqu'un va vous accompagner à la section des microfilms.

– Est-ce que le professeur Toscano l'a consulté sur microfilm ?

Lagoa examina la requête.

– Non, il a vu l'original.

– Dans ce cas, si ce n'est pas un problème, je préférerais voir, moi aussi, l'original. Je veux consulter exactement les mêmes copies que lui. Il est possible qu'il y ait des notes importantes dans les marges des originaux, et le type de papier utilisé peut aussi avoir son importance. J'ai besoin de voir ce qu'il a vu. C'est la seule façon d'être sûr que rien ne m'échappera.

Lagoa fit un signe à son assistante.

– Célia, vous voulez bien faire chercher le *Paesi* original ? – Il regarda de nouveau la requête. – Il est dans le coffre 1.3.

Conduisez ensuite M. Noronha à la section des livres rares et procédez à la consultation selon le protocole.

Il se tourna vers Tomás et lui serra la main.

– Ce fut un plaisir. Si vous avez besoin de quoi que ce soit d'autre, Celia saura vous aider.

Lagoa retourna à sa réunion et son assistante, après un bref coup de téléphone, fit signe à Tomás de la suivre. Ils traversèrent l'atrium et descendirent l'escalier de marbre jusqu'à l'étage inférieur. Celia le conduisit au bout du hall et ouvrit une porte sur laquelle était indiqué : « Livres rares ». Ils s'arrêtèrent en face du bureau de la bibliothécaire, devant une table recouverte d'un tissu de velours bordeaux sur lequel étaient posés un petit livre marron à dorures et, juste à côté, une paire de fins gants blancs. Celia lui présenta la bibliothécaire, une petite femme potelée.

– C'est bien cet ouvrage ? demanda Tomás en montrant du doigt le livre posé sur la table.

– Oui, répondit la bibliothécaire. C'est le *Paesi* de Montalboddo.

– Hmm. – Tomás s'approcha et se pencha sur le livre. – Je peux le consulter ?

– Bien sûr, répondit-elle. Mais vous allez devoir porter ces gants. C'est un livre très ancien, et nous devons faire attention aux traces…

– Je sais, l'interrompit Tomás en souriant. Ne vous inquiétez pas, j'ai l'habitude.

– Et vous ne pouvez utiliser qu'un crayon.

– Ça, par contre, je n'en ai pas, dit-il en tâtant ses poches.

– Vous pouvez utiliser celui-ci, dit la bibliothécaire en plaçant un crayon taillé sur la table.

Tomás enfila les gants, s'assit devant la table et prit le petit livre entre ses mains, passant délicatement ses doigts sur la reliure en cuir. Les premières pages comportaient le titre et le nom de l'auteur, ainsi que la ville, Vicentia, et la date de publication, 1507. Une note au crayon informait le lecteur, en portugais moderne, qu'il s'agissait du premier compte-rendu sur le voyage au Brésil de Pedro Álvares Cabral, et du deuxième plus ancien recueil de récits de voyage. Il feuilleta le livre. Ses pages étaient jaunies et tachées, et une odeur douce et chaude s'en dégageait. Il aurait aimé pouvoir sentir la texture de la page du bout des doigts, mais les gants les rendaient insensibles au toucher, comme anesthésiés. Le texte semblait avoir été écrit en toscan. Les pages comportaient vingt-neuf lignes, et les premières lettres de chaque chapitre étaient enluminées.

Il fallut deux heures à Tomás pour examiner le livre et prendre des notes. Lorsqu'il eut fini, il le reposa, se leva de sa chaise, s'étira, puis alla au bureau de la bibliothécaire qui travaillait sur des requêtes.

– Ah, oui, dit-elle. Vous souhaitiez voir un autre livre ?

– Je reviendrai demain pour jeter un coup d'œil au Waldseemüller. – Il hocha la tête respectueusement. – Merci beaucoup, à demain.

Celia vint ensuite le chercher pour le raccompagner à l'ascenseur. Lorsqu'ils arrivèrent à la réception, où Tomás était supposé laisser son passe, elle s'arrêta soudain, écarquilla les yeux et posa ses mains sur sa tête.

– Oh, Seigneur ! Je viens de me souvenir de quelque chose, dit-elle en gémissant.

Tomás la regarda d'un air surpris.

– Quoi donc ?

– Le professeur Toscano utilisait nos coffres et il a laissé des choses à l'intérieur. – Elle le regarda d'un air interrogateur. – Ça vous embêterait de les rapporter au consulat ?

– Pas du tout.

Elle courut vers un agent de sécurité à gauche du hall, juste derrière la réception, suivie de Tomás. Ils passèrent un détecteur de métal et se trouvèrent en face de deux imposants placards noirs. Celia localisa le numéro 67, sortit un passe de sa pochette et le glissa dans la serrure. La porte s'ouvrit, révélant un petit coffre contenant plusieurs documents. Elle prit les papiers et les tendit à Tomás, qui observa l'opération avec une curiosité croissante.

– Ce sont les éléments que le professeur Toscano a laissés ici.

Il y avait des photocopies de documents microfilmés et des notes. Alors qu'il tentait de les lire, quelque chose attira son attention : une page contenant deux phrases de trois mots écrits en capitales et une mystérieuse séquence alphabétique.

ANNA
ERRE
ICI
SOS
KAYAK
BOB

A	**D →**	**E**	**H →**	**I**	**L**
↓	↑	↓	↑	↓	↑
B →	**C**	**F →**	**G**	**J →**	**K**

Tomás ferma les yeux et essaya de pénétrer le sens de ces phrases. Il envisagea plusieurs possibilités, puis son visage se fendit d'un large sourire. Il tendit la feuille à Celia avec un air de triomphe.

– Qu'est-ce que vous dites de ça ? lui demanda-t-il.

Elle regarda les mots, plissa le front et leva les yeux vers lui.

– Eh bien, je ne suis pas sûre, mais c'est assez étrange, non ? – Elle se pencha sur la page et lut les deux premiers blocs. – « Anna erre ici » et « SOS kayak Bob ».

Tomás haussa les sourcils.

– Vous ne remarquez rien de curieux ?

Elle examina de nouveau la page et fit la moue.

– Eh bien, ça ne veut pas dire grand-chose, si ?

– Vous ne voyez rien d'autre ?

– Non, dit-elle finalement. Pourquoi ?

Tomás montra du doigt les deux phrases.

– Ce sont des palindromes. Qu'on les lise de gauche à droite ou de droite à gauche, ils disent la même chose. – Il examina les lettres. – Regardez : « *Anna, erre, ici.* »

– Ah oui ! Mais pourquoi a-t-il fait ça ?

– Eh bien, le professeur aimait jouer avec les mots, et visiblement, il était en train de créer…

Tomás s'interrompit subitement ; ses yeux devinrent vitreux, et il resta bouche bée.

» Je parie qu'il... qu'il... bafouilla-t-il. – Il plongea les mains dans ses poches, puis fouilla frénétiquement dans les papiers pliés dans son carnet. – Le voilà.

Celia regarda la page sans comprendre.

MOLOC
NINUNDIA OMASTOOS

Tomás parcourut les mots du regard, marmonnant dans sa barbe. Puis il griffonna rapidement quelques pattes de mouche. Soudain, son visage s'éclaira et il leva les bras en l'air dans un emportement de joie.

– J'ai trouvé !

Son cri résonna à travers l'atrium et attira tous les regards.

– Qu'avez-vous trouvé ? demanda Celia, l'air interrogateur.

– Je l'ai déchiffré ! s'exclama Tomás, les yeux exorbités, peinant à contenir son excitation. C'est d'une simplicité ridicule ! – Il se frappa le front. – Dire que j'étais en train de me creuser la cervelle comme un idiot alors que tout ce que j'avais à faire avec la première ligne, c'était la lire de droite à gauche !

Il attrapa un stylo et écrivit la solution sous le message. Sur la ligne du dessus, il inscrivit :

COLOM

Et sur celle d'en dessous, la comparant avec la structure alphabétique griffonnée par Toscano, il écrivit une étrange équation :

NINUNDIA
OMASTOOS

N I → N U → N D → I A
↓ ↑ ↓ ↑ ↓ ↑ ↓ ↑
O → M A → S T → O O → S

NOMINASUNTODIOSA

Il examina attentivement la phrase, réfléchit à l'emplacement des espaces, puis la réécrivit :

NOMINA SUNT ODIOSA

– Qu'est-ce que c'est ? demanda Celia.

– Hmm… murmura Tomás en fronçant les sourcils, fouillant dans ses souvenirs. Cicéron. C'est le message laissé par le professeur Toscano.

– Cicéron ? Mais qu'est-ce que ça signifie ?

– Ça signifie, ma chère, que je dois remonter et tout examiner une nouvelle fois, dit-il en agitant la page, incapable de contenir plus longtemps son excitation.

Il courut ensuite vers l'ascenseur, fonçant tête baissée vers une série d'événements auxquels il repenserait, un jour, avec émerveillement.

VII

Lisbonne

Un manteau de nuages hauts se rapprochait lentement, menaçant les rayons du soleil. Ils s'étendaient depuis l'horizon, à l'ouest, des massifs grisâtres d'altocumulus à la base sombre et plate qui grimpaient vers le ciel en lambeaux lumineux. Le soleil d'hiver répandait une lumière brillante et froide sur la surface resplendissante du Tage et sur les maisons de Lisbonne, soulignant les couleurs vives des façades et des toits aux tuiles rouges qui ondulaient comme des vagues, accrochées aux reliefs généreux, presque féminins, du flanc de la colline de Lapa.

Tomás se fraya un chemin à travers les allées quasi désertes du quartier, tournant à gauche, puis à droite, circulant sans grande conviction dans l'étroit labyrinthe urbain, jusqu'à ce qu'il se trouve enfin sur la discrète Rua do Pau de Bandeira. En bas de la pente raide se dressait un beau bâtiment couleur saumon. Sa petite Peugeot franchit le grand portail et s'arrêta derrière deux berlines noires et brillantes, des Mercedes, devant l'entrée principale de l'élégant hôtel Lapa Palace. Un portier tiré à quatre épingles s'approcha de la voiture et Tomás baissa sa vitre.

– Bonjour, monsieur. Laissez-moi votre clef, je m'occupe de votre voiture.

Tomás entra dans le hall chaleureux de l'hôtel, sa mallette à la main. Le sol de marbre couleur crème était tel un miroir, dont la surface lisse et brillante mettait en valeur un dessin géométrique au centre, sur lequel était disposée une élégante table ronde. Sur la table se trouvait un beau vase de roses trémières qui se déployaient dans toute leur splendeur comme des plumes de paon. Tomás reconnut ces fleurs ; on les trouvait parfois sur les tombes de Neandertal et dans les tombeaux des pharaons. Constance connaissait leur signification, songea-t-il.

Sur sa gauche, il reconnut un visage familier avec des petits yeux et un nez recourbé. L'homme posa le journal qu'il était en train de lire, se leva et se dirigea vers lui.

– Tomás, je vois que vous êtes un homme ponctuel ! s'exclama Nelson Moliarti, avec son accent américain prononcé.

– Bonjour, Nelson. Comment allez-vous ?

– Très bien. – Il tendit les bras et soupira. – Ah, quel bonheur d'être à Lisbonne !

– Quand êtes-vous arrivé ?

– Il y a trois jours. J'ai fait beaucoup de tourisme.

– Vraiment ? Où êtes-vous allé ?

– Oh, ici et là, vous savez…

Il fit signe à Tomás de le suivre dans une pièce à sa droite, où un panneau indiquait « Rio Tejo Bar ».

– Venez, prenons un verre. Vous avez faim ?

Un piano à queue noir gardait l'entrée du bar, telle une sentinelle solitaire et silencieuse, attendant patiemment que des doigts agiles donnent vie à ses touches d'ivoire. La douce mélodie d'un ballet de Tchaïkovski flottait dans l'air, conférant au bar une élégance calme et gracieuse. Moliarti choisit une table près d'une fenêtre et invita Tomás à s'asseoir.

– Que prenez-vous ?

– Une tasse de thé.

– Garçon ! lança l'Américain en faisant signe à l'employé. Un thé pour mon ami, s'il vous plaît.

Le serveur sortit son bloc-notes.

– Quel type de thé souhaitez-vous ?

– Est-ce que vous avez du thé vert ? demanda Tomás.

Le serveur acquiesça et s'éloigna. Moliarti tapota amicalement Tomás dans le dos.

– Alors dites-moi, Tom, c'était comment, Rio ?

– « *Cidade maravilhosa* ». – Tomás sourit en entonnant la célèbre chanson de carnaval. – « *Cheia de encantos mil* ». Envoûtante.

– Je suis bien d'accord, dit Moliarti. Quand êtes-vous rentré ?

– Hier matin. J'ai passé toute la nuit dans l'avion.

– C'est terrible, n'est-ce pas ?

– Atroce. Je n'ai pas fermé l'œil.

– Alors dites-moi… continua Moliarti en prenant soudain une expression plus sérieuse.

Ses coudes appuyés sur la table, il pressait le bout de ses doigts les uns contre les autres.

– Qu'avez-vous pour moi ?

Tomás ouvrit la mallette posée à ses pieds et en sortit un carnet et plusieurs documents qu'il plaça sur la table.

– J'ai découvert une chose ou deux, dit-il en se penchant pour refermer la mallette. – Il se redressa et regarda Moliarti. – J'ai lu tous les documents que le professeur Toscano a consultés à la Bibliothèque nationale du Brésil, et j'ai eu accès à ses notes et photocopies. Ce matin, je suis allé à la Bibliothèque nationale portugaise ici, à Lisbonne, pour vérifier quelques éléments. Je dirais que j'ai bien progressé. – Il ouvrit son carnet. – Commençons, si vous êtes d'accord, par les recherches entreprises par le professeur Toscano sur la découverte du Brésil, puisque c'est, après tout, ce pourquoi la fondation l'avait engagé.

– D'accord.

– Comme vous me l'avez dit, sa mission était de mener une enquête concluante sur ce que nombre d'historiens soupçonnent depuis longtemps : que tout ce qu'a fait Pedro Álvares Cabral a été de rendre officiel ce que d'autres explorateurs avaient secrètement découvert avant lui.

– Exact.

– Bien, prenons les choses dans l'ordre. Nous devons d'abord déterminer s'il y avait ou non une politique de suppression, une sorte d'obligation de silence permanente au Portugal pendant la période des grandes découvertes. C'est fondamental. Ça n'aurait évidemment aucun sens que les Portugais aient gardé la découverte du Brésil secrète si une telle politique n'existait pas.

– Vous pensez qu'il y en avait une ?

– Je pense, oui. C'était l'opinion du professeur Toscano, et c'est également celle de nombreux autres historiens. Certains chercheurs ont abusé de la notion, l'utilisant pour justifier des lacunes dans les documents existants, mais il est vrai que de nombreuses entreprises maritimes portugaises, même les plus importantes, se déroulèrent dans le plus grand secret. Par exemple, les documents portugais officiels de l'époque ne mentionnent pas le fait que Bartolomeu Dias a contourné le cap de Bonne-Espérance et découvert le passage reliant l'océan Atlantique à l'océan Indien. C'est Christophe Colomb, qui se trouvait être à Lisbonne lorsque Dias est rentré, qui révéla cet exploit au monde. Si Colomb ne s'était pas trouvé par hasard au Portugal, Dias serait peut-être resté dans l'ombre, et personne n'aurait jamais rien su de son incroyable voyage. Nous pourrions aujourd'hui croire que Vasco de Gama fut le premier à avoir contourné le cap.

– Il est donc possible que le développement maritime du Portugal ait été lié à d'autres Bartolomeu Dias qui sont restés anonymes parce qu'ils n'avaient pas la chance d'avoir quelqu'un comme Christophe Colomb pour faire leur publicité, dit Moliarti.

Le serveur revint avec un plateau et plaça la théière fumante, la tasse et le sucrier sur la table.

– Thé Gabalong japonais, annonça-t-il avant de disparaître.

– Eh bien, tout cela prouve que cette politique était en effet appliquée de façon sélective, et certaines des plus importantes expéditions portugaises ont été gardées secrètes au nom des intérêts de l'État. L'histoire a donc oublié ces événements. C'est comme s'ils n'avaient jamais eu lieu.

– Ce qui nous amène à la découverte du Brésil.

– Précisément. Selon les documents officiels, le Brésil fut découvert le 22 avril 1500, lorsqu'une tempête obligea la flotte de Pedro Álvares Cabral, en route pour les Indes, à changer de cap. Ils aperçurent alors une grande colline, qu'ils baptisèrent Monte Pascoal. C'était la côte du Brésil. La flotte y resta dix jours, explorant ce nouveau territoire qu'ils nommèrent Ilha de Santa Cruz. Ils se réapprovisionnèrent et établirent le contact avec les habitants locaux. Le 2 mai, la flotte repartit pour l'Inde, mais un des bateaux, un petit navire de ravitaillement, retourna à Lisbonne sous le commandement de Gaspar de Lemos, apportant une vingtaine de lettres au sujet de leur découverte au roi Manuel, dont un rapport remarquable rédigé par le clerc du navire, Pêro Vaz de Caminha. – Tomás se caressa le menton. – Un premier signe que cette découverte n'était pas le fruit du hasard est la présence du petit navire de ravitaillement dans la flotte de Cabral. Ce bateau était trop fragile pour naviguer de Lisbonne jusqu'aux Indes. Quiconque s'y connaît un peu en navigation sait qu'il est impossible que le bateau ait pu effectuer ce trajet en entier, en particulier dans les eaux dangereuses autour du cap de Bonne-Espérance, que les marins ont légitimement surnommé « le cap des Tempêtes ». Les Portugais, qui étaient les meilleurs marins du monde, en étaient parfaitement conscients. Alors pourquoi diable auraient-ils décidé de faire participer un si petit bateau à une telle expédition ?

Tomás laissa sa question en suspens.

» Il n'y a qu'une explication possible : ils savaient dès le départ que le bateau ne participerait pas à l'intégralité du voyage. Ils savaient qu'il ne parcourrait qu'un tiers du chemin avant de rentrer à Lisbonne, apportant avec lui la nouvelle de la découverte d'un nouveau monde. Autrement dit, ils savaient déjà qu'il y avait un continent dans cette partie du monde, et le plus petit bateau a été inclus dans la flotte dans le but de rapporter la nouvelle officielle.

– C'est curieux et tout à fait plausible, mais peu concluant.

– Je suis d'accord. Mais il y a un détail à souligner. Lorsque le bateau est arrivé à Lisbonne, les marins sont restés silencieux, et la cour a gardé la découverte du Brésil secrète jusqu'au retour de la flotte complète de Cabral. C'est extrêmement inhabituel, et cela laisse penser que toute l'opération a été préméditée.

– Hmm… intéressant. Mais ce n'est toujours pas très concluant.

– Je sais. C'est là qu'une autre information entre en jeu. Je fais référence à un planisphère réalisé par un cartographe portugais anonyme à la demande d'Alberto Cantino pour Hercules d'Este, duc de Ferrara, sur un parchemin enluminé de un mètre sur deux. Puisque personne ne connaît le nom du cartographe, cette immense carte est connue sous le nom de « planisphère de Cantino », et se trouve aujourd'hui dans une bibliothèque à Modène, en Italie. Dans une lettre datée du 19 novembre 1502, Cantino révèle que son cartographe a recopié le planisphère à partir de prototypes portugais classifiés, de toute évidence en secret. Ce qui est important au sujet de cette carte, c'est qu'elle comporte un dessin détaillé d'une large portion de la côte brésilienne. Maintenant, faisons le calcul.

Tomás attrapa son stylo et trouva une page vierge dans son carnet.

» La carte arriva entre les mains de Cantino en novembre 1502 au plus tard, ce qui signifie qu'il s'est écoulé un peu plus de deux ans entre la découverte de Cabral et l'arrivée du planisphère en Italie.

Il traça une ligne horizontale au milieu de la page, et écrivit "Cabral, avril 1500" à gauche et "Cantino, novembre 1502" à droite.

» Le problème, c'est que Cabral n'a jamais dessiné de carte détaillée de la côte brésilienne. Les informations indiquées sur le planisphère viennent donc apparemment de voyages ultérieurs.

Il leva deux doigts.

» Le second voyage portugais officiel au Brésil semble avoir été entrepris par João da Nova en avril 1501, un peu moins d'un an avant que Cantino ait obtenu le planisphère. Mais notez que João da Nova n'a pas entrepris le voyage pour explorer spécifiquement la côte brésilienne. Comme Cabral, il était aussi en route pour les Indes, et il n'a pas eu le temps de cartographier le littoral. De plus, il n'est rentré à Lisbonne qu'au milieu de l'année 1502.

Tomás leva un troisième doigt.

» Il semble donc que les informations figurant sur le planisphère résultent d'un troisième voyage. Une flotte a bien pris la mer de Lisbonne avec pour mission d'explorer la côte brésilienne. C'était l'expédition de Gonçalo Coelho, qui a quitté Lisbonne en mai 1501. Un des membres de l'équipage était le navigateur florentin Amerigo Vespucci, l'homme même qui allait accidentellement donner son nom aux Amériques. La flotte a atteint le Brésil à la mi-août et passé plus d'une année à explorer une grande portion de la côte. Ils ont découvert une grande baie, qu'ils ont nommée Rio de Janeiro, et sont allés jusqu'à Cananéia, avant de rentrer au Portugal. Les trois caravelles de la flotte sont entrées dans le port de Lisbonne le 22 juillet 1502.

Tomás griffonna "Gonçalo Coelho, juillet 1502" aux trois quarts de la ligne horizontale, près du repère "Cantino, novembre 1502".

» Et voici le nœud de l'affaire, dit-il en pointant du doigt les deux dates écrites à la hâte dans le carnet. Est-ce que quatre mois, de juillet à novembre, auraient suffi aux cartographes officiels de Lisbonne pour produire une carte détaillée des informations fournies par Gonçalo Coelho, et au cartographe portugais – le traître anonyme engagé par Cantino – pour copier ces cartes, et enfin au planisphère clandestin pour arriver jusqu'en Italie ?

Tomás souligna la courte distance sur sa ligne chronologique entre "Gonçalo Coelho" et "Cantino". Il grimaça et secoua la tête.

» J'en doute. Quatre mois, ce n'est pas suffisant. Alors comment diable Alberto Cantino est-il parvenu à acheter un planisphère portugais contenant des informations qui – si nous en croyons la chronologie des rapports officiels – n'auraient pas pu être portées en détail sur des cartes à ce moment-là ? D'où venaient ces informations ?

Il leva sa paume gauche comme pour présenter une preuve.

» Il n'y a qu'une seule explication possible : le planisphère Cantino n'a pas été dessiné à partir d'informations collectées lors de voyages officiels au Brésil, mais à partir de données obtenues *avant* Cabral, pendant des expéditions clandestines que l'histoire n'a jamais connues, en raison de la politique portugaise de silence sur leurs découvertes.

– Hmm… fit Moliarti sur un ton méditatif. Intéressant. Mais pensez-vous que ce soit concluant ?

Tomás secoua la tête.

– J'ai du mal à croire que quatre mois aient suffi à produire les cartes de la côte brésilienne, à en faire une copie clandestine et à l'envoyer en Italie. – Il haussa les sourcils. – Je veux dire, c'est difficile à croire, mais pas impossible.

Le serveur revint avec l'en-cas fastueux commandé par Moliarti. Tomás en profita pour boire une gorgée de thé.

– Ce sont effectivement des incohérences intéressantes, dit l'Américain en prenant son toast brioché. Mais nous n'avons toujours pas de… vous savez… de preuve irréfutable concernant la découverte de Toscano.

– Mais attendez, ce n'est pas fini. – Tomás se replongea dans son carnet. – Le Français Jean de Léry était au Brésil de 1556 à 1558, et lorsqu'il discuta avec les colons les plus anciens, ceux-ci lui dirent que « la quatrième partie du monde était déjà connue des Portugais environ quatre-vingts ans avant sa découverte ». – Tomás regarda Moliarti. – Même en imaginant que l'expression « environ quatre-vingts ans » signifie soixante-quinze ou soixante-seize ans, nous sommes toujours bien avant 1500.

– Hmm...

– Il y a aussi une lettre écrite par le Portugais Estêvão Fróis, qui était détenu par les Espagnols, vraisemblablement dans la région du Venezuela actuel, accusé de s'être installé en territoire castillan. – Tomás consulta ses notes. – La lettre date de 1514 et est adressée au roi Manuel. Dans cette lettre, Fróis écrit qu'il n'a fait qu'occuper « les terres de Votre Majesté, déjà découvertes par João Coelho, celui de Porta da Luz, un voisin de Lisbonne, il y a vingt et un ans. » – Tomás fit un nouveau calcul. – Donc, 1514 moins vingt et un, ça nous fait… 1493. » – Il sourit à Moliarti. – De nouveau, nous sommes bien avant 1500.

– Ces lettres existent-elles toujours ?

– Bien sûr.

– Mais vous ne pensez pas que ces sources sont un peu douteuses ? Je veux dire, un Français dont personne n'a jamais entendu parler et un prisonnier portugais…

– Figurez-vous que quatre autres grands navigateurs ont confirmé que le Brésil avait été découvert avant Cabral.

– Vraiment ? Lesquels ?

– Eh bien, je commencerai par l'Espagnol Alonso de Ojeda, qui, avec notre ami Amerigo Vespucci, a aperçu les côtes de l'Amérique du Sud en juin 1499, probablement vers la Guyane. Puis, en janvier 1500, un autre Espagnol, Vicente Pinzón, qui a atteint la côte du Brésil trois mois avant Cabral.

– Donc les Espagnols ont battu les Portugais.

– Pas nécessairement. La troisième personne est Duarte Pacheco Pereira, un des plus grands navigateurs de l'époque, bien qu'il soit quasiment inconnu du grand public. En plus d'être un navigateur, c'était également un soldat et un scientifique reconnu qui, à son époque, produisit le calcul le plus précis du nombre de lieues par degré et qui savait estimer mieux que personne une longitude sans instruments adéquats. Pacheco Pereira est aussi l'auteur d'un des textes les plus énigmatiques de l'époque, intitulé *Princípio do Esmeraldo de Situ Orbis*. – Tomás consulta ses notes. – Il écrit dans *Esmeraldo* que le roi Manuel l'a envoyé « découvrir la partie occidentale », ce qu'il a fait en « l'an de Notre Seigneur mille quatre cent quatre-vingt-dix-huit, lorsqu'une large portion de terre ferme et de nombreuses îles adjacentes furent découvertes et explorées ».

Tomás fixa Moliarti du regard.

» En d'autres termes, en 1498, un navigateur portugais a découvert une terre à l'ouest de l'Europe.

– Ah ! s'exclama l'Américain. Deux ans avant Cabral.

– Oui.

Moliarti mordit dans son toast, qu'il fit descendre avec une gorgée de champagne.

– Et le quatrième grand navigateur ?

– Colomb.

Moliarti cessa de mâcher et leva les yeux vers Tomás.

– Colomb ? Quel Colomb ?

– Le seul et unique.

– *Christophe* Colomb ? Que voulez-vous dire ?

– Lorsque Christophe Colomb est rentré de son premier voyage d'exploration en Amérique, il a fait halte à Lisbonne pour discuter avec le roi Jean II. Au cours de cette conversation, le roi portugais a révélé qu'il y avait d'autres terres au sud de la région visitée par Colomb. Si nous regardons une carte, nous voyons que l'Amérique du Sud est au sud des Caraïbes. Cette rencontre a eu lieu en 1493, ce qui signifie que les Portugais savaient déjà qu'il y avait des terres dans cette partie du monde.

– Mais où cette conversation est-elle retranscrite ?

– C'est Bartolomé de Las Casas qui, à l'occasion du troisième voyage de Colomb au Nouveau Monde, a écrit : « L'amiral dit qu'il veut aller vers le sud car il veut connaître les intentions du roi Jean du Portugal ; là-bas, il est certain de trouver des choses et des terres de valeur. »

– Alors dites-moi, Tom, quelle est votre opinion sur tout cela ? demanda Moliarti. Si les Portugais savaient vraiment que l'Amérique du Sud existait, pourquoi avoir attendu aussi longtemps avant d'officialiser leur découverte ? Pourquoi ne l'avoir fait qu'en 1500, et pas avant ?

– Pour ne pas faire naître de soupçons, répondit Tomás. Les Portugais pensaient qu'il était dans leur intérêt de garder secrète toute information stratégique. Le roi savait que la révélation de l'existence de ces terres attirerait des regards indésirables, provoquerait des convoitises et des intérêts gênants. Si le reste de l'Europe ignorait l'existence de ces terres, le roi serait sûr que ces pays n'essaieraient pas de rivaliser avec le Portugal en les explorant.

– Je comprends l'importance de la discrétion, et c'est également ma conclusion, dit Moliarti. Mais s'il était si avantageux pour les Portugais de garder cela secret, qu'est-ce qui les a fait changer d'avis en 1500 ?

– Je pense que c'est à cause des Castillans. Lorsqu'Ojeda, en 1499, et Pinzón, en janvier 1500, ont commencé à s'aventurer vers les côtes de l'Amérique du Sud, le roi du Portugal a réalisé que ça n'avait plus aucun sens de garder le secret, que les Castillans risquaient de revendiquer les terres que les Portugais avaient déjà trouvées. Il est donc devenu impératif que la découverte du Brésil soit rendue officielle.

– Je vois.

– Ce qui nous amène à la dernière information importante.

– Laquelle ?

– Le traité de Tordesillas. Cet accord, ratifié par le Vatican, donnait la moitié du Nouveau Monde aux Portugais et l'autre aux Espagnols.

– Ah oui ! dit Moliarti avec un petit rire. L'acte de naissance de la mondialisation !

– C'est ça.

Tomás sourit. Les Américains avaient une façon assez grandiloquente de décrire les choses, faisant des comparaisons intéressantes avec des références modernes.

– L'arrogance suprême.

– Je sais. Mais n'oublions pas qu'il s'agissait des plus grandes puissances mondiales de l'époque ; il semblait assez logique qu'elles se partagent le butin. – Tomás termina son thé. – Lors de la négociation du traité, chaque pays avait des avantages. Les Portugais étaient plus avancés en matière de navigation, de technologie, d'armement et d'exploration maritime. Mais les Espagnols avaient un atout non négligeable : le pape, qui était espagnol. C'était un peu comme un match de football ; les Portugais possédaient les meilleurs joueurs et le meilleur entraîneur, mais le match était présidé par un arbitre qui offrait joyeusement à l'autre équipe des penaltys non justifiés.

» Les navigateurs portugais naviguaient déjà à leur guise le long des côtes de l'Afrique et à travers l'Atlantique, tandis que les Espagnols ne contrôlaient que les îles Canaries. La situation fut officialisée en 1479 par le traité d'Alcaçovas, dans lequel la Castille reconnaissait l'autorité portugaise le long des côtes africaines et dans les îles Atlantiques en échange du contrôle des Canaries. Mais le traité, ratifié l'année suivante à Tolède, ne mentionnait pas l'Atlantique ouest, ce qui devint un problème crucial après le retour triomphant de Christophe Colomb de son premier voyage. Aucune clause dans le document ne traitant directement de cette nouvelle parcelle de terre, il est rapidement devenu évident qu'il fallait un nouveau traité.

– Le traité de Tordesillas.

– Exactement. Lisbonne a d'abord proposé de dessiner une ligne à travers le monde, passant à côté des îles Canaries, qui donnerait à Castille tout ce qui se trouvait au nord de la ligne, et le reste au Portugal. Mais le pape Alexandre VI, qui était espagnol, écrivit deux bulles pontificales en 1493 qui établissaient une ligne de séparation le long d'un méridien à cent lieues à l'ouest des Açores et du cap Vert. Ça n'a pas vraiment plu aux Portugais, et bien qu'ils aient donné leur accord pour la ligne, ils ont également demandé à ce qu'elle soit déplacée à trois cent soixante-dix lieues à l'ouest du cap Vert, ce que les Castillans et le pape ont accepté, puisqu'ils n'avaient aucune raison de ne pas le faire. Cette négociation révèle quelque chose.

Tomás dessina rapidement un planisphère dans son carnet, représentant les contours de l'Afrique, de l'Europe et des continents américains. Il traça une ligne verticale traversant l'Atlantique, à mi-chemin entre l'Afrique et l'Amérique du Sud, et écrivit « 100 » en dessous.

– Voici ce que le pape et les Castillans ont proposé : une ligne à cent lieues à l'ouest du cap Vert.

Il traça ensuite une ligne verticale plus à gauche, qui passait par une partie de l'Amérique du Sud, et écrivit « 370 ».

» Et voici la ligne demandée par les Portugais, trois cent soixante-dix lieues à l'ouest du cap Vert.

Il regarda Moliarti.

» Dites-moi, Nel, quelle est la principale différence entre ces deux lignes ?

Moliarti se pencha sur le carnet et les examina.

– Eh bien, la première ne traverse que l'océan, tandis que la seconde passe par la terre.

– Et quelle terre ?

– Le Brésil.

Tomás hocha la tête et sourit.

– Le Brésil. Maintenant, dites-moi : pourquoi les Portugais ont-ils tant insisté pour tracer cette seconde ligne ?

– Pour avoir le Brésil.

– Ce qui m'amène à ma troisième question : comment les Portugais pouvaient-ils savoir que cette seconde ligne passait par le Brésil si le Brésil n'avait pas déjà été découvert en 1494 ?

Tomás se pencha vers Moliarti.

Celui-ci s'enfonça dans le sofa et inspira profondément.

– Je vois où vous voulez en venir. Tout cela donne évidemment à réfléchir, dit-il lentement. Mais Tom, est-ce qu'il reste quelque chose de vraiment nouveau dans tout ce que vous venez de me dire ?

Tomás soutint le regard de Moliarti.

– Non, répondit-il.

– Rien du tout ?

– Rien du tout. Je vous ai dit tout ce que j'avais appris sur les recherches du professeur Toscano concernant la découverte du Brésil.

– Et il n'y avait rien de nouveau ? Vous en êtes absolument certain ?

– Rien. Le professeur Toscano n'a fait que revisiter les découvertes ou conclusions d'autres historiens.

Moliarti sembla dépité. Ses épaules et sa poitrine s'affaissèrent ; il détourna les yeux de Tomás et regarda dans le vide. Puis, peu à peu, il sembla se mettre à bouillir de l'intérieur ; ses joues devinrent rouges et son visage s'assombrit d'une rage à peine contenue.

– Ce fils de pute ! grommela-t-il dans sa barbe.

Il ferma les yeux, planta ses coudes sur la table et enfouit son front dans ses mains.

– Bordel. J'en étais sûr.

Tomás resta assis en silence, inquiet, attendant de voir comment évoluerait la colère contrôlée de Moliarti. Celui-ci marmonna encore dans sa barbe, crachant les mots avec indignation, puis inspira profondément, rouvrit les yeux et regarda Tomás.

– Tom ! s'exclama-t-il. Toscano nous a bernés ! Il a dépensé notre argent et menti sur sa grande découverte. Il est mort, et j'apprends que tout ce qu'il a fait au cours de ces sept dernières années, c'est revisiter les travaux d'autres historiens, sans rien apporter de nouveau. Comme vous pouvez l'imaginer, nous ne…

– Ce n'est pas *exactement* ce que j'ai dit, l'interrompit Tomás.

Moliarti le regarda d'un air interrogateur.

– Je suis désolé, mais c'est ce que j'ai compris.

– Vous avez bien compris ce que j'ai dit concernant ce que j'ai pu récupérer des investigations du professeur Toscano. Mais je n'ai aucune réponse concrète pour le moment, et il reste encore d'autres indices importants laissés par le professeur qui méritent d'être étudiés.

– Oh, d'accord, dit Moliarti, soudain tout ouïe. Il y a donc bien autre chose.

– Bien sûr, dit Tomás prudemment. Mais je ne suis pas sûr que ce soit directement en lien avec la découverte du Brésil.

– Que voulez-vous dire ?

– Je fais référence à un indice laissé sous forme de message codé.

Moliarti esquissa un sourire étrange, comme s'il venait de recevoir la confirmation de quelque chose qu'il soupçonnait depuis longtemps.

– Dites-moi.

– Ça a un rapport avec Cicéron, qui serait à l'origine de l'expression « *Nomina sunt odiosa* ».

– Qui signifie ?

– « Les noms sont odieux. »

Moliarti le fixait, perplexe.

– Ce qui veut dire ? Qu'est-ce que ça vient faire dans l'histoire ?

– « *Nomina sunt odiosa* » est peut-être un indice que nous a laissé le professeur Toscano, et qui est peut-être en lien avec sa grande découverte.

– Vraiment ? demanda Moliarti, de plus en plus agité. Un indice ? Et que révèle-t-il ?

– Je ne sais pas, répondit Tomás nonchalamment. Mais je vais trouver.

VIII

Après son cours et les habituelles dix minutes de bavardages avec les étudiants, Tomás monta dans son bureau. Il avait discrètement observé Lena pendant l'heure et demie passée. Elle s'était assise à la même place que la semaine précédente, toujours alerte, le fixant intensément de ses yeux bleu clair, la bouche légèrement entrouverte, comme si elle buvait ses paroles. Elle portait un haut violet, près du corps, qui accentuait les courbes généreuses de sa poitrine et contrastait avec sa jupe ample couleur crème. À la fin du cours, Tomás réalisa qu'il était déçu qu'elle ne soit pas venue lui parler, mais il se réprimanda immédiatement. Lena était une étudiante, et lui, son professeur ; elle était jeune et célibataire, il avait trente-cinq ans et était marié. Il devait garder la tête froide et ne pas dépasser certaines limites. Il secoua la tête, comme pour essayer de la faire sortir de son esprit, et ouvrit un tiroir pour prendre les plans de ses cours.

Il leva les yeux en entendant frapper à la porte. Elle s'ouvrit, et une jolie blonde passa sa tête dans l'entrebâillement. Son sourire. Les boucles de ses cheveux.

– Est-ce que je peux entrer ?

– Bien sûr, entrez, dit-il, peut-être avec un peu trop d'empressement. Qu'est-ce qui vous amène ?

Lena traversa le bureau d'un pas léger et enjoué, ondulant comme un chat. Elle était très sûre d'elle, consciente de l'effet qu'elle produisait sur les hommes. Elle s'assit sur une chaise et se pencha sur le bureau de Tomás.

– J'ai trouvé le cours d'aujourd'hui vraiment très intéressant, dit-elle.

– Vraiment ? Tant mieux.

– La seule chose que je n'ai pas bien comprise, c'est comment s'est déroulée la transition entre les systèmes d'écritures idéographiques et alphabétiques.

– Eh bien, je dirais que c'était une progression naturelle, nécessaire pour simplifier les choses, expliqua Tomás, ravi d'avoir l'opportunité de l'impressionner avec ses connaissances. L'écriture cunéiforme, les hiéroglyphes et les caractères chinois requièrent tous la mémorisation d'un grand nombre de signes. Nous parlons ici de plusieurs centaines d'images à retenir. C'était un obstacle évident à l'apprentissage. L'alphabet a résolu ce problème, car plutôt que de devoir retenir mille caractères, comme les Chinois, ou six cents hiéroglyphes, comme les Égyptiens, tout ce qu'il fallait faire, c'était retenir un maximum de trente symboles. Vous comprenez ? C'est pour cette raison que j'ai dit que l'alphabet avait démocratisé l'écriture.

– Et tout a commencé avec les Phéniciens…

– En réalité, le premier alphabet serait apparu en Syrie.

– Je vois, dit Lena. Mais, pendant le cours, vous n'avez mentionné que les Phéniciens. Est-ce que la Bible a été écrite en phénicien ?

Tomás se mit à rire, avant de s'interrompre, de peur de l'offenser.

– Non, la Bible a été écrite en hébreu et en araméen, expliqua-t-il. Mais votre question n'est pas si incongrue, car il y a, en réalité, une connexion avec le phénicien. Un alphabet araméen similaire à celui utilisé par les Phéniciens a été trouvé en Syrie – que l'on appelait Aram à l'époque –, ce qui laisse penser que les deux systèmes d'écritures sont liés. De nombreux historiens pensent que les systèmes d'écritures hébraïques, araméens et arabes avaient le phénicien pour origine, même si personne ne sait comment ils sont liés.

– Et notre alphabet ? Est-ce qu'il vient lui aussi du phénicien ?

– Indirectement, oui. Les Grecs ont emprunté des éléments aux Phéniciens et ont inventé des voyelles basées sur des consonnes en araméen et en hébreu. L'alphabet latin descend de l'alphabet grec. Alpha est devenu *a*, beta est devenu *b*, gamma, *c*, et delta, *d*. Et nous parlons le portugais, qui, comme vous le savez, est une langue latine.

– Ce que n'est pas le suédois.

– C'est vrai, le suédois est une langue scandinave, de la famille linguistique du germanique. Mais il utilise aussi l'alphabet latin, non ?

– Et le russe ?

– Le russe utilise l'alphabet cyrillique, qui est également dérivé de l'alphabet grec.

– Mais vous n'avez pas expliqué tout ça en cours, aujourd'hui.

– Chaque chose en son temps ! dit Tomás en souriant, la main gauche levée. Le semestre n'est pas encore terminé. Le grec est le sujet du prochain cours. On prend un peu d'avance, là !

Lena soupira.

– Vous savez, dit-elle, je n'ai pas vraiment besoin de prendre de l'avance, j'ai surtout besoin de rattraper mon retard.

– C'est vrai. Que voulez-vous savoir ?

Lena se pencha davantage sur son bureau, rapprochant son visage de celui de Tomás. Il sentit son parfum.

– Vous avez déjà mangé suédois ? demanda-t-elle.

– Suédois ? Hmm… oui, à Malmö.

– Ça vous a plu ?

– Oui, beaucoup. Je me souviens que c'était délicieux, mais aussi très cher. Pourquoi ?

Elle sourit.

– Eh bien, je me disais que vous auriez du mal à tout m'expliquer en une demi-heure. Pourquoi vous ne viendriez pas déjeuner chez moi, et on pourrait discuter autant qu'on le voudrait, sans se presser ?

– Déjeuner chez vous ? demanda Tomás, pris de court.

– Oui. Je préparerai un plat suédois qui vous mettra l'eau à la bouche, vous verrez.

Il savait qu'il ne devait pas accepter. Aller déjeuner chez une étudiante – cette étudiante en particulier – était une décision dangereuse. Il ne pouvait pas se permettre de telles aventures. D'un autre côté, il se demanda quelles seraient les conséquences réelles s'il acceptait l'invitation. Est-ce qu'il ne s'emballait pas un peu ? Après tout, ce n'était qu'un déjeuner et une session de rattrapage, rien de plus. Qu'y avait-il de mal à passer une heure ou deux chez elle pour discuter écriture cunéiforme ? N'était-ce pas son devoir, en tant que professeur ? En plus, se dit-il, ce serait l'occasion de goûter de nouveau à la cuisine suédoise. Et merde ! Pourquoi pas ?

– D'accord pour le déjeuner, répondit-il.

Lena sourit, visiblement ravie.

– Ça marche, dit-elle. Demain, ça vous va ?

Tomás se souvint qu'il devait aller à l'école de Margarida avec Constance le lendemain. Ils avaient demandé un rendez-vous avec le principal pour discuter du départ de l'éducateur spécialisé. Il devait absolument être présent.

– Je ne peux pas, dit-il en secouant la tête. Je dois aller… hmm… j'ai déjà quelque chose de prévu, c'est impossible.

– Et après-demain ?

– Après-demain ? Vendredi ? Oui, ça me paraît bien.

– 13 heures ?

– 13 heures, c'est noté. Où habitez-vous ?

Lena lui donna son adresse, puis quitta la pièce, laissant son parfum flotter dans l'air. Il n'était pas sûr de savoir pourquoi il avait accepté ce déjeuner, mais il chassa rapidement tout doute de son esprit, se convainquant qu'il dramatisait les choses.

Ils arrivèrent à l'école São Julião da Barra en fin de matinée et décidèrent de jeter un coup d'œil à la classe de Margarida. La porte de la salle était entrouverte et ils la virent assise à sa place, près de la fenêtre. Ils savaient qu'elle était considérée comme une bonne élève. Elle défendait toujours les plus faibles et aidait les enfants qui se blessaient pendant la récréation. Quand ils jouaient, cela lui était égal de perdre et elle était toujours volontaire pour quitter l'équipe si les joueurs étaient trop nombreux. Elle faisait même semblant de ne pas le remarquer lorsque d'autres enfants se moquaient d'elle, et elle oubliait rapidement leurs insultes. Tomás et Constance l'observèrent avec admiration, comme si elle était vraiment un ange.

Lorsque l'heure du rendez-vous arriva, ils se rendirent dans le bureau du principal, où ils n'eurent pas longtemps à attendre avant d'être appelés.

La directrice de l'école était une femme grande et maigre, d'une quarantaine d'années. Ses cheveux étaient teints en blond et elle portait des lunettes rondes. Elle les reçut poliment, mais ils comprirent rapidement qu'elle était pressée.

– J'ai un déjeuner à 12 h 30, expliqua-t-elle.

Tomás jeta un coup d'œil à sa montre. Il était 12 h 10, ils avaient donc vingt minutes – ce n'était pas suffisant.

– Je suppose que c'est au sujet du problème de l'éducateur spécialisé.

– Tout à fait.

– C'est malheureux, effectivement.

– « C'est malheureux » ? Pour vous, sans doute, dit Constance sur un ton légèrement irrité. Mais croyez-moi, pour nous, et surtout pour notre fille, c'est une véritable tragédie.

Elle pointa un doigt accusateur.

– Avez-vous la moindre idée de ce que signifie la perte de cet éducateur pour Margarida ?

– Je vous en prie, nous faisons tout ce que nous pouvons…

– Vous faites très peu.

– Ce n'est pas vrai.

– Si, ça l'est, insista Constance. Et vous le savez.

– Pourquoi ne pas réembaucher M. Correia ? demanda Tomás, désireux d'éviter une confrontation verbale entre les deux femmes. Il faisait du très bon travail.

Après les discussions virulentes de leur dernier rendez-vous, lorsqu'ils avaient appris que M. Correia ne serait plus là pour aider Margarida, il savait qu'il devait se tenir sur ses gardes. Il était évident que, depuis son départ, Margarida régressait. Ils étaient convaincus que leur fille avait les capacités pour progresser comme tous les autres enfants, mais sa courbe d'apprentissage était beaucoup plus lente, elle avait donc besoin d'aide.

– J'aimerais beaucoup faire de nouveau appel à M. Correia, dit la directrice. Le problème, comme je vous l'ai expliqué lors de notre dernier rendez-vous, c'est que le ministère de l'Éducation a réduit les budgets. Nous n'en avons donc plus les moyens.

– N'importe quoi ! s'exclama Constance. Vous pouvez payer des tas d'autres choses, mais pas un éducateur spécialisé ?

– Non.

– Est-ce que vous savez que l'année dernière, Margarida savait lire, et que cette année, elle est incapable de déchiffrer un seul mot ? demanda Tomás.

– Je n'étais pas au courant, non.

– L'instituteur ne sait de toute évidence rien des enfants ayant des besoins spécifiques, dit Constance.

La directrice leva les mains.

– Vous ne m'écoutez pas, dit-elle. Si ça ne tenait qu'à moi, nous aurions gardé M. Correia. Le problème, c'est cette réduction budgétaire. Nous n'avons tout simplement pas l'argent nécessaire.

Constance se pencha en avant.

– Excusez-moi, dit-elle, s'efforçant de rester calme, mais la loi garantit la présence d'éducateurs spécialisés dans les écoles publiques pour les enfants ayant des besoins spéciaux. Ce n'est pas quelque chose sorti de nulle part, ce n'est pas une demande absurde et ce n'est pas une faveur que vous nous faites. Tout ce que mon mari et moi demandons, c'est que l'école respecte cette loi. Rien de plus, rien de moins. Alors, s'il vous plaît, faites-le.

La directrice soupira et secoua la tête.

– C'est une loi très juste, très belle, très humaine, qu'ils ont votée, mais au moment de payer, il n'y a plus personne. Autrement dit, la loi est là pour pouvoir dire qu'elle existe, pour que quelqu'un puisse se vanter de l'avoir approuvée. C'est tout.

– Alors qu'est-ce que vous suggérez ? demanda Tomás. Que les choses restent comme elles sont ? Que notre fille soit livrée à elle-même en cours ?

– Oui, ajouta Constance. Que comptez-vous faire ?

La directrice retira ses lunettes, souffla sur les verres et les nettoya avec un petit tissu orange.

– J'ai une proposition à vous faire.

– Quelle est-elle ?

– Mme Galhardo pourrait aider Margarida.

– Mme Galhardo ? répéta Constance.

– Oui.

– Est-ce qu'elle a été formée pour s'occuper des enfants en difficulté ?

La directrice se leva.

– Je pense que le mieux est que je la fasse venir, répondit-elle en se dirigeant vers la porte pour éluder la question, un détail que ne manquèrent pas de remarquer Constance et Tomás. Marília, pouvez-vous faire venir Mme Galhardo ?

Elle se rassit à sa place, finit de nettoyer ses lunettes et les remit sur son nez. Tomás et Constance se regardèrent avec appréhension.

– Je peux entrer ?

Mme Galhardo était une femme corpulente, débordante de gentillesse et de bonne volonté. Elle ressemblait à ces femmes de la campagne au teint rougeaud et aux yeux brillants, toujours entourées d'une horde d'enfants. Tous se saluèrent, et elle s'assit à côté de Tomás et de Constance.

– Mme Galhardo s'est portée volontaire pour s'occuper des enfants aux besoins spécifiques cette année.

Mme Galhardo hocha la tête.

– La situation de Margarida et d'Hugo me préoccupe.

Hugo était un autre enfant souffrant de trisomie 21.

– Madame Galhardo, l'interrompit Constance, c'est extrêmement généreux de votre part, mais avez-vous déjà travaillé avec des enfants trisomiques ?

– Non. Écoutez, je propose simplement mon aide.

– Pensez-vous que Margarida réussira à progresser avec vous ?

– Je pense, oui. Je ferai de mon mieux, en tout cas.

Tomás joignit les paumes de ses mains et se tourna vers la femme.

– Écoutez, je respecte vos bonnes intentions, mais Margarida n'a pas besoin de cours juste pour dire qu'elle est en cours. L'objectif est qu'elle réussisse à apprendre des choses. Quel serait l'intérêt de ces cours si, à la fin de la journée, elle n'avait toujours fait aucun progrès significatif ?

– Eh bien, j'espère tout de même qu'elle apprendra des choses.

– Elle a besoin d'un éducateur spécialisé. Pour être honnête avec vous, je ne pense pas que vous soyez assez qualifiée.

– Je reconnais que je n'ai peut-être pas toutes les connaissances nécessaires pour...

– Écoutez, l'interrompit la directrice, qui n'aimait pas le tour que prenait la conversation. La situation est ce qu'elle est. Mme Galhardo est disponible. Nous sommes tous d'accord, elle n'est pas spécialiste de ce genre de problèmes. Mais que ça vous plaise ou non, c'est la seule solution. Alors profitons de cette opportunité et résolvons le problème. Ce n'est pas l'idéal, mais c'est une solution.

Tomás et Constance échangèrent un regard agacé.

– Écoutez, madame, grommela Tomás. Ce que vous nous offrez n'est pas une solution au problème de Margarida. C'est une solution à *votre* problème. Ce dont notre fille a réellement besoin, c'est d'un éducateur spécialisé !

Il avait presque martelé les mots.

– Nous n'avons pas d'autre choix, dit la directrice sur un ton péremptoire. Mme Galhardo devra s'occuper des enfants ayant des besoins spécifiques.

– Mais ce n'est pas suffisant.

– Il faudra faire avec.

– Je suis désolée, objecta Constance, nous ne l'accepterons pas.

La directrice plissa les yeux et observa le couple assis devant elle. Elle soupira bruyamment, comme si elle venait de prendre une décision particulièrement difficile.

– Alors vous allez devoir déclarer par écrit que vous n'acceptez pas ces cours spécialisés.

– Non, nous ne ferons pas ça.

– Pourquoi donc ?

– Parce que ce n'est pas vrai. Nous *voulons* des cours spécialisés. Mais nous voulons qu'ils soient dispensés par des éducateurs qualifiés. Ce que nous ne voulons pas, et nous serions heureux de le mettre par écrit, c'est une enseignante qui, malgré ses bonnes intentions, n'est pas qualifiée.

Le rendez-vous se termina sans qu'aucune solution ait été trouvée. En quittant l'école, Tomás et Constance avaient perdu tout espoir. Ils allaient devoir faire appel à un professeur particulier, mais ils n'en avaient pas les moyens. Grâce à son travail supplémentaire pour la fondation, Tomás espérait gagner assez d'argent pour aider Margarida et soulager les inquiétudes de sa femme, mais il devait pour cela découvrir ce que Toscano avait en tête. Le demi-million de dollars promis par la fondation ne pouvait pas arriver si vite.

Tomás observa le bâtiment situé à l'adresse que Lena lui avait donnée. C'était un immeuble ancien, qui avait désespérément besoin d'être rénové. Il trouva la porte ouverte et entra dans un vestibule aux carreaux craquelés et usés par le temps. La seule lumière venait de l'extérieur, se répandant dans la petite entrée par la porte vitrée, projetant une forme géométrique sur le sol. Au-delà, l'obscurité était complète. Tomás commença à gravir les marches de bois, qui grincèrent sous son poids, comme pour protester contre l'intrus qui venait d'interrompre leur indolence. Il pouvait sentir la puanteur de la moisissure et de l'humidité, une caractéristique des vieux édifices de Lisbonne. En arrivant au deuxième étage, il vérifia les numéros sur les portes et trouva celui qu'il cherchait sur la seconde à sa droite. Il pressa le bouton noir sur le mur. Il entendit un léger tintement à l'intérieur, puis des pas et enfin le son métallique d'un verrou que l'on ouvre.

– *Hej* ! dit Lena. *Välkommen.*

Tomás resta pendant une longue seconde sur le seuil de la porte, bouche bée devant son hôtesse. Malgré la température hivernale, elle ne portait qu'un léger chemisier de soie bleue au décolleté plongeant et une minijupe blanche avec une ceinture jaune qui révélait de longues jambes harmonieuses, soulignées par d'élégants talons.

– Bonjour, dit-il finalement. Vous êtes très… belle, aujourd'hui.

– Vous trouvez ? demanda-t-elle en souriant. Merci. C'est très gentil. – Elle lui fit signe d'entrer. – L'hiver au Portugal me rappelle l'été en Suède. Je trouve qu'il fait vraiment très chaud, d'où ma tenue. J'espère que ça ne vous dérange pas.

Tomás entra.

– Pas du tout, dit-il en essayant de contrôler le rougissement de ses joues. C'est une bonne idée. Une très bonne idée.

Le contraste entre la chaleur de l'appartement et la température extérieure était saisissant. Le parquet verni était ancien, tout comme les peintures austères aux murs. Mais l'appartement ne sentait pas le renfermé ; une agréable odeur de cuisine flottait dans l'air.

– Je peux prendre votre manteau ? demanda Lena en tendant la main.

Tomás retira son pardessus et le lui tendit. Elle l'accrocha à un portemanteau près de la porte, puis l'escorta jusqu'à la cuisine, au bout d'un long couloir. Juste à côté, dans le séjour, la table avait été préparée pour deux. Il observa la pièce, décorée simplement, avec des vieux meubles en chêne et en marronnier. Il y avait deux sofas marron usés, une télévision posée sur une table, et un vaisselier dans lequel étaient exposés de vieux objets en porcelaine. La lumière froide du jour se diffusait à travers deux hautes fenêtres qui donnaient sur une cour intérieure.

– Comment avez-vous trouvé cet appartement ? demanda-t-il.

– Je l'ai loué.

– Je m'en doute, mais comment en avez-vous entendu parler ?

– Par le BEE.

– Le BEE ? Le Bureau des étudiants étrangers ?

– Oui. Pittoresque, hein ?

– Oui, en effet, dit Tomás. Qui est le propriétaire ?

– Une vieille dame qui vit au rez-de-chaussée. Cet appartement appartenait à son frère, qui est mort l'année dernière. Depuis, elle le loue à des étrangers. Elle dit que ce sont les seuls locataires dont elle est sûre qu'ils finiront par partir.

– C'est malin.

Lena attrapa une cuillère en bois pour mélanger ce qui mijotait sur la cuisinière, inhala la vapeur qui s'en dégageait, et sourit à Tomás.

– Ça va être délicieux.

Elle lui indiqua le salon.

– Faites comme chez vous, dit-elle en désignant un des sofas. Le repas sera prêt dans quelques minutes.

Tomás s'assit sur le canapé et Lena prit place à côté de lui. Désireux d'éviter un silence embarrassant, Tomás ouvrit immédiatement sa mallette et en sortit des papiers.

– J'ai apporté quelques notes sur les écritures cunéiformes des Sumériens et des Akkadiens, dit-il. Je pense que vous trouverez l'usage des déterminatifs particulièrement intéressant.

– Les déterminatifs ?

– Oui, on les appelle aussi indicateurs sémantiques. – Il pointa du doigt plusieurs caractères dans ses notes. – Vous voyez ? La fonction des indicateurs sémantiques est de réduire l'ambiguïté des symboles. Dans cet exemple, le déterminatif *gis*, lorsqu'il est placé devant…

– Oh, l'interrompit Lena d'un ton implorant, est-ce qu'on peut en parler après le repas ?

– Euh… oui, bien sûr, répondit Tomás, surpris. Mais je pensais que vous vouliez en profiter pour travailler...

– Jamais l'estomac vide. – Elle sourit. – « Nourrissez bien votre servante et votre vache produira plus de lait. »

– Pardon ?

– C'est un proverbe suédois. Ça veut dire, en l'occurrence, que mon cerveau fonctionnera mieux si mon estomac est plein.

– Oh, dit-il. Je vois que vous avez un penchant pour les proverbes.

– Je les adore. Ils sont pleins de sagesse, vous ne trouvez pas ?

– Si, j'imagine.

– J'en suis convaincue, dit-elle sur un ton péremptoire. En Suède, nous croyons beaucoup aux proverbes. Est-ce que vous en avez aussi beaucoup, en portugais ?

– Quelques-uns.

– Vous m'en apprenez ?

Tomás eut un petit rire.

– Que voulez-vous que je vous apprenne ? L'écriture cunéiforme ou des proverbes portugais ?

– Pourquoi pas les deux ?

– Ce sera plus long.

– Ce n'est pas un problème. On a tout l'après-midi, non ?

– Je vois que vous avez réponse à tout !

– « L'épée d'une femme est dans sa bouche », répliqua Lena. Un autre proverbe suédois. – Elle le regarda avec un air entendu. – Celui-ci a un double sens…

Tomás, à court de répartie, leva les mains en signe de reddition.

– J'abandonne !

– Bonne idée, dit-elle en s'adossant au sofa. Dites-moi, vous êtes originaire de Lisbonne ?

– Non, je suis né à Castelo Branco.

– Quand êtes-vous arrivé à Lisbonne ?

– Quand j'étais jeune. Je suis venu ici pour suivre des études d'histoire.

– Dans quelle université ?

– La nôtre.

– Ah, dit-elle en lui jetant un regard scrutateur. Vous avez déjà été marié ?

Pris au dépourvu, Tomás hésita pendant une seconde entre un mensonge et la vérité, qui mettrait immédiatement une distance entre eux. Il baissa les yeux et s'entendit prononcer ces mots :

– Oui, je suis marié.

Il craignait sa réaction, mais, à sa grande surprise, Lena ne sembla pas du tout perturbée.

– Je ne suis pas étonnée, dit-elle. Un bel homme comme vous…

Tomás rougit.

– Eh bien… euh…

– Vous l'aimez ?

– Qui ça ?

– Votre femme, vous l'aimez ?

Enfin une opportunité d'éclaircir les choses.

– Je l'aimais quand je l'ai épousée, bien sûr. Mais on s'est éloignés au fil du temps. Aujourd'hui, on est surtout amis. Ce n'est pas le même type d'amour.

Il scruta son visage, essayant de détecter une réaction. Il fut soulagé de voir qu'elle semblait satisfaite de cette réponse.

– En Suède, on dit qu'une vie sans amour est comme une année sans été, dit-elle. Vous n'êtes pas d'accord ?

– Si.

Lena ouvrit soudain de grands yeux et porta ses mains à sa bouche.

– Oh ! J'ai oublié le repas ! cria-t-elle en se levant d'un bond pour se précipiter dans la cuisine.

Tomás l'entendit déplacer la casserole, mélanger et étouffer quelques exclamations.

– Est-ce que tout va bien ?

– Oui, oui ! lança-t-elle depuis la cuisine. C'est prêt ! Vous pouvez vous installer à table.

Tomás se dirigea vers l'entrée de la cuisine. Lena tenait une casserole avec un torchon et versait de la soupe dans une vieille terrine en porcelaine assortie aux bols posés sur la table.

– Besoin d'aide ? demanda-t-il.

– Non, tout est sous contrôle. Allez vous asseoir.

Tomás hésita, ne sachant pas s'il devait obéir ou insister pour l'aider. Mais en voyant l'expression décidée sur son visage, il préféra obtempérer et s'installa à table. Un instant plus tard, Lena entra avec la terrine fumante. Elle la posa bruyamment sur la table et soupira de soulagement.

– Ouf ! Voilà ! s'exclama-t-elle. Mangeons, à présent.

Elle retira le couvercle du plat et versa de la soupe dans le bol de Tomás, puis dans le sien. Tomás examina le mets, intrigué : la soupe était blanche et crémeuse, avec des morceaux flottant à la surface, et une odeur agréable s'en dégageait.

– Qu'est-ce que c'est ?

– De la soupe de poisson. Goûtez, c'est délicieux.

– C'est donc un plat suédois ?

– À vrai dire, pas tout à fait. C'est norvégien.

Tomás prit une première gorgée.

– Hmm ! C'est très bon ! dit-il en hochant la tête. Vous êtes une très bonne cuisinière.

– Merci.

– Quel poisson avez-vous utilisé ?

– Oh, plusieurs sortes, mais je ne connais pas leurs noms en portugais.

Tomás goûta un morceau de poisson. Cela ressemblait à du cabillaud.

– C'est délicieux. Où avez-vous trouvé cette recette ?

Lena arrêta de manger et le regarda intensément.

– Assez parlé de soupe. Je pense que vous savez pourquoi je vous ai invité ici.

Tomás manqua de s'étouffer.

– Pardon ?

– Je pense que vous savez pourquoi je vous ai invité ici, répéta-t-elle, comme s'il n'y avait rien de plus normal à dire.

Incapable de prononcer un seul mot, la gorge soudain très sèche, Tomás fit « oui » de la tête. Lena sourit d'un air mutin. Elle tendit les bras, prit sa tête entre ses mains et le regarda avec adoration.

Tomás abandonna.

Toutes les pensées qu'il avait eues au sujet de Constance et de leur fille disparurent immédiatement lorsqu'il céda. Lena se leva, lui prit la main et le conduisit hors du salon.

IX

L'entrée sud du monastère des Hiéronymites, avec ses lourdes portes en bois, était fermée aux visiteurs. Tomás contourna la façade sud du bâtiment, tourna à l'angle et se faufila par la porte est. C'était l'entrée principale, mais elle était cachée dans une minuscule galilée, sous une voûte qui plongeait dans l'ombre ses somptueuses sculptures Renaissance. Une fois à l'intérieur du majestueux monastère, son regard fut immédiatement attiré par le plafond voûté, soutenu par des colonnes finement sculptées qui s'évasaient vers le haut comme d'immenses palmiers, leurs feuilles s'entrelaçant dans un réseau de veines infini.

Lorsque Nelson Moliarti, qui était en train d'admirer les vitraux, vit Tomás arriver, il le rejoignit jusqu'à l'entrée, faisant résonner ses pas de façon inquiétante dans l'église presque déserte.

– Bonjour, Tom, dit-il. Comment allez-vous ?

Tomás lui serra la main.

– Bonjour, Nelson.

– C'est incroyable, n'est-ce pas ? dit l'Américain en faisant un grand geste. Chaque fois que je suis à Lisbonne, je viens ici. C'est le plus magnifique des hommages rendus aux découvertes portugaises.

Il guida Tomás vers l'une des colonnes et désigna un relief sculpté dans la pierre.

– Vous voyez ceci ? C'est une corde de marin. Vos ancêtres ont sculpté une corde de marin dans une église ! – Il montra l'autre côté. – Et ici, il y a des poissons, des artichauts, des plantes tropicales et même des feuilles de thé.

Tomás sourit face à l'enthousiasme de l'Américain.

– Je connais bien cet endroit. Les motifs maritimes sculptés dans la pierre font partie du style manuélin, qui s'est développé pendant le règne du roi Manuel Ier, un style unique dans le domaine de l'architecture.

– Unique, en effet, approuva Moliarti.

– Et vous savez comment la construction du monastère a été financée ? Grâce à un impôt sur les épices, les pierres précieuses et l'or que les caravelles ont rapportés du monde entier. On l'appelait la « taxe du poivre ».

– Fascinant, dit Moliarti en regardant autour de lui.

Ils traversèrent la galerie du chœur supérieur avant d'aller admirer la tombe de Vasco de Gama. Une statue en marbre rose représentait le grand explorateur, les mains jointes dans une prière, étendu sur un sarcophage orné de cordes, de sphères armillaires, de caravelles et d'une croix de l'ordre du Christ. De l'autre côté de l'entrée se trouvait la tombe de Luís Vaz de Camões. Le gisant du grand poète épique du XVIe siècle avait les mains jointes, coiffé d'une couronne de laurier, la tête posée sur un oreiller de pierre.

– Vous pensez qu'ils sont réellement enterrés ici ? demanda Moliarti.

– C'est ce qu'on dit aux touristes, répondit Tomás en riant. La dépouille enfermée dans ce sarcophage est très certainement celle de Vasco de Gama. – Il montra du doigt l'autre tombe. – En revanche, celle-ci n'est probablement pas celle de Camões. Les guides de voyage continuent de prétendre qu'il repose réellement ici. Les touristes semblent apprécier et s'empressent d'acheter un exemplaire des *Lusiades* à la boutique de souvenirs.

Moliarti secoua la tête.

– Tant pis pour l'honnêteté !

– Vous êtes allé voir la tombe de Colomb à Séville ?

– Oui.

– Et vous êtes sûr qu'il s'y trouve réellement ? Et si je vous disais qu'il s'agit d'un énorme mensonge, que la dépouille de Séville n'est pas celle de Colomb ?

– Colomb n'est pas enterré là-bas ?

Tomás secoua la tête.

– Certains disent que non.

Moliarti haussa les épaules.

– Ce qui compte, c'est la valeur symbolique. Ce n'est peut-être pas Christophe Colomb qui y est enterré, mais ce corps le représente. C'est un peu comme la tombe du soldat inconnu : il pourrait être n'importe qui, un déserteur ou même un traître, mais il représente tous les soldats.

Un bus de touristes espagnols qui venait de se garer libéra ses passagers, qui se dispersèrent à travers le monastère comme des fourmis affamées, des appareils photo pendant à leur cou, dérangeant les historiens qui voulaient être tranquilles.

– Venez avec moi, dit Moliarti en faisant signe à Tomás de le suivre.

Fuyant les touristes, ils se dirigèrent vers le cloître, dont le centre était occupé par un petit jardin à la française ; il était simple et dépourvu de fleurs, des parterres de gazon aux formes géométriques autour d'une petite fontaine circulaire. Ils longèrent les galeries à arcades du bâtiment jusqu'à ce que Moliarti se lasse des symboles sculptés dans la pierre et se tourne avec impatience vers Tomás.

– Alors Tom, est-ce que vous avez des réponses pour moi ?

Tomás haussa les épaules.

– Je ne sais pas vraiment si j'ai des réponses ou d'autres questions.

Moliarti fit claquer sa langue, l'air désapprobateur.

– L'horloge tourne, Tom. Nous n'avons pas de temps à perdre. Ça fait déjà deux semaines que vous êtes allé à New York, et une semaine que vous êtes rentré à Lisbonne. Nous avons vraiment besoin de réponses.

Tomás marcha jusqu'à la fontaine où était assis un lion de pierre, l'animal héraldique de saint Jérôme, les pattes avant levées, de l'eau jaillissant de sa gueule. Le murmure continuel était apaisant. Tomás passa ses mains sous l'eau froide et claire.

– Écoutez, Nelson, je ne sais pas si ce que j'ai va vous satisfaire, mais c'est le résultat du message codé que le professeur Toscano nous a laissé.

– Vous avez réussi à décoder ce message ? demanda Moliarti.

Tomás s'assit dos à la cour sur un banc en pierre et ouvrit sa mallette.

– Oui, répondit-il.

Il fouilla dans la pile de papiers qu'il venait de sortir. Lorsqu'il trouva le document qu'il cherchait, il le tendit à Moliarti, qui s'était assis à côté de lui.

– Vous voyez ça ?

Il pointa des mots écrits à la main en lettres capitales.

– « *Moloc* » lut Moriarti. « *Ninundia omastoos* ».

– C'est une photocopie du message chiffré laissé par le professeur Toscano, expliqua Tomás. J'ai passé plusieurs jours à essayer de le déchiffrer, convaincu qu'il s'agissait d'un code ou même d'un chiffrement par substitution. C'est en réalité un chiffrement par transposition. – Il regarda Moliarti. – Une anagramme. Vous savez ce que c'est ?

– Bien sûr. Toscano a donc laissé une anagramme ?

Tomás hocha la tête.

– La première ligne en est une très simple, où tout est inversé, comme un reflet. – Il lui montra une nouvelle fois la photocopie. – Vous voyez ? *Moloc*, c'est l'inverse de *colom*. Pour *Ninundia omastoos*, c'est un peu plus complexe, il faut une clef pour la déchiffrer. Par chance, Toscano en a laissé une. Elle révèle la phrase « *nomina sunt odiosa* ».

– Encore Cicéron. Qu'est-ce que ça signifie ?

– Comme je l'ai déjà dit, ça signifie : « Les noms sont odieux. »

– Et que veut dire *colom* ?

– C'est un nom.

– Un nom odieux ?

– Oui.

– Et qui est donc cette charmante personne ?

– Christophe Colomb.

Moliarti fixa Tomás pendant plusieurs secondes.

– Où voulait en venir le professeur Toscano ? demanda-t-il en se grattant le menton.

– Il voulait suggérer que le nom de Colom était détestable.

– D'accord, mais dans quel sens ?

– C'est la partie la plus difficile à comprendre, car la phrase est ambiguë, dit Tomás.

Il sortit une autre feuille de sa mallette et la montra à Moliarti.

– J'ai fait des recherches plus poussées pour comprendre à quoi il faisait référence. Apparemment, cela signifie qu'on ne devrait pas mentionner le nom d'une personne célèbre sans qu'elle le sache lorsque des affaires sérieuses sont en jeu.

Moliarti prit le morceau de papier et l'étudia.

– Donc le nom de Christophe Colomb est lié à quelque chose de sérieux ? Dans quelle mesure ?

– Pas le nom de Colomb, mais celui de Colom.

– Vous ne venez pas de dire qu'il s'agissait de la même personne ?

– Oui, mais, pour une raison que j'ignore, le professeur Toscano voulait attirer l'attention sur le nom de Colom. La seule explication est qu'il a une signification.

– Laquelle ?

– C'est le nom odieux.

– Mais dans quel sens ? Je ne comprends pas.

– C'est précisément la question que je me suis posée. Qu'avait ce nom de si particulier pour que Toscano veuille attirer l'attention dessus ? Et en quoi était-il détestable ?

Ils se regardèrent en silence pendant que la question flottait dans l'air tel un nuage d'incertitude.

– J'espère bien que vous avez trouvé une réponse, finit par dire Moliarti.

– J'ai trouvé une réponse et plusieurs autres questions.

Tomás parcourut ses notes.

– Ces derniers jours, j'ai essayé de trouver l'origine du nom « Christophe Colomb ». Comme vous le savez, il a passé une dizaine d'années au Portugal à préparer sa traversée de l'Atlantique. Il a vécu à Madère et a épousé Felipa Moniz Perestrello, fille du navigateur Bartolomeu Perestrello, le premier gouverneur de l'île de Porto Santo. À l'époque, le Portugal était le pays le plus avancé au monde. Il possédait les meilleurs bateaux, les instruments de navigation les plus perfectionnés, les armes les plus sophistiquées et la population la plus instruite. Le projet de la Couronne portugaise était de trouver un passage maritime jusqu'à l'Inde dans le but de contourner le monopole de Venise sur le commerce d'épices avec l'Asie. Les Vénitiens avaient un accord d'exclusivité avec l'Empire ottoman, et comme elles étaient désavantagées par cet accord, les autres cités-États, comme Gênes et Florence, soutenaient cette entreprise.

» C'est dans ce contexte que, en 1483, le Génois Colomb proposa au roi Jean II de partir vers l'ouest – puisque la terre était ronde – jusqu'à ce qu'il atteigne l'Inde, plutôt que vers le sud et la pointe de l'Afrique. Le roi du Portugal savait parfaitement que la terre était ronde, mais il savait également qu'elle était beaucoup plus grosse que Colomb ne le pensait et que le trajet par l'ouest prendrait trop de temps. Nous savons aujourd'hui qu'il avait raison. C'est à cette période que Colomb, dont l'épouse portugaise était décédée, se rendit en Espagne pour offrir ses services aux Rois catholiques.

– Pourquoi me racontez-vous tout ça, Tom ? l'interrompit Moliarti. Je connais déjà cette histoire…

– Laissez-moi terminer, dit Tomás. J'essaie de contextualiser ce que je suis sur le point de vous dire. Nous devons réexaminer l'histoire de Colomb car il y a quelque chose d'étrange au sujet de son nom, quelque chose en lien avec sa vie et le message codé que le professeur Toscano nous a laissé.

– D'accord, continuez.

– Eh bien, dit Tomás en essayant de se rappeler où il en était, comme je le disais, Colomb s'est rendu en Espagne. Il faut rappeler que l'Espagne était alors gouvernée par la reine Isabelle de Castille et le roi Ferdinand d'Aragon. Les deux royaumes étaient donc unis. À l'époque, le pays était impliqué dans une campagne militaire pour expulser les Arabes du sud de la péninsule Ibérique. Colomb présenta son projet à un comité de frères dominicains. Après quatre ans de délibération, ces prétendus sages arrivèrent à la conclusion que naviguer vers l'ouest pour trouver un passage vers l'Inde n'avait aucun sens, puisque la terre était plate. En 1488, Colomb retourna au Portugal, où il fut reçu par le roi Jean II, un homme beaucoup plus éclairé, à qui il renouvela sa proposition.

» À Lisbonne, Colomb fut témoin de l'arrivée de Bartolomeu Dias, qui rapportait la nouvelle qu'il avait contourné l'Afrique et découvert un passage de l'Atlantique à l'océan Indien, établissant ainsi la route vers l'Inde tant attendue. Naturellement, le projet de Colomb tomba à l'eau. Découragé, il retourna en Espagne, où il épousa Beatriz de Arana. En 1492, les Arabes capitulèrent à Grenade et les chrétiens prirent le contrôle de toute la péninsule. Dans l'euphorie de la victoire, la reine de Castille donna le feu vert à Colomb, qui embarqua pour le voyage qui allait conduire à sa découverte de l'Amérique.

– Dites-moi quelque chose de nouveau, Tom, dit Moliarti qui s'impatientait.

– Je vous dis tout cela pour bien établir la relation entre Colomb et les royaumes ibériques – pas seulement la Castille, mais aussi le Portugal. Et pourtant, à l'époque, alors qu'il se trouvait au Portugal et à Castille, personne ne l'a jamais appelé Colombo, le nom que nous lui donnons encore aujourd'hui au Portugal.

– Personne ne l'a jamais appelé Colombo ?

– Pas un seul document ne fait référence à lui sous le nom de Colombo.

– Comment l'appelaient-ils alors ?

– Colom ou Colon.

Moliarti resta silencieux pendant un long moment.

– Qu'est-ce que ça signifie ?

– J'y viens, dit Tomás en relisant rapidement ses notes. J'ai jeté un coup d'œil à des documents de l'époque et j'ai découvert que Colomb y était appelé Cristovam Colom, ou Colon, et que son prénom était parfois abrégé en Xpovam. Lorsqu'il s'est rendu en Espagne, les Espagnols ont commencé à l'appeler Colomo, qui s'est rapidement transformé en Cristóbal Colon, avec Cristóbal abrégé en Xpoval.

Tomás fouilla dans ses papiers et en sortit une photocopie.

– Regardez : c'est une lettre du duc de Medinaceli adressée au cardinal de Mendoza, datée du 19 mars 1493. Regardez maintenant ce qui est écrit ici…

Il plaça son index sur une ligne précise.

J'ai eu dans ma maison pendant longtemps Cristóbal Colomo, qui venait d'arriver du Portugal et souhaitait aller voir le roi de France.

Il leva les yeux.

– Vous voyez ? C'est écrit « Colomo ». Ce qui est curieux, c'est que plus loin dans la même lettre, le duc l'appelle par un autre nom. – Il désigna un deuxième passage. – Ici : Cristóbal Guerra.

– Et ce Guerra n'était-il pas simplement un autre Cristóbal ?

– Non, la lettre du duc est parfaitement claire. Il s'agit de la même personne. Écoutez ce que le duc a écrit :

En ce temps, Cristóbal Guerra et Pedro Alonso Niño partirent en voyage d'exploration, et ce témoin le confirme, avec la flotte de Hojeda et Juan de la Cosa.

Tomás regarda Moliarti.

– Et ce Cristóbal qui est parti en exploration avec Niño, Hojeda et Cosa est, comme vous le savez, Colomb.

– C'était peut-être simplement une étourderie, une erreur ?

– C'est définitivement une étourderie, mais je ne pense pas que ce soit une erreur.

Il se replongea dans ses papiers et en sortit deux autres photocopies. Il montra la première à Moliarti.

» Ceci est un extrait de la première édition de *Legatio Babylonica* de Pierre Martyr d'Anghiera, publié en 1515. Dans ce livre, Pierre Martyr écrit "Colonus vero Guiarra". En italien, *vero* signifie "vrai" ou "réel". Pierre Martyr disait donc que Colomb était en réalité Guiarra.

Il montra la seconde photocopie.

» Ceci est un extrait de la deuxième édition de *Legatio Babylonica*, intitulée *Psalterium*, qui date de 1530. Ici, la référence a été légèrement modifiée. Il est désormais écrit : "Colonus vero Guerra". – Tomás feuilleta rapidement ses documents, à la recherche d'une autre page. – Et ceci est le document trente-six des Archives de Simancas, daté du 28 juin 1500. Il est adressé à un certain Afonso Álvares, à qui "Sa Majesté donne l'ordre d'accompagner Xproval Guerra jusqu'à la terre nouvellement découverte". – Il regarda de nouveau Moliarti. – Encore une fois le même nom : Guerra.

– Ça fait donc trois documents dans lesquels il est appelé Guerra, observa Moliarti. Donc vous me dites qu'à son époque, Colomb n'était pas connu sous le nom de Colombo, mais de Guerra.

– Pas nécessairement. Ce que je suis en train de dire, c'est que, pour une raison que j'ignore, on lui a connu beaucoup de noms, mais Colombo n'a été l'un d'eux que beaucoup plus tard. – Il fit un geste vague. – Vous savez, il n'y a pratiquement aucun document sur son séjour au Portugal, ce qui est très curieux ; mais d'après ce que j'ai réussi à trouver, il était connu dans le pays sous les noms de Colom et Colon. En 1484, il se rendit en Espagne, où on se mit à l'appeler Colomo. Ce n'est que huit ans plus tard que les Espagnols commencèrent à l'appeler Colon.

– Huit ans ?

– Oui. Ce n'est qu'après sa mort, en 1506, que l'accent fut ajouté au second *o* de Colon, qui devint Colón.

– Cristóbal Colón.

– Oui. Mais gardez à l'esprit qu'il y a également une histoire derrière son prénom. Les Portugais l'appelaient plutôt Cristofom ou Cristovam, tandis que les Italiens l'appelaient Cristoforo. Il est étrange que Pierre Martyr d'Anghiera, dans les vingt-deux lettres qu'il a écrites à son sujet, l'appelât toujours Cristophom Colonus ou Christophoro, jamais Cristoforo. Lorsque le traité de Tordesillas a été négocié, le pape Alexandre VI lui-même a émis deux bulles papales sous le même titre, *Inter caetera*, qui mentionnaient la version espagnole du nom de Colomb. Dans la première bulle, datée du 4 mai 1493, il fait référence à lui sous le nom de Christofom Colon, et dans la seconde, datée du 28 juin de la même année, de Christoforu Colon. Cette évolution est intéressante, car Christofom est un nom portugais. Mais le nom Christoforu, qu'il utilise ensuite, est le nom latin dont sont dérivés le portugais Cristovam et l'espagnol Cristóbal.

– Et Guerra ?

– Eh bien, c'est un autre mystère. Vous voyez, Colomb était connu partout sous le nom de Cristofom ou Cristovam. Son nom de famille était Colom ou Colon. À partir de 1492, les Espagnols ont commencé à l'appeler Cristóbal Colon, même s'il était parfois encore appelé Colom. – Tomás sortit une autre photocopie. – Dans cette édition latine d'une des lettres relatives à la découverte du Nouveau Monde, datée de 1493, Colom réapparaît. – Tomás mit de l'ordre dans ses documents. – Nous avons donc Guiarra, Guerra, Colonus, Colom, Colomo, Colon et Colón.

– Mais pourquoi tous ces noms ?

Tomás feuilleta son carnet.

– Il semble y avoir une sorte de secret, dit-il. Son fils né en Espagne, Fernand Colomb, a fait des références très mystérieuses au nom de son père. – Il posa son regard sur une page de notes. – Dans un passage de ce livre, Fernand écrit : « Le nom de Colón, qu'il renouvela. » Et je vais essayer de traduire ce qu'il dit dans une autre partie de cette phrase énigmatique : « Les exemples sont nombreux de noms qu'un motif secret transforma en symboles des rôles que leurs porteurs devaient jouer. »

Tomás regarda Moliarti.

– Vous comprenez ? D'abord, « renouvela » suggère que Colomb a changé son nom de famille plusieurs fois. Ensuite, que faire de « Les exemples sont nombreux de noms qu'un motif secret transforma en symboles des rôles que leurs porteurs devaient jouer » ? De nombreux exemples ? Un motif secret ? Qu'est-ce que tout ça peut bien signifier ? Et qu'est-ce que c'est que cette histoire de noms qui seraient les « symboles des rôles que leurs porteurs devaient jouer » ? Qu'insinuait-il ? Quel était, au bout du compte, son vrai nom de famille ?

– Hmm, fit Moliarti. D'où vient donc ce nom, Colombo ?

Tomás se replongea dans ses notes.

– Le nom « Colombo » est apparu pour la première fois dans un texte en 1494. Tout a commencé avec une lettre qu'il a écrite à Lisbonne l'année précédant l'annonce de sa découverte de l'Amérique. Cette lettre a été publiée plusieurs fois. Sur la dernière page de l'édition de Bâle, datée de 1494, un évêque italien a ajouté l'épigramme « *merito referenda Columbo Gratia* », latinisant ainsi le nom « Colom ». Cette nouvelle version a été utilisée par le Vénitien Sabellico dans *Sabellici Enneades*, publié en 1498. Il le nomme « *Christophorus cognomento Columbus* ». Sabellico ne le connaît pas personnellement, il s'est donc certainement inspiré de la célèbre épigramme. Plus tard, dans une lettre datée d'août 1501, le Vénitien Angelo Trevisan, citant la première édition du *De Orbe Novo Decades* de Pierre Martyr d'Anghiera, publiée en 1500, écrit que l'auteur était un bon ami du « navigateur, qu'il appelait Christophoro Colombo Zenoveze ».

» Le problème est que, dans d'autres lettres, Pierre Martyr donne l'impression qu'il ne connaissait pas personnellement Colomb, qu'il appelle “un certain Cristovam Colon”. Il semble que Trevisan ait modifié le texte de Pierre Martyr pour le rendre acceptable par les lecteurs italiens, en italianisant son nom. La plus ancienne chronique nous étant parvenue, dans laquelle Colomb est appelé Colombo, est le *Paesi novamente retrovati* de Montalboddo, publié en 1507, que j'ai pu consulter à la Bibliothèque nationale du Brésil à Rio de Janeiro.

» Ce livre a eu beaucoup de succès lors de sa publication, il a été ce qu'on appellerait aujourd'hui un best-seller. Il inclut même la première description de la découverte du Brésil par Pedro Álvares Cabral, et il a aidé à diffuser une seconde information erronée, selon laquelle l'homme qui avait découvert le Nouveau Monde était Amerigo Vespucci.

– Une seconde information erronée ? Quelle était la première ?

Tomás regarda Moliarti d'un air incrédule.

– Ce n'est pas évident ? La première est que Colom était appelé Colombo. Christophe Colomb n'était pas son vrai nom.

– Comment pouvez-vous en être aussi sûr ?

– C'est une question de bon sens. Comment pouvons-nous l'appeler Colombo s'il s'appelait lui-même, dans tous les documents qu'il a signés, Colom ou Colon ?

– Comment ça ?

– Vous ne le saviez pas ? Il n'a jamais signé « Colombo », dans aucun document connu, ni mentionné la version latine de son nom. Jamais. Pas un seul document dans l'histoire maritime de Gênes ne mentionne un navigateur portant ce nom. Pas un seul. Le premier document connu dans lequel Colomb se présente est une lettre qu'il a envoyée en 1493, peu après son voyage d'exploration en Amérique, destinée aux Rois catholiques. Dans cette lettre, il se présente sous le nom « Christofori Colom ». Colom, avec un *m* à la fin. Et plus tard, dans son testament, il explique qu'il appartient à la famille Colom, dont il dit qu'elle est « *mi linage verdadero* », « ma vraie lignée ». – Tomás sourit. – N'est-ce pas évident que le nom « Colombo » était une erreur d'interprétation ?

– Si c'est le cas, pourquoi l'appelle-t-on toujours ainsi ?

– Pour la même raison que nous appelons « Amérique » la terre qu'Amerigo Vespucci n'a pas découverte. La simple répétition d'une erreur originelle. Regardez : il signait tous ses documents « Colom » ou « Colon ». Ses contemporains l'appelaient également ainsi ou lui donnaient d'autres noms. Un évêque italien s'est mis en tête que « Colom » se traduisait « Columbo » en latin, puis Sabellico est arrivé et, à partir de cette traduction erronée, l'a renommé Columbus. Un peu plus tard, un autre Italien, Montalboddo, qui ne le connaissait pas, utilisa le nom « Colombo » dans son *Paesi novamente retrovati*, lui donnant une grande visibilité. *Paesi* fut un grand succès éditorial ; tout le monde le lut, et soudain, tout le monde commença à l'appeler Colombo.

– Mais comment savez-vous que l'évêque italien avait tort ?

– Parce que sur la même page de l'édition de Bâle où il a écrit « Columbo », son nom apparaît également sous la forme « Colom ». *Colom* signifie « colombe » en catalan. – Tomás regarda Moliarti. – Et comment se dit « colombe » en italien ?

– *Colomba*. Ou *colombo*, j'imagine.

– Et en latin ?

– *Columbus*.

– Bingo. L'évêque, qui parlait catalan, pensait que *colom* signifiait « colombe ». Et comme il voulait latiniser le nom, il a écrit « Columbo ».

– « Colom » est donc une traduction de « Colombo ».

– Ce serait le cas si le nom « Colom » ne signifiait pas « colombe ».

– Alors qu'est-ce que ça signifie ?

– Une fois encore, c'est le propre fils de Colombo, Fernand, qui nous éclaire, en disant que le nom de famille « Colón » est parfaitement adapté, puisqu'il signifie « membre » en grec. Nelson, comment dit-on « membre » en grec ?

– Aucune idée.

– *Kolon*, avec un *k*. – Tomás regarda de nouveau ses notes. – En réalité, Fernand lui-même, en révélant que le nom « Colón » venait du mot grec *kolon*, dit : « Si nous donnons à son nom sa forme latine, qui est Christophorus Colonus [...] » – Tomás esquissa un large sourire. – Vous voyez ? Pour résumer, cela signifie que, quel que soit son vrai nom, ce n'était certainement pas Colombo, ni Colomb, comme nous l'appelons aujourd'hui.

– C'était donc Colonus, non ?

Tomás pencha la tête, d'un air sceptique.

– Peut-être. Mais c'est peut-être juste un autre pseudonyme. Notez que Fernand a écrit : « Les exemples sont nombreux de noms qu'un motif secret transforma en symboles des rôles que leurs porteurs devaient jouer. » Ce qui signifie que le navigateur a choisi des noms qui prédisaient quelque chose.

– Et quelle prophétie pourrait être liée au nom « Colonus » ?

– Fernand lui-même a répondu à cette question : « [...] et n'a-t-il pas fait des Indiens, en les arrachant aux mains de Satan, autant de colons du Paradis ? » Autrement dit, le nom « Colonus » a été choisi parce qu'il prophétisait la colonisation des Indes par la foi chrétienne.

– Hmm… murmura Moliarti, qui semblait un peu déçu. Donc, d'après vous, c'est ce que le professeur Toscano a découvert ?

– Ce dont je suis convaincu, c'est qu'en laissant le message « *Colom, nomina sunt odiosa* », Toscano voulait dire que le nom « Colom » était détestable.

– Et c'est tout ?

– Je pense qu'il reste encore beaucoup à découvrir. Comme je le disais tout à l'heure, la phrase « *nomina sunt odiosa* » suggère que l'on ne devrait pas mentionner le nom d'une personne célèbre lorsque des choses sérieuses sont en jeu. Il me semble que le professeur Toscano suggérait un lien entre Colom et un fait d'une grande importance.

– La découverte de l'Amérique.

– Mais nous connaissons déjà ce lien. J'ai l'impression que Toscano faisait référence à quelque chose dont personne n'a jamais parlé.

– Comme ?

– Si je le savais, Nelson, je vous l'aurais dit depuis longtemps, non ?

Moliarti commençait à s'agiter sur le banc de pierre.

– Vous savez, Tom, dit-il, rien de tout cela n'est lié à la découverte du Brésil.

– Bien sûr que non.

– Alors pourquoi Toscano a-t-il passé autant de temps à travailler sur Colomb ? Pourquoi gaspiller notre argent dans cette enquête ?

– Je ne sais pas, dit Tomás. Mais est-ce que ça vaut le coup que je continue ? Tout porte à croire qu'il n'y a pas de lien avec le voyage de Pedro Álvares Cabral et sa découverte supposée du Brésil. – Il regarda Moliarti dans les yeux. – Souhaitez-vous que je continue ?

– Bien sûr, répondit l'Américain sans hésiter. La fondation doit savoir dans quoi il a dépensé notre argent pendant tout ce temps.

– Ce qui nous amène au second problème : je n'ai rien d'autre à étudier.

– Comment ça ? Et les documents et notes du professeur Toscano ?

– Quels documents et notes ? J'ai déjà regardé tout ce qu'il avait au Brésil.

– Il a aussi effectué beaucoup de recherches en Europe.

– Où ça ? Je n'étais pas au courant.

– À la Bibliothèque nationale du Portugal et à l'Institut des archives nationales Torre do Tombo, ici, à Lisbonne. Puis il est allé en Espagne et en Italie.

– Que cherchait-il ?

– Il ne nous l'a jamais dit.

Tomás resta pensif, le regard perdu au milieu des arches sculptées du cloître.

– Hmm, dit-il, et où sont ses notes ?

– Je suppose que c'est sa veuve qui les a.

– Vous les lui avez demandées ? Elles sont essentielles pour l'enquête.

Le visage de Moliarti se contracta nerveusement.

– Les digressions savantes du professeur Toscano ont créé beaucoup de tensions entre nous. Nous avons eu plusieurs discussions houleuses avec lui car nous voulions des rapports sur son avancement qu'il refusait de rédiger. Naturellement, ces tensions concernent également sa femme, avec qui notre relation est devenue tout aussi difficile.

– Si je comprends bien, elle risque de faire un scandale en vous voyant, dit Tomás en riant.

Moliarti fit la moue.

– Exact. C'est pour cela que vous allez devoir faire un saut chez elle.

– Moi ?

– Oui, vous. Elle ne vous connaît pas. Elle ne sait pas que vous travaillez pour la fondation.

– Je suis désolé, Nelson, mais je ne peux pas faire ça. Vous voulez que j'aille chez ce pauvre homme pour piéger sa femme ?

– Quel autre choix avons-nous ?

– Je ne sais pas. Lui parler, lui expliquer la situation, essayer de trouver un terrain d'entente.

– Ce n'est pas si facile. Les choses ont déjà dépassé le point de non-retour. Vous allez devoir y aller vous-même.

– Nelson, je ne peux pas.

Moliarti fixa sur lui un regard dur, implacable ; ce n'était plus l'Américain sympathique et décontracté, mais un impitoyable businessman.

– Tom, nous n'avons aucunement l'intention de gaspiller notre investissement dans la mission que nous vous avons confiée. Voulez-vous vraiment la somme que nous vous avons offerte ?

Tomás hésita. Il pensa à sa fille, à ses besoins éducatifs.

– Alors allez chez lui et soutirez tout ce que vous pourrez à sa putain de femme, compris ? aboya Moliarti, furieux.

Une fois passée la surprise face au soudain changement d'humeur de Moliarti, Tomás sentit l'indignation bouillir en lui, galoper dans son estomac. Il voulait se lever et partir. Il ne laisserait personne lui parler comme ça. Irrité, il se leva et regarda autour de lui, ne sachant pas dans quelle direction se tourner. Puis il aperçut la sépulture de l'écrivain portugais Fernando Pessoa et, cherchant une distraction, une échappatoire, n'importe quoi, il se dirigea vers le monument. Face à la pierre tombale, il fut immédiatement saisi par les mots gravés dans le marbre :

Pour être grand, sois entier : rien
En toi n'exagère ou n'exclus
Sois tout en chaque chose. Mets tout ce que tu es
Dans le moindre de tes actes.
Ainsi en chaque lac brille la lune entière
Pour ce qu'elle vit haut [1].

[1] Traduction de Michel Chandeigne, Patrick Quillier et Maria Antónia Câmara Manuel.

Sur le moment, Tomás voulut être grand comme Fernando Pessoa, montrer à Moliarti qu'il était entier, sans rien exclure, mettre tout ce qu'il était et ressentait dans les mots qui l'étouffaient. Mais une fois cette exaltation initiale passée, lorsqu'il se sentit plus calme et rationnel, il dut se rendre à l'évidence : être grand, aussi grand, était un luxe qu'il ne pouvait pas se permettre ; c'était un homme dont la fille avait besoin d'une opération du cœur et d'un éducateur que l'école ne pouvait pas payer, un homme dont le mariage était en train de s'écrouler dans un océan de problèmes, où s'entremêlaient le futur de sa fille et les avances irrésistibles d'une jeune Scandinave.

Cinq mille dollars par semaine représentaient une somme considérable, et le bonus d'un demi-million de dollars s'il parvenait à découvrir le secret de Toscano, bien plus encore. Tomás savait qu'il en était capable.

Alors, il se maîtrisa, se retourna et, résigné, fit face à l'Américain.

– Très bien, dit-il. J'irai voir sa veuve.

X

La rue étroite était calme et avait quelque chose de provincial, bien que située dans le centre-ville, juste derrière la place Marquês-de-Pombal. Le vieux bâtiment se dressait entre deux immeubles modernes et possédait une de ces arrière-cours rustiques que l'on ne voit que dans la campagne portugaise, avec son poulailler, sa porcherie et son potager, où poussaient des laitues, des choux cavaliers et des pommes de terre. Un pommier montait silencieusement la garde.

Tomás vérifia le numéro sur la porte. C'était bien ici. Il regarda autour de lui, d'un air indécis ; il avait du mal à croire qu'il s'agissait de la résidence des Toscano. Mais les indications notées dans son carnet ne laissaient aucun doute ; c'était bien l'adresse que lui avait donnée l'Université classique de Lisbonne. Il poussa le portail et entra dans la propriété. Il resta immobile un instant pour écouter les bruits autour de lui. C'était le genre d'endroit où l'on s'attendait à voir bondir, tous crocs dehors, de gros chiens défendant leur territoire. Il fit quelques pas de plus et, rassuré de ne rien voir surgir, se dirigea vers le bâtiment.

La porte avait été laissée ouverte. Il entra, s'enfonçant dans l'obscurité, et chercha à tâtons l'interrupteur. Aucune lumière ne s'alluma lorsqu'il l'actionna. Il essaya une seconde fois, en vain.

– Merde, marmonna-t-il, agacé.

Lorsque ses yeux se furent ajustés à la pénombre, il perçut la lumière du jour filtrant à travers l'ouverture de la porte, douce et diffuse ; mais la matinée était grisâtre, et la lumière trop faible pour éclairer quoi que ce soit. Petit à petit, il commença à discerner des formes. Sur sa droite se trouvait un escalier en bois moisi et, à côté, derrière une grille ressemblant à une cage à oiseaux, un ascenseur rouillé qui semblait ne plus être en service depuis longtemps. Une odeur fétide de vieilleries abandonnées flottait dans l'air. Le bâtiment était une ruine, une pile de débris sur le point de s'effondrer.

Il chercha plus d'indications dans son carnet, mais il faisait trop sombre pour déchiffrer les mots griffonnés à la hâte. En revenant sur ses pas jusqu'à l'entrée où la lumière était plus forte, il se rappela que le professeur Toscano vivait au rez-de-chaussée. Il avança prudemment jusqu'au bout du couloir, où il discerna une porte. Il toucha le mur pour trouver la sonnette, qui n'existait pas. Il frappa à la porte et entendit un frottement contre le sol ; quelqu'un arrivait. La porte s'entrouvrit, bloquée par une chaîne fixée à un verrou. Une vieille dame aux cheveux ébouriffés et vêtue d'une robe de chambre bleue et d'un pyjama beige regarda dans l'entrebâillement.

– Oui ?

Sa voix était frêle et pleine d'appréhension.

– Bonjour. Êtes-vous madame Toscano ?

– Oui. Que puis-je faire pour vous ?

– Je viens... hmm... de la part de l'université, la Nouvelle Université.

Tomás marqua une pause, espérant que cela suffirait à gagner sa confiance. Mais les yeux noirs de la dame restèrent figés.

– C'est au sujet des recherches de votre mari.

– Mon mari est mort.

– Je sais, madame. Toutes mes condoléances. – Il hésita, embarrassé. – Je... hmm... je suis venu pour poursuivre ses recherches.

La femme plissa les yeux d'un air suspicieux.

– Qui êtes-vous ?

– Je suis Tomás Noronha, du département d'histoire de la Nouvelle Université. On m'a demandé de terminer les recherches du professeur Toscano. Je suis allé à l'Université classique, qui m'a donné cette adresse.

– Pourquoi vous intéressez-vous à ses recherches ?

– Elles sont très importantes. C'est le dernier travail de votre mari.

Tomás sentit qu'il avait trouvé un argument puissant et poursuivit d'un ton décidé.

– Écoutez, la vie d'une personne, c'est son travail. Votre mari est mort, mais c'est à nous qu'il revient de ressusciter ses derniers travaux. Ce serait dommage qu'ils ne voient jamais la lumière du jour, non ?

Elle fronça les sourcils, semblant perdue dans ses pensées.

– Comment comptez-vous vous y prendre ?

– En les publiant, bien sûr. Ce serait un hommage largement mérité. Mais ce n'est évidemment possible que si je parviens à reconstituer les recherches de votre mari.

Elle resta pensive.

– Vous ne travaillez pas pour la fondation, n'est-ce pas ?

Tomás avala sa salive et sentit des perles de sueur froide se former sur son front.

– Qu... quelle fondation ? bafouilla-t-il.

– L'américaine.

– Je travaille pour la Nouvelle Université de Lisbonne, madame, dit-il, éludant sa question. Je suis portugais, comme vous pouvez l'entendre.

Apparemment satisfaite de cette réponse, elle défit la chaîne et ouvrit la porte, l'invitant à entrer.

– Voulez-vous une tasse de thé ? demanda-t-elle en l'emmenant dans le salon.

– Non, merci, je viens de prendre mon petit déjeuner.

Le salon démodé avait dû connaître des jours meilleurs. Sur le papier peint à fleurs délavé étaient accrochés des tableaux représentant des hommes austères, des paysages et de vieux bateaux. Des ottomanes sales et usées étaient disposées autour du poste de télévision, et de l'autre côté de la pièce, des photographies en noir et blanc d'une famille souriante étaient exposées dans un vaisselier de pin aux finitions en bronze. La maison sentait le renfermé. Des particules de poussière flottaient devant les fenêtres comme des lucioles impalpables, de minuscules points de lumière virevoltant lentement dans l'air stagnant.

Tomás et son hôtesse s'assirent sur le sofa.

– Excusez ce désordre, dit-elle.

– Quel désordre, madame ?

Il regarda autour de lui.

– Depuis la mort de Martinho, je n'ai pas eu le courage de tenir la maison en ordre. J'ai été si seule…

Tomás se souvint du nom complet du professeur : Martinho Vasconcelos Toscano.

– Je n'imagine pas à quel point ça a dû être difficile pour vous.

– Oui, confirma la vieille dame, sur un ton las et résigné.

On devinait qu'elle avait été une jeune femme élégante.

– Le temps est impitoyable. Regardez ça : tout est en train de pourrir, de s'effondrer. D'ici quelques années, ils démoliront cet endroit. Vous verrez. Vous savez, c'est le grand-père de mon mari qui a dessiné ce bâtiment au tournant du siècle.

– Vraiment ?

– C'était un des plus beaux bâtiments de Lisbonne. Il n'y en avait pas autant qu'aujourd'hui à l'époque, avec toutes ces tours épouvantables qui poussent partout. Non, à l'époque, tout était beau et sophistiqué. C'était charmant.

– Je n'en doute pas.

Elle soupira, ajusta sa robe de chambre et remit une mèche de cheveux derrière son oreille.

– Alors dites-moi, que puis-je faire pour vous ?

– Eh bien, j'aurais besoin d'étudier tous les documents et notes rassemblés par votre mari au cours des six ou sept dernières années.

– Les recherches qu'il faisait pour les Américains ?

– Oui… hmm… je ne suis pas sûr. J'aimerais simplement voir tous les documents qu'il a rassemblés.

– Ce sont les recherches qu'il faisait pour les Américains. – Elle toussa. – Vous savez, Martinho a été embauché par je ne sais plus quelle fondation aux États-Unis. Ils l'ont payé une fortune. Il est allé dans plusieurs bibliothèques et aux Archives nationales du Portugal pour lire des manuscrits. Il lisait jusqu'à ce que ses yeux n'en puissent plus. Il manipulait tellement de vieux papiers qu'il rentrait à la maison avec les mains couvertes de poussière. Et puis, un jour, il a découvert quelque chose. Il débordait d'excitation quand il est rentré à la maison ; comme un gosse. J'étais ici en train de lire et il n'arrêtait pas de répéter : « Madalena, j'ai découvert quelque chose d'extraordinaire, extraordinaire ! »

– Et qu'est-ce que c'était ? demanda fébrilement Tomás, perché au bord du sofa.

– Il ne me l'a jamais dit. Vous savez, Martinho était particulier ; il adorait les codes et les énigmes, et il passait des journées entières à faire des mots croisés dans les journaux. Il ne m'a jamais rien dit. Tout ce qu'il m'a dit, c'est : « Madalena, pour le moment, c'est un secret, mais quand tu liras ce que j'ai là, tu n'en croiras pas tes yeux. » Et je l'ai laissé tranquille, parce qu'il était heureux quand il était absorbé dans son travail. Il a voyagé, en Italie et en Espagne, un peu partout dans le monde, toujours pour ses recherches. – Elle toussa de nouveau. – Au bout d'un moment, les Américains ont commencé à le harceler. Ils voulaient savoir ce qu'il faisait, ce qu'il avait découvert, ce genre de choses. Mais Martinho ne voulait rien entendre. Il leur a dit ce qu'il m'avait dit, qu'il leur fallait être patients, qu'il leur montrerait ses recherches lorsque tout serait prêt. Ça ne leur a pas plu et les choses se sont envenimées. Un jour, ils sont venus ici et ils ont eu une dispute violente. – Elle pressa ses deux mains contre son visage. – Ils étaient si furieux qu'on a cru qu'ils allaient bloquer les paiements. Mais ils ne l'ont pas fait.

– Vous ne trouvez pas ça étrange ?

– Quoi ?

– S'ils étaient si impatients de tout savoir et que votre mari ne voulait rien leur dire, vous ne trouvez pas ça étrange qu'ils n'aient jamais bloqué les paiements ?

– Si. Mais Martinho m'a dit qu'ils avaient peur.

– Vraiment ?

– Oui, ils étaient terrifiés.

– Par quoi ?

– Il ne me l'a pas dit. C'était entre eux. Je ne m'en mêlais pas. Je crois que les Américains avaient peur que Martinho garde sa découverte pour lui. – Elle sourit. – Cela montre à quel point ils connaissaient mal mon mari, n'est-ce pas ? Comment Martinho aurait-il pu laisser ses travaux prendre la poussière dans un tiroir ? C'est inimaginable !

– Maintenant qu'il est mort, pourquoi n'avez-vous pas remis ses travaux aux Américains ? Après tout, c'est un moyen de les faire publier.

– Je ne l'ai pas fait parce que Martinho s'est disputé avec eux. – Elle rit et baissa la voix. – C'était un professeur d'université, mais lorsqu'il s'énervait, il pouvait avoir la langue bien acérée. – Elle s'éclaircit la voix. – Un jour, il m'a dit : « Madalena, ils n'auront rien avant que tout soit prêt. Que dalle ! Et s'ils débarquent ici et essaient de te baratiner, chasse-les avec un balai ! » Connaissant Martinho, je savais que pour qu'il me dise ça, il fallait que quelqu'un prépare un mauvais coup. Alors j'ai fait ce qu'il m'avait demandé. Les Américains ont peur de venir ici, maintenant. Il y en a un qui est venu – il parlait même portugais, avec un accent un peu brésilien –, et il a rôdé devant la porte comme un vautour. Il disait qu'il ne partirait pas tant que je refuserais de lui parler. C'était quand Martinho était au Brésil. Le type est resté là pendant des heures. Bon sang ! J'ai bien cru qu'il avait pris racine ! Je n'ai pas eu d'autre choix que d'appeler la police, vous comprenez ? Ils l'ont envoyé balader.

Tomás rit en imaginant Moliarti traîné de force hors du bâtiment par deux policiers bedonnants.

– Et il n'est pas revenu ?

– Quand Martinho est mort, il est revenu fureter discrètement. Je ne l'ai pas revu depuis.

Tomás passa une main dans ses cheveux, essayant de trouver un moyen de guider la conversation vers ce qui l'avait amené chez elle.

– Les travaux de votre mari m'intéressent beaucoup, commença-t-il. Savez-vous où il gardait les documents qu'il avait rassemblés ?

– Certainement dans son bureau. Vous voulez le voir ?

– Oui, volontiers.

Elle lui fit signe de la suivre dans le couloir sombre et âcre, sa robe de chambre traînant sur le parquet. Le bureau était sens dessus dessous.

– S'il vous plaît, ne faites pas attention au désordre, dit-elle, se frayant un chemin à travers les piles de livres qui envahissaient la pièce. Je n'ai pas encore eu le temps ni l'énergie de mettre de l'ordre dans son bureau.

Elle ouvrit un tiroir et regarda à l'intérieur, puis en ouvrit un autre. Elle regarda ensuite dans un placard et soupira de satisfaction lorsqu'elle trouva ce qu'elle cherchait.

– Voilà, dit-elle en sortant une boîte en carton remplie de papiers. Un dossier vert avec le mot *Colom* griffonné sur la couverture était posé sur le dessus.

Tomás prit la boîte comme si elle renfermait un trésor. Elle était lourde. Il l'emporta dans un coin du bureau un peu moins encombré, la posa sur le sol, s'assit en tailleur et se pencha sur les documents.

– Vous voulez bien allumer la lumière, s'il vous plaît ? demanda-t-il.

Madalena appuya sur l'interrupteur et une lumière jaune fatiguée éclaira péniblement la pièce, jetant des ombres inquiétantes sur le sol et les meubles. Tomás se plongea dans les documents et perdit presque immédiatement toute notion de temps et d'espace, oubliant où il se trouvait, sourd aux commentaires de son hôtesse. Il fut transporté dans un monde lointain, un monde qu'il ne partageait qu'avec Toscano. Il organisa les notes et les photocopies en deux piles : pertinent et non pertinent. Il y avait des reproductions de *L'Histoire des rois catholiques* de Bernaldez, *L'Histoire naturelle et générale des Indes* d'Oviedo, *Psalterium* de Giustiniani, l'*Histoire de la vie et des découvertes de Christophe Colomb* de Fernand Colomb, et des documents compilés par Muratori, les biens inaliénables de Colomb, le *Raccolta di documenti e studi, Anotaciones* et le document Assereto. Il y avait également des photocopies d'une lettre écrite par Toscanelli et plusieurs lettres signées par Colom lui-même. Pour compléter cette liste de documents, il aurait dû y avoir le *Paesi novamente retrovati* de Montalboddo, mais Tomás savait déjà que Toscano l'avait trouvé à Rio de Janeiro. Qu'est-ce que tout cela pouvait bien signifier ?

La nuit était tombée sur la ville lorsque Tomás arrêta de travailler. Levant les yeux du sol sur lequel des documents étaient éparpillés tout autour de lui, il réalisa qu'il avait oublié de déjeuner et qu'il était seul dans le bureau. Il rangea les papiers et les remit dans la boîte avant de se lever. Les muscles de son dos et de ses jambes étaient raides et douloureux et il claudiqua jusqu'au salon.

Madalena était allongée sur le sofa, endormie, un livre sur l'art de la Renaissance ouvert sur ses genoux. Tomás s'éclaircit la gorge pour essayer de la réveiller.

– Madame… murmura-t-il. Madame ?

Elle ouvrit les yeux et se redressa, secouant la tête pour sortir de sa torpeur.

– Désolée, dit-elle d'une voix ensommeillée. Je me suis assoupie.

– Aucun problème.

– Vous avez trouvé ce que vous cherchiez ?

– Oui, mentit Tomás.

– Mon pauvre, vous devez être épuisé. Je suis venue vous offrir quelque chose à manger, mais vous ne m'avez même pas entendue. Vous aviez l'air hypnotisé au milieu de toute cette pagaille.

– Je suis désolé. Lorsque je suis concentré sur quelque chose, je ne vois plus ce qui se passe autour de moi. Ce pourrait être la fin du monde, je ne m'en rendrais même pas compte.

– Ne vous inquiétez pas, mon mari était comme vous. Lorsqu'il partait dans son propre monde, c'était comme s'il prenait congé de la réalité. – Elle sourit tendrement, puis tendit la main vers la cuisine. – Regardez, je vous ai préparé un bon steak.

– Merci. Vous n'auriez pas dû vous embêter.

– Ça ne m'a pas embêtée du tout. Vous ne voulez pas vous asseoir cinq minutes pour manger ?

– Je dois vraiment y aller, mais merci beaucoup. J'aurais juste une faveur à vous demander.

– Laquelle ?

– Est-ce que je peux prendre la boîte pour photocopier les documents ? Je vous la rapporterai.

– Vous voulez prendre la boîte ? demanda-t-elle. Je ne sais pas trop…

– Ne vous inquiétez pas. Je rapporterai tout après-demain. Absolument tout.

– Je ne sais pas…

Tomás tira son portefeuille de sa poche et en sortit deux cartes qu'il tendit à Madalena.

– Tenez, gardez ma carte d'identité et ma carte de crédit. Je vous les laisse comme garantie que je reviendrai dans deux jours avec votre boîte.

Elle prit les cartes et les étudia minutieusement. Puis elle regarda Tomás dans les yeux.

– D'accord, dit-elle en les rangeant dans la poche de sa robe de chambre. Demain, pas plus tard.

– Ne vous inquiétez pas, dit Tomás en se dirigeant vers le bureau.

Arrivé à la moitié du couloir, il entendit la voix fluette de Madalena.

– Vous voulez voir aussi ce qu'il y a dans le coffre ?

Il s'arrêta et regarda par-dessus son épaule.

– Pardon ?

– Est-ce que vous voulez voir aussi ce qu'il y a dans le coffre ? Martinho y gardait des documents.

– Bien sûr que j'aimerais les voir, dit Tomás, agacé. De quoi s'agit-il ? Pourquoi vous ne m'en avez pas parlé dès le début ?

Son ton était presque impoli.

La veuve le regarda d'un air impassible.

– Je n'étais pas sûre de pouvoir entièrement vous faire confiance, dit-elle.

Elle pencha la tête et tapota la poche de sa robe de chambre.

– Maintenant, si.

Tomás courut chercher son carnet, puis suivit Madalena.

Elle le conduisit dans la chambre à coucher. Le lit n'était pas fait. Un pot de chambre était posé sur le sol, des vêtements traînaient sur une chaise en osier et une odeur acide désagréable flottait dans l'air.

– Je n'en suis pas certaine, dit-elle. Mais Martinho m'a dit qu'ils étaient la preuve.

– La preuve ? La preuve de quoi ?

– Ça, je n'en sais rien. La preuve de ce qu'il cherchait, j'imagine, non ?

De plus en plus excité, Tomás la regarda ouvrir la porte d'un placard, révélant un coffre en métal intégré au mur.

C'était une combinaison à dix chiffres.

– Quelle est la combinaison ? demanda-t-il, luttant pour contenir son excitation.

Madalena récupéra un morceau de papier plié dans la table de nuit et le lui tendit.

– La voici.

Tomás le déplia. Il lut douze groupes de lettres et de chiffres séparés en deux colonnes :

QUD	EUS
LEO	FSP
ECH	ONE
UAC	UEN
LTE	STS
545	UA

– C'est la combinaison ? demanda Tomás. Mais ce ne sont presque que des lettres et on ne peut entrer que des chiffres.

– Oui, dit Madalena. Chaque lettre correspond à un chiffre. Par exemple, *A* pour un, *B* pour deux, *C* pour trois, etc. Vous comprenez ?

– Bien sûr.

Il désigna les chiffres en bas de la ligne.

– Et ceux-ci ? Ils correspondent à des lettres ?

Elle regarda le papier de plus près.

– Je n'en suis pas sûre, avoua-t-elle. Il ne me l'a pas dit.

Tomás recopia la combinaison dans son carnet. Il essaya de transformer les lettres en nombre, laissant les nombres au bas de la page tels quels. Il termina ses calculs et étudia le résultat :

17	21	4		5	21	19
12	5	15		6	19	16
5	3	8		15	14	5
21	1	3		21	5	14
12	20	5		19	20	19
5	4	5			21	1

Il rentra la combinaison, ce qui lui prit un certain temps, et attendit un instant. La porte ne bougea pas. Ce n'était pas vraiment une surprise ; le code devait être plus complexe qu'une simple translation de lettres en chiffres. Il regarda Madalena et haussa les épaules.

– C'est plus compliqué qu'il n'y paraît, conclut-il. Je vais prendre les documents pour en faire des photocopies, et je vous rapporterai tout demain. – Il montra le papier avec la combinaison du coffre. – Je reviens dès que j'ai trouvé ce que ça signifie et, si ça ne vous dérange pas, nous pourrons ouvrir ensemble le coffre pour voir ce qui se trouve à l'intérieur, c'est entendu ?

Madalena approuva d'un signe de tête et le raccompagna en silence jusqu'à la porte d'entrée.

XI

Tomás passa la matinée à la Bibliothèque nationale pour étudier des documents qui pourraient lui permettre de comprendre ce qu'il avait découvert la veille chez le professeur Toscano. De temps en temps, il faisait quelques tentatives pour déchiffrer la combinaison du coffre. À midi, il alla chercher ses photocopies, puis rapporta la boîte contenant les originaux à Madalena Toscano, récupérant la carte d'identité et la carte bancaire qu'il lui avait laissées. Il promit de revenir dès qu'il aurait trouvé la combinaison.

Lorsqu'il fit enfin une pause, il était déjà 13 heures et Lena l'appela sur son portable pour l'inviter à déjeuner.

– Alors, où en sont tes recherches ? demanda-t-elle en le retrouvant. Des progrès ?

Tomás avait déjà remarqué que son intérêt pour ses recherches était sincère. Il avait été un peu surpris au début, ayant du mal à croire que quelque chose d'aussi obscur pourrait éveiller sa curiosité. Son enthousiasme pour son travail le flattait et, le plus important, nourrissait leurs conversations. C'était un intérêt commun qui renforçait leur lien. Constance, elle, semblait ne porter aucun intérêt à son travail.

– Tu me crois si je te dis qu'hier je suis allé chez le professeur Toscano et que sa femme m'a laissé photocopier tous ses documents et toutes ses notes des dernières années ?

– *Bra* ! s'exclama-t-elle gaiement. Ils sont intéressants ?

– Très. Mais, apparemment, le meilleur est enfermé dans un coffre.

Il sortit le message chiffré et le lui montra.

– Le problème, c'est qu'avant de pouvoir l'ouvrir, je dois déchiffrer ce charabia.

Lena se pencha et examina le message.

– Tu vas réussir ?

– Je vais essayer d'utiliser un tableau de fréquence.

Il posa un livre intitulé *Cryptanalyse* sur la table.

– C'est ça ? demanda Lena en regardant la couverture, illustrée de ce qui ressemblait à des mots croisés.

– Ce livre contient plusieurs tableaux de fréquence différents.

Il le feuilleta jusqu'à trouver la page qu'il cherchait et le tint face à elle.

– Tu vois ? Ils sont en anglais, allemand, français, italien, espagnol et portugais.

– Et on peut déchiffrer n'importe quel message à l'aide de ces tableaux ?

– Non, répondit Tomás en riant. Seulement les chiffrements par substitution.

– C'est-à-dire ?

– Il existe trois types de chiffrements. Le chiffrement par dissimulation, le chiffrement par transposition et le chiffrement par substitution. Dans un chiffrement par dissimulation, le message secret est caché afin que personne ne sache qu'il existe. Le plus ancien système de dissimulation date de l'Antiquité. Un message était écrit sur le crâne rasé d'un messager, généralement un esclave. L'auteur du message attendait que les cheveux du messager repoussent pour l'envoyer à son destinataire. Le messager passait l'ennemi sans problème car personne n'imaginait qu'il pouvait y avoir un message caché sous ses cheveux.

– Ça ne marcherait pas avec moi, dit Lena en riant, avant de passer ses doigts dans ses boucles magnifiques. Et les autres systèmes ?

– Un chiffrement par transposition est en fait une anagramme, comme celle que j'ai déchiffrée à Rio. *Moloc*, c'est *Colom* lu de droite à gauche. Bien sûr, dans des messages très courts, en particulier ceux qui ne comportent qu'un mot, ces chiffrements ne sont pas très sûrs puisqu'il n'y a qu'un nombre limité de possibilités de réagencement des lettres. En augmentant le nombre de lettres, le nombre de combinaisons possibles monte en flèche. Par exemple, une phrase de seulement trente-six lettres peut être réagencée de milliards de façons différentes. Il faut un système pour les réordonner. C'était le cas avec l'anagramme que j'ai déchiffrée : « *Moloc, ninundia omastoos.* » Il y a vingt et une lettres, donc des millions de combinaisons possibles. J'ai réalisé que la première ligne, celle où est écrit *Moloc*, utilisait un système d'agencement basé sur une simple symétrie dans lequel la première lettre correspondait à la dernière, la deuxième à l'avant-dernière, etc., de façon à donner *Colom*. Sur la deuxième ligne, en revanche, le système symétrique suivait un modèle préétabli, que Toscano, par chance, avait déjà fourni. J'ai dû placer un mot au-dessus de l'autre et les combiner alphabétiquement selon le modèle.

– Tu es un génie, dit Lena. – Elle désigna le code que Tomás avait recopié chez Toscano. – Et celui-ci ? C'est un chiffrement par transposition ?

– J'en doute. Je pense que c'est plutôt un chiffrement par substitution.

– Qu'est-ce qui te fait dire ça ?

– L'apparence générale du message. La plupart des lettres semblent avoir été assemblées au hasard.

Lena se mordit la lèvre inférieure.

– Mais qu'est-ce que c'est que cette substitution, exactement ?

– C'est un système dans lequel les vraies lettres sont remplacées par d'autres. Prends le mot *chien*, par exemple. Si on décide que *c* devient *g*, que *h* devient *n*, que *i* devient *r*, que *e* devient *t* et que *n* devient *b*, *chien* devient *gnrtb* dans le message codé. Une fois que l'on a trouvé l'alphabet du chiffrement, le reste coule de source, et n'importe qui peut lire le message.

– C'est un système répandu ?

– Très. Le premier chiffrement par substitution connu est celui décrit par Jules César. Son alphabet est basé sur un décalage de trois places vers la droite par rapport à l'alphabet normal. Le *a* de l'alphabet normal devient la troisième lettre qui le suit, soit *d*, tandis que le *b* devient *e*, etc. On l'appelle aujourd'hui le « chiffre de César ». Au IVe siècle av. J.-C., Vâtsyâyana, un érudit brahmane, recommandait dans le *Kama Sutra* que les femmes apprennent l'art de l'écriture secrète pour pouvoir communiquer sans risque avec leurs amants. Aujourd'hui, la pratique est beaucoup plus avancée et les messages les plus complexes ne peuvent être déchiffrés qu'à l'aide d'ordinateurs qui peuvent tester des millions de combinaisons par seconde.

Lena regarda d'un air absorbé le message de Toscano.

– Si tu penses qu'il a été écrit grâce à un chiffrement par substitution, comment vas-tu réussir à le lire ? Tu ne connais pas l'alphabet du message chiffré, n'est-ce pas ?

– Non.

– Alors qu'est-ce que tu vas faire ?

– Réessayer les tableaux de fréquence.

Elle le regarda sans comprendre.

– Ils vont t'aider à trouver l'alphabet ?

– Non, dit-il en secouant la tête. Mais ils contiennent un raccourci. L'idée des tableaux de fréquence est née chez les savants arabes qui étudiaient les révélations de Mahomet dans le Coran. Pour tenter d'établir la chronologie des révélations du prophète, les théologiens musulmans ont décidé de calculer la fréquence à laquelle chaque mot et chaque lettre apparaissaient. Ils ont réalisé que certaines des lettres étaient plus courantes que d'autres. Par exemple, le *a* et le *l*, qui forment l'article défini *al*, ont été identifiés comme étant les lettres les plus courantes de l'alphabet arabe.

– Je ne te suis pas.

– Imagine que l'original du message chiffré soit écrit en arabe. En sachant que *a* et *l* sont les lettres les plus fréquentes dans cette langue, il suffit d'identifier les deux lettres les plus fréquentes dans le message. Supposons que ce soit *t* et *d*. Il y a de grandes chances pour que, en remplaçant *t* et *d* par *a* et *l*, on ait commencé à le déchiffrer.

Lena le regardait, impressionnée.

– Le système n'est pas infaillible. Bien sûr, les textes chiffrés peuvent contenir des lettres qui, pour une raison ou pour une autre, n'apparaissent pas avec la fréquence exacte enregistrée dans le tableau. C'est particulièrement vrai pour des textes très courts. Prends la phrase « Didon dîna du dos dodu d'un dodu dindon. » Évidemment, dans un message comme celui-là, la lettre *d* apparaît beaucoup plus fréquemment que d'ordinaire. Les textes plus longs, en revanche, correspondent en général aux fréquences standards. Malheureusement, ce n'est pas le cas ici. J'ai été trop optimiste.

– Il y a combien de lettres ?

– Seulement trente-cinq. Enfin, trente-deux lettres et trois chiffres. C'est peu.

– Et maintenant ? demanda-t-elle. Qu'est-ce que tu vas faire ?

– Je dois trouver une nouvelle approche.

Il ouvrit son carnet à la page où il avait griffonné le message chiffré et le posa sur ses genoux.

– Le premier problème est de trouver la langue dans laquelle le message a été écrit.

– Ce n'est pas du portugais ?

– C'est possible, dit-il. Mais il ne faut pas oublier que le premier message chiffré était un proverbe latin. Rien ne prouve que le professeur Toscano n'ait pas choisi le latin à nouveau, ou une autre langue, d'ailleurs.

– Alors que faut-il faire, à présent ?

– Eh bien, en analysant la phrase, j'ai découvert que la lettre la plus fréquente est le *e*, qui apparaît six fois, suivi du *u*, qui apparaît cinq fois, et du *s*, qui apparaît quatre fois. Puisque la lettre *e* est la plus fréquente, je l'ai remplacée par *a*. Et j'ai remplacé *u* et *s* par *e* et *o*, les lettres les plus fréquentes dans les textes portugais après le *a*.

– Ça t'a mené quelque part ?

– Non.

Lena regarda le tableau.

– Si tu n'es arrivé nulle part et que la lettre la plus fréquente est le *e*, tu ne crois pas que le texte a été écrit dans une autre langue ?

– Eh bien, ça voudrait dire que ce n'est pas un chiffrement par substitution mais…

Il s'interrompit au milieu de sa phrase, surpris par ce qu'il venait de dire.

– Mais ? reprit Lena.

Tomás resta silencieux un moment. Plusieurs choses venaient de lui traverser l'esprit. Il mit sa main devant sa bouche et regarda dans le vide en retournant l'idée dans sa tête.

– Quoi ? demanda Lena, impatiente.

Tomás se tourna vers elle, puis de nouveau vers le message écrit dans le carnet.

– Peut-être que ce n'est pas un chiffrement par substitution, finit-il par dire.

– Non ? Qu'est-ce que c'est, alors ?

Tomás commença à compter les lettres.

– Un, deux, trois, quatre, cinq, six, sept… murmura-t-il en faisant glisser son doigt d'une lettre à l'autre. Quinze, dit-il.

Il l'écrivit dans son carnet et recommença à compter. Il compta jusqu'à dix-huit et nota ce nombre sous le précédent. Puis il ouvrit le livre et consulta le tableau de fréquence.

– Hmm, fit-il en fronçant les sourcils.

– Quoi ? demanda Lena, qui ne comprenait toujours pas.

Tomás montra un chiffre sur un tableau de fréquence.

– Tu vois ça ?

– Oui, répondit Lena. Quarante-huit pour cent. Qu'est-ce que ça signifie ?

Tomás sourit.

– C'est la fréquence des voyelles dans les textes portugais, expliqua-t-il, tout excité.

Il pointa du doigt d'autres nombres dans le livre.

– Tu vois ? Seul l'italien a le même pourcentage de voyelles que le portugais. L'espagnol en a quarante-sept, le français quarante-cinq, et l'anglais et l'allemand quarante.

– Et ?

– Devine combien de voyelles il y a dans le message du professeur Toscano ?

– Combien ?

– Quinze. Et dix-huit consonnes. En d'autres termes, 46,9 % des trente-deux lettres sont des voyelles. – Il regarda Lena dans les yeux. – Dans les chiffrements par substitution, les lettres les plus fréquentes sont souvent interverties avec des lettres moins fréquentes. Mais ce n'est pas le cas ici. Il y a toujours une grande fréquence de lettres communes à plusieurs langages européens, comme le *e*, le *t*, le *o* et le *n*, ce qui laisse penser qu'elles n'ont pas été substituées. Elles ont été transposées, déplacées. Je pense que nous avons simplement affaire à une autre anagramme.

– Comme *Moloc* ?

– Oui, mais avec plus de lettres, et c'est un système beaucoup plus complexe.

Il regarda le message chiffré.

– Et maintenant ?

– Je dois tester les liens entre les voyelles et les consonnes pour voir si ça mène quelque part. Si c'est le cas, je pourrai trouver la structure et le langage utilisés par le professeur Toscano. Par exemple, pour *Moloc*, il a utilisé une structure symétrique en miroir, où il fallait lire de droite à gauche. – Il montra le message. – Mais ici, ce n'est pas symétrique. Regarde.

Il lut la première ligne de la première colonne de gauche à droite :

– « QUD » – Il haussa les épaules. – Ça ne veut rien dire. – Il lut la première ligne de la seconde colonne. – « EUS » – Il hésita. – Ça, ça ne veut rien dire non plus. Et si on lit de droite à gauche, on obtient « SUE », qui n'est pas beaucoup plus clair.

– Et de bas en haut ?

– Ça peut être dans n'importe quel sens. De gauche à droite, de bas en haut, de haut en bas, en diagonale, en sautant des lettres, en zigzag, n'importe quoi…

– « QLEUL-5 », murmura Lena, en lisant la colonne de gauche de haut en bas.

Tomás étudia le message avec attention et attrapa un crayon.

– Essayons de réunir les deux colonnes.

Il le reproduisit sur la page suivante, cette fois en un seul bloc. Le résultat était toujours aussi mystérieux :

Q	U	D	E	U	S
L	E	O	F	S	P
E	C	H	O	N	E
U	A	C	U	E	N
L	T	E	S	T	S
5	4	5		U	A

– « QUDEUS », murmura Lena, en lisant la première ligne d'une traite. – Puis elle la lut de droite à gauche – « SUEDUQ ». – Elle continua à lire les deuxième et troisième lignes – « LEOFSP » « ECHONE ». *Écho* est un mot, mais le reste n'a aucun sens.

Tomás, de son côté, cherchait des trigrammes, des groupes courants de trois lettres comme *est*, *ant*, *ens*. Il trouva *ens* dans la dernière colonne, et *sus* à cheval sur la dernière et l'avant-dernière.

Soudain, il sourit. *Suspens*. Il réécrivit le message, en soulignant les lettres du mot qu'il venait de trouver :

Q	U	D	E	U	S
L	E	O	F	S	P
E	C	H	O	N	E
U	A	C	U	E	N
L	T	E	S	T	S
5	4	5		U	A

– C'est ça ! s'exclama-t-il, hurlant presque. J'ai trouvé !
– Quoi ? Quoi ?
– La clef de l'énigme ! – Il pointa du doigt les lettres soulignées. – Tu vois ? Il est écrit « *suspens* ».
Lena lut les lettres soulignées.
– Waouh, en effet !
Elle fronça les sourcils. La séquence était curieuse.
– Mais le mot est à cheval sur deux colonnes.
– C'est lié à la structure, expliqua Tomás, de plus en plus excité. Les mots doivent être lus selon une structure spécifique.
Il attrapa son crayon et étudia le message.
– Voyons. Si on continue après « *suspens* » et qu'on tourne à l'angle, on a « *au545* ». Il doit falloir lire : « *suspens au 545* ». – Il se concentra sur les autres lignes. – Et ici, il y a *en*, qui se lit de bas en haut. – Il se gratta le nez. – Hmm. « *En suspens au 545.* »
Revenant en arrière, il remonta toute la séquence de lettres jusqu'au début, selon la structure qu'il venait d'identifier. La phrase formait une boucle comme dans le jeu du serpent. Il nota le texte déchiffré :

QUELECHODEFOUCAULTESTENSUSPENSAU545

Il analysa la ligne et la réécrivit, insérant des espaces logiques entre les mots. Lorsqu'il eut terminé, il leva les yeux vers Lena avec un sourire triomphant.
– Voilà ! dit-il.
Lena fixa la phrase griffonnée sur le carnet et fut stupéfaite de voir que l'obscur fouillis de lettres s'était transformé comme par magie en une phrase compréhensible.

QUEL ÉCHO DE FOUCAULT EST EN SUSPENS AU 545 ?

– Qu'est-ce que ça signifie ? demanda-t-elle.
Tomás secoua la tête.
– Je n'en suis pas sûr. Mais je connais quelqu'un qui saura peut-être.

XII

Les mouettes fondaient sur la mer en poussant des cris mélancoliques tandis que les vagues venaient s'échouer en rythme sur la vaste plage de Carcavelos, laissant des lames de mousse sur le sable battu par la mer. Froide et venteuse sous le ciel gris hivernal, la plage n'était occupée que par une poignée de surfeurs, deux ou trois couples et un vieil homme promenant son chien au bord de l'eau. Le paysage était sombre et monochrome, bien loin de la profusion d'énergie et de couleurs qui envahissait la plage en été.

Dans le restaurant de bord de mer où Tomás était entré dix minutes plus tôt, le serveur lui apporta une tasse de café brûlant. Tomás but une gorgée et jeta un coup d'œil à sa montre. Il était 15 h 40 ; son collègue avait dix minutes de retard. Il soupira. La veille au soir, il avait appelé Alberto Saraiva, du département de philosophie, pour demander à le voir en urgence. Saraiva vivait à Carcavelos, à deux pas d'Oeiras. En plus d'être un lieu de rendez-vous assez évident, la plage, même en hiver, était beaucoup plus agréable que les bureaux étriqués de l'université.

– Mon cher, désolé pour le retard, entendit Tomás derrière lui.

Il se leva et serra la main de Saraiva. C'était un homme d'une cinquantaine d'années, aux cheveux gris clairsemés et aux lèvres fines, dont le strabisme rappelait celui de Jean-Paul Sartre.

Il y avait quelque chose d'extravagant chez lui, voire un peu loufoque, une sorte d'aura de génie fou et un air faussement négligé charmant. L'excentricité du philosophe n'avait jamais été un problème dans son métier, en particulier dans sa spécialité, les déconstructionnistes, auxquels il avait consacré sa thèse de doctorat à la Sorbonne.

– Bonjour, Alberto, dit Tomás. Asseyez-vous, je vous en prie. – Il désigna la chaise à côté de lui. – Vous voulez boire quelque chose ?

Saraiva s'assit et regarda le café de Tomás.

– Je prendrai comme vous.

Tomás fit un signe au serveur.

– Un autre café, s'il vous plaît.

Saraiva inspira profondément, remplissant ses poumons d'air salé, et balaya du regard l'océan qui s'étendait devant eux.

– J'aime beaucoup venir ici en hiver, dit-il.

Il parlait sur un ton légèrement pompeux, en détachant les syllabes, comme s'il récitait un poème et que la bonne cadence était essentielle pour exprimer l'indolence de l'endroit.

– Cette ineffable tranquillité m'inspire. Elle me donne de l'énergie, élargit mon horizon, emplit mon âme.

– Vous venez souvent ici ?

– Seulement en automne et en hiver. Quand il n'y a pas tous ces touristes.

Il fit une grimace de dégoût, comme si l'un de ces affreux spécimens venait de passer devant lui. Le serveur posa un deuxième café sur la table et le tintement de la porcelaine sortit Saraiva de sa rêverie. Il observa la tasse devant lui.

– C'est ici que j'arrive le mieux à me plonger dans la pensée de Jacques Lacan, Jacques Derrida, Jean Baudrillard, Gilles Deleuze, Jean-François Lyotard, Maurice Merleau-Ponty, Michel Foucault, Paul…

Sautant sur cette opportunité, Tomás s'éclaircit la voix.

– Pour tout vous dire, Alberto, l'interrompit-il, c'est justement de Foucault que je dois vous parler.

Saraiva le regarda d'un air incrédule, comme s'il venait de

blasphémer, prononçant à la fois le nom de Dieu et du Seigneur en vain.

– *Michel* Foucault ?

– Oui, Michel Foucault, répondit Tomás avec diplomatie, acceptant sa règle tacite. Vous savez, je suis en train d'effectuer des recherches historiques et je suis tombé, ne me demandez pas comment, sur le nom de Michel Foucault. Je ne sais pas exactement ce que je cherche, mais je sais qu'il est lié d'une manière ou d'une autre à mes recherches. Qu'est-ce que vous pouvez me dire sur lui ?

Le professeur fit un vague signe de la main, insinuant qu'il y avait tant à dire qu'il ne savait par où commencer.

– Ah, Michel Foucault... C'est le plus grand philosophe après Emmanuel Kant. Vous avez lu *La Critique de la raison pure* ?

– Euh... non.

Saraiva soupira.

– C'est le texte philosophique le plus important jamais écrit, mon cher, proclama-t-il en fixant Tomás du regard. Selon Kant, on ne connaît pas le monde tel qu'il est « en soi », la vérité ontologique des choses, mais seulement leurs représentations. On ne connaît pas la nature des objets eux-mêmes, mais seulement notre perception de ces objets, ce qui est spécifique à l'humanité. Par exemple, les êtres humains ne ressentent pas le monde de la même manière que les chauves-souris : ils voient des images, tandis qu'elles détectent des ondes grâce à leur sonar. Les humains voient les couleurs, tandis que les chiens voient en noir et blanc. Aucune expérience n'est plus réelle que l'autre. Elles sont simplement différentes. Personne n'a accès à la vérité vraie, et chacun en a une idée différente. Si on revient à la célèbre allégorie de la caverne de Platon, ce qu'affirme Emmanuel Kant, c'est que nous sommes tous dans une cave, enchaînés aux limites de notre perception. Nous ne voyons que l'ombre des choses, jamais les choses elles-mêmes. – Il se tourna vers Tomás. – Vous me suivez ?

Tomás regarda pensivement une vague déposer de l'écume blanche sur le sable. Il hocha la tête sans la quitter des yeux.

– Oui. C'est aussi ce que dit Foucault ?

– Michel Foucault a été très influencé par cette idée, oui. Pour lui, il n'y a pas une seule vérité, mais plusieurs.

Tomás fronça les sourcils.

– Comment pouvez-vous dire qu'il n'y a pas de vérité ? Si je dis que cette chaise est en bois, je ne dis pas la vérité ? – Il montra les flots. – Si je dis que l'océan est bleu, je ne dis pas la vérité ?

Saraiva sourit. C'était son territoire.

– C'est un problème que les phénoménologues ont dû résoudre après la parution de *La Critique de la raison pure*. Il était devenu nécessaire de redéfinir le mot *vérité*. Edmund Husserl, un des pères de la phénoménologie, suggéra que les jugements n'étaient pas objectifs, qu'ils n'exprimaient qu'une représentation subjective de la chose en soi.

– Hmm… je n'en suis pas sûr, dit Tomás d'un air indécis. Il joue simplement avec les mots, d'après moi.

– Pas du tout, insista Saraiva. Prenez votre spécialité, par exemple, l'histoire. Les livres d'histoire parlent de la résistance du chef lusitanien Viriate aux invasions romaines. Mais comment puis-je être certain que Viriate a réellement existé ? Seulement grâce aux textes qui le mentionnent. Et si ces textes étaient fictionnels ? Vous le savez mieux que moi, j'en suis sûr, un texte historique ne parle pas du réel mais des récits du réel, et ces récits peuvent être incorrects, voire inventés. En tant que telle, la vérité des discours historiques n'est pas objective mais subjective. Comme Karl Popper l'a remarqué, rien n'est définitivement vrai ; il y a seulement des choses qui sont définitivement fausses et d'autres qui sont provisoirement vraies.

– C'est valable pour tout, dit Tomás. Ça ne répond pas vraiment à ma question. – Il montra de nouveau l'horizon. – Je vois l'océan ici, et je vois qu'il est bleu. Comment pouvez-vous dire que c'est une réalité subjective ? – Il fit la moue. – Pour autant que je sache, le bleu de l'océan est une vérité objective.

– L'océan n'est pas bleu ; ce sont nos yeux qui le voient bleu, car la longueur d'onde de la lumière bleue se disperse mieux que les autres couleurs du spectre et fait que l'océan *semble* bleu.

C'est le vrai problème avec la vérité, car mes sens peuvent me trahir, ma raison peut me conduire à des conclusions fausses, ma mémoire peut me jouer des tours et je n'ai pas accès à la chose en soi. Vous regardez l'océan et vous le voyez bleu, mais lorsqu'un chien regarde l'océan, il le voit noir, car les chiens sont daltoniens. Aucun de vous n'a accès à la chose en soi, seulement à une vision de cette chose. Et aucun de vous n'a accès à la vérité objective, seulement à quelque chose de moins catégorique : la vérité subjective.

Tomás se frotta les yeux.

– Et Foucault, dans tout ça ?

– Michel Foucault s'est appuyé sur ces concepts. Ce qu'il a montré, c'est que les affirmations de vérité dépendent du discours dominant de l'époque à laquelle elles ont été présentées. En travaillant comme un historien, il est arrivé à la conclusion que la connaissance et le pouvoir sont si intrinsèquement liés qu'ils deviennent pouvoir/connaissance, presque comme s'ils étaient deux faces d'une même pièce. C'est essentiellement autour de cet axe fondamental qu'il a développé toute sa pensée. – Il désigna Tomás de la main. – Vous avez déjà lu Michel Foucault ?

– En toute franchise, dit Tomás avec une petite hésitation, craignant d'offenser son collègue, non.

Saraiva secoua la tête, avec une expression de désapprobation paternelle.

– Parlez-moi de lui.

– Que voulez-vous savoir, mon cher ? Il est né en 1926 et il était gay. Après avoir découvert Martin Heidegger, il est tombé sur Friedrich Nietzsche et sa théorie sur le rôle central du pouvoir dans toute activité humaine. Cette révélation l'a profondément marqué. Il est arrivé à la conclusion que le pouvoir était la base de tout et il s'est donné pour mission d'analyser la façon dont le pouvoir se manifeste à travers la connaissance, utilisant celle-ci pour établir un contrôle social. Le lien pouvoir/connaissance.

– Où a-t-il exposé tout cela ?

– Dans plusieurs livres. Dans *Les Mots et les Choses*, par exemple, il analyse les discours et les préjugés dominants qui organisent la pensée de chaque période. C'est peut-être son œuvre la plus kantienne, dans laquelle il suggère que les mots sont la manifestation du réel tandis que les choses elles-mêmes sont le réel. D'une certaine manière, ce livre a contribué à détruire la notion de vérité absolue. Car si notre façon de penser est toujours influencée par les discours dominants de l'époque, il est impossible d'arriver à une vérité objective.

– C'est ce que Kant a dit.

– Bien sûr. C'est pour cette raison que beaucoup voient Michel Foucault comme un nouvel Emmanuel Kant, bien que Foucault ait placé ces idées dans un contexte nouveau, ajouta Saraiva pour s'assurer que son philosophe préféré ne soit pas pris pour une sorte de plagiaire. Je vais vous raconter une anecdote. Lorsqu'il a été invité à donner des cours au Collège de France, on lui a demandé son titre. Vous savez ce qu'il a répondu ?

Tomás haussa les épaules.

– Professeur d'histoire des systèmes de pensée. – Saraiva éclata de rire. – Ils ont dû le regarder comme s'il avait deux têtes ! – Son rire se transforma en un soupir de satisfaction. – Michel Foucault définit la vérité comme une construction, le produit des connaissances de chaque période, et il étend cette idée à d'autres concepts. Selon lui, un auteur n'est pas seulement quelqu'un qui écrit des livres, mais le produit d'une série de facteurs, parmi lesquels le langage, les écoles littéraires de la période et plusieurs autres éléments historiques et sociaux. En d'autres termes, un auteur n'est rien d'autre que le produit de circonstances.

– Ah, fit Tomás, comme s'il comprenait enfin.

En réalité, il ne voyait rien d'extraordinaire ni de très nouveau là-dedans, mais il ne voulait pas débattre avec Saraiva ni saper son enthousiasme.

– Quoi d'autre ?

Les yeux fixés sur l'horizon, le philosophe se lança dans un long résumé de la pensée de Foucault.

– C'est tout, dit Saraiva lorsqu'il eut fini. Deux semaines après avoir livré le manuscrit du troisième volume de *L'Histoire de la sexualité*, Michel Foucault s'effondra et fut conduit à l'hôpital. Il est mort du sida pendant l'été 1984. Mais, dites-moi, pourquoi cet intérêt ?

– Je travaille sur une énigme.

– Une énigme impliquant Michel Foucault ?

Tomás passa une main sur son visage, l'air perdu.

– Oui. Plus ou moins.

Il regarda l'océan qui s'étendait devant lui. L'eau scintillait comme si un tapis de diamants avait été posé sur sa surface agitée, se soulevant avec les vagues. Le soleil disparaissait à sa droite derrière un manteau de nuages.

– Quelle est cette énigme ?

Tomás regarda Saraiva d'un air hésitant. Est-ce que cela valait la peine de lui montrer ? Après tout, qu'avait-il à perdre ? Il retrouva dans son carnet la page sur laquelle il avait écrit la phrase et la tendit à Saraiva.

– Vous voyez ?

Saraiva se pencha sur le carnet et fixa du regard l'étrange question :

QUEL ÉCHO DE FOUCAULT EST EN SUSPENS AU 545 ?

– Qu'est-ce que c'est que… commença Saraiva. Un écho de Foucault ? – Il regarda Tomás. – Quel écho ?

– Aucune idée. C'est à vous de me le dire.

Saraiva étudia de nouveau la phrase.

– Mon cher, je n'en ai pas la moindre idée. Peut-être quelqu'un qui fait écho à Michel Foucault ?

– C'est une idée intéressante, dit Tomás, songeur.

Il regarda Saraiva, l'air légèrement inquiet.

– Vous savez si quelqu'un a fait écho à Foucault ?

– Je ne vois qu'Emmanuel Kant. Mais c'est Michel Foucault qui lui fait écho, pas l'inverse.

– Mais personne n'a suivi les traces de Foucault ?

– Il avait de nombreux disciples.

– Et il n'y en aurait pas un parmi eux qui serait « en suspens au 545 » ?

– Je ne sais pas quoi répondre à ça, car j'ignore ce que cela signifie. Qu'est-ce que ce « 545 » ?

Tomás ne quittait pas Saraiva des yeux.

– Rien de tout cela ne vous est familier ? Même vaguement ?

Saraiva se mordit la lèvre inférieure.

– Rien, dit-il en secouant la tête. Rien du tout. De quoi s'agit-il exactement ?

Tomás referma son carnet d'un geste décidé et soupira.

– Je peux promettre de tout vous expliquer quand j'en aurai fini avec ça.

Saraiva recopia la mystérieuse phrase sur un morceau de papier, qu'il rangea dans la poche de sa veste.

– Je vais regarder dans mes livres, assura-t-il. Je trouverai peut-être quelque chose.

– Merci.

– Qu'allez-vous faire, maintenant ? demanda Saraiva.

– Je vais faire un saut dans une librairie pour acheter les livres de Foucault, pour voir si je peux y trouver un indice. La clef de l'énigme est sûrement là, dans un petit détail.

Ils quittèrent le restaurant ensemble et se séparèrent sur le parking.

– Michel Foucault était un curieux personnage, dit Saraiva avant de partir.

– Comment ça ?

– Vous savez ce qu'il a dit au sujet de son travail sur la recherche de la vérité ?

– Non, quoi ?

– Que toute sa vie, il n'a fait qu'écrire de la fiction…

XIII

Le vieux quartier d'Alfama, situé sur le flanc de la colline de Lisbonne, était un lieu pittoresque et plein de couleurs. Les façades décrépites de ses vieilles maisons disparaissaient derrière les fleurs en pots et les vêtements qui séchaient devant leurs grandes fenêtres, étendus sur les balcons en fer. Tomás traversa le quartier tête baissée, ignorant l'effervescence autour de lui, et ce fut avec soulagement qu'il atteignit le haut de la colline et pénétra dans l'enceinte du château.

Tomás avait donné rendez-vous à Moliarti au château de Saint-Georges pour lui faire part de ses dernières avancées. Sa rencontre avec Saraiva n'avait fait qu'intensifier la curiosité de l'historien, qui brûlait de trouver le lien entre l'enquête de Toscano et Michel Foucault.

Il savait qu'il devait trouver cette connexion pour comprendre les recherches du professeur. Et, surtout, pour avoir accès à son coffre.

Moliarti lui fit signe depuis une table du café du château, entre un vieil olivier et un énorme canon du XVIe siècle. Tomás s'assit à ses côtés, même si l'air froid et les nuages gris ne rendaient pas la perspective de s'installer à l'extérieur très réjouissante.

Après avoir commandé à déjeuner, Moliarti fut le premier à briser le silence.

– J'ai cru comprendre que vos recherches progressaient...

– Absolument, répondit Tomás. Mais mon problème pour le moment est d'ouvrir le coffre de Toscano. La combinaison est une énigme qu'il a laissée. Ce coffre contient peut-être toutes les informations dont j'ai besoin.

– Vous ne pouvez pas simplement forcer la serrure ?

– Quoi ?! – Tomás éclata de rire, amusé par le culot des Américains. – Je ne peux pas. Sa veuve ne me laissera jamais faire.

– Pourquoi vous ne mettez pas carrément en scène un cambriolage ?

Moliarti semblait agacé par l'honnêteté de Tomás.

– Bon sang, Nelson, je suis un professeur d'université, pas un voleur ! Si vous voulez fracturer le coffre sans l'accord de la veuve, embauchez un voyou pour faire votre sale travail. Je ne suis pas votre homme.

Moliarti soupira.

– D'accord, d'accord. Oubliez ce que j'ai dit.

– Très bien. D'après les photocopies que j'ai trouvées chez Toscano et les historiques des bibliothèques de Lisbonne, Rio, Gênes et Séville, j'ai pu établir avec certitude que les recherches du professeur Toscano étaient en grande partie consacrées à la vérification des origines de Christophe Colomb. Il semble que ce qui l'intéressait particulièrement, c'étaient les documents qui le relient à Gênes, ainsi que la question de leur fiabilité. Je vais maintenant vous montrer les informations qu'il a rassemblées et les conclusions auxquelles je pense qu'il est arrivé.

– J'aimerais juste éclaircir une chose, dit Moliarti. Êtes-vous en mesure de m'assurer que Toscano n'a pratiquement pas étudié la découverte du Brésil ?

– Je suis presque sûr qu'il s'y est consacré pendant les premiers jours du projet. Mais au milieu de ses recherches, il a dû tomber sur un document qui l'a éloigné de son sujet.

– Lequel ?

– Ça, je ne sais pas.

Moliarti secoua la tête.

– Quel fils de pute ! marmonna-t-il dans sa barbe.

– Je continue ? demanda prudemment Tomás.

– Oui, allez-y.

– Jetons un coup d'œil aux documents qui relient Colomb à Gênes.

Tomás se pencha sur sa mallette et en sortit une petite liasse de photocopies.

– À vrai dire, un problème récurrent avec les documents traitant des origines de Colomb est leur manque de fiabilité. Les originaux ont été perdus et nous ne savons pas à quel point les scribes ont été consciencieux et dans quelle mesure on a pu tenter de s'approprier sa nationalité. Dans certains cas, des documents ont pu être falsifiés, tandis que dans d'autres cas, probablement la majorité, certains points importants ont simplement pu être modifiés. Comme vous le savez, le simple fait de déplacer une virgule peut parfois changer complètement le sens d'un texte.

– Alors, qu'avez-vous au juste ?

– Comme je vous l'ai dit la dernière fois, en 1501, Angelo Trevisan, de Venise, a envoyé à l'un de ses compatriotes une traduction italienne d'une des premières versions de *Orbe Novo Decades* de Pierre Martyr, où il évoque son amitié avec « Christophoro Colombo Zenoveze », établissant ainsi clairement et pour la première fois le lien entre l'explorateur et Gênes.

– Hmm....

– Le problème est que Toscano avait des doutes sur la véracité de certaines parties de cette édition, et il mentionne dans ses notes les soupçons d'Enrique Bayerri y Bertomeu, un spécialiste du sujet. J'ai donc lu les travaux de ce dernier et constaté qu'il remettait en question l'authenticité du texte de Pierre Martyr, car il semblait avoir été écrit pour un public italien éduqué. *De Orbe Novo* était une sorte de texte sensationnaliste, comme ceux qu'Amerigo Vespucci a publiés sur le Nouveau Monde. Ils ne disaient pas nécessairement la vérité, mais ce que le public voulait lire. Et ce que les Italiens voulaient lire, c'est que c'était un Italien qui avait fait cette grande découverte de l'Amérique.

– Je vois, murmura Moliarti en se grattant le menton. Quoi d'autre ?

Tomás sortit quelques photocopies de la liasse de feuilles.

– En 1516, dix ans après la mort de Colomb, un frère génois devenu évêque de Nebbio, Agostino Giustiniani, publia un texte en plusieurs langues intitulé *Psalterium Hebraeum, Graecum, Arabicum, et Chaldaeum*, qui s'avéra contenir une grande quantité d'informations inconnues jusqu'alors. Giustiniani révéla au monde que l'homme qui avait découvert l'Amérique, un certain Christophorus Columbus de « *patria Genuensis* », « né à Gênes », était de « *Vilibus ortus parentibus* », c'est-à-dire de « naissance humble », et que son père était un « *carminatore* », ou « cardeur de laine », dont il ne donne pas le nom. D'après Giustiniani, Colomb était également cardeur de laine et n'avait reçu qu'une éducation rudimentaire. Il est précisé qu'avant de mourir, il aurait laissé un dixième de ses revenus à l'office de saint Georges à Gênes. Giustiniani renouvela cette affirmation dans un second livre, *Castigatissimi Annali di Genova*, publié à titre posthume en 1537, dans lequel il corrigeait seulement la profession de ce Christophorus : il n'était plus cardeur de laine mais tisserand de soie.

– Ça coïncide avec ce que nous savons aujourd'hui de Colomb.

– Oui, dit Tomás. Mais dans ses notes, Toscano a dressé une liste de plusieurs problèmes qu'il a identifiés dans les informations présentées par Giustiniani dans *Psalterium* et *Castigatissimi Annali*. Premièrement, Colomb n'a pas pu laisser à l'office de saint Georges un dixième de ses revenus car il est mort sans un sou. Un dixième de rien, c'est rien. – Il sourit. – Mais ce n'est qu'un détail amusant. Ce qui est beaucoup plus sérieux, c'est l'affirmation selon laquelle Colomb était un tisserand de soie sans éducation, qui soulève plusieurs grandes questions. Si c'était le cas, où diable a-t-il bien pu acquérir les connaissances avancées en cosmographie et en navigation qui allaient lui permettre de traverser des mers inconnues ? Comment a-t-on pu lui confier pas seulement un bateau mais des flottes entières ? Comment a-t-il pu gagner le titre d'amiral ? Est-il possible qu'un homme du peuple ait pu épouser Dona Filipa Moniz Perestrello, une noble portugaise, descendante d'Egas Moniz et parente du général Nuno Álvares Pereira, à une époque de discrimination sociale, où les nobles ne se mariaient qu'entre eux ? Comment une personne aussi peu éduquée aurait-elle pu avoir accès à la cour du grand roi Jean II, qui était alors le plus puissant et le plus célèbre monarque du monde ? – Il agita les photocopies des notes du professeur. – Il me paraît évident que Toscano ne trouvait pas tout cela très plausible. En outre, Giustiniani ne connaissait pas Colomb personnellement. Tout ce qu'il a fait, c'est citer des informations de seconde main. Le propre fils de Colomb, Fernand, a accusé Giustiniani d'être un faux historien et a souligné plusieurs erreurs factuelles facilement vérifiables pour suggérer que l'auteur génois avait également donné de fausses informations au sujet d'« une affaire dont on sait peu de choses », une expression énigmatique tirée du livre de Fernand, qui concernerait les origines de son père.

– Je vois, murmura Moliarti. Mais encore ?

Tomás rangea son stylo dans la poche de sa veste et sortit un livre de sa mallette.

– Intéressons-nous au témoin le plus important de tous, après Colomb lui-même : Fernand, le deuxième fils de l'amiral, né de sa relation avec l'Espagnole Beatriz de Arana, et auteur de l'*Histoire de la vie et des découvertes de Christophe Colomb*. Il ne fait aucun doute que ce livre est une vraie mine d'informations. Personne ne peut affirmer que Fernand ne connaissait pas son père. Il avait accès à des informations de valeur. Fernand nous fait comprendre dès le début qu'il a écrit cette biographie parce que d'autres avaient essayé de le faire à partir de mauvaises informations.

– Mais Fernand confirme-t-il que son père venait de Gênes ?

– C'est bien le problème. Il ne dit nulle part explicitement que c'était le cas. Au contraire. Il dit qu'il a voyagé trois fois en Italie, en 1516, en 1529 et en 1530, pour essayer de vérifier s'il y avait quelque chose de vrai dans les informations qui circulaient à l'époque. Il est parti à la recherche de membres de sa famille, a interrogé des personnes dont le nom de famille était Colombo, et a consulté les archives publiques. Rien. Il n'a pas retrouvé la trace d'un seul parent au cours de ces trois visites à Gênes.

» Il a, en revanche, localisé les origines de son père en Italie, plus précisément à Plaisance, dont il a visité le cimetière et affirmé y avoir vu des tombes aux armes et épitaphes de la famille Colombo. Fernand révèle que ses ancêtres étaient d'origine illustre, bien que ses grands-parents aient été réduits à une grande pauvreté, et il réfute l'argument selon lequel son père n'aurait pas reçu d'éducation, soulignant que seul quelqu'un de très instruit aurait pu dessiner des cartes ou accomplir de tels exploits. L'*Histoire de la vie et des découvertes de Christophe Colomb* fournit aussi des détails sur l'arrivée de son père au Portugal. Il prétend que c'était à cause d'un homme célèbre qui portait le même nom et qui était son parent, appelé "Colomb", que Fernand identifie ensuite comme Colomb le jeune. Pendant une bataille maritime, quelque part entre Lisbonne et le cap Saint-Vincent, dans l'Algarve, l'amiral aurait sauté par-dessus bord à deux lieues du rivage et nagé jusqu'à la terre en s'agrippant à une rame. Il s'est ensuite rendu à Lisbonne où, selon Fernand, vivaient "beaucoup de Génois".

– Et voilà ! s'exclama Moliarti avec un sourire triomphant. La preuve, grâce au propre fils de Colomb.

– Je serais de votre avis, dit Tomás, si nous pouvions être sûrs que c'est bien Fernand qui a écrit ça.

Moliarti bondit de surprise.

– Hein ? Ce ne serait pas lui ?

Tomás jeta un coup d'œil à ses photocopies des notes du professeur.

– Apparemment, Toscano avait des doutes.

– Quels doutes ?

– Sur la fiabilité du texte et sur quelques contradictions et incohérences troublantes, répondit Tomás. Commençons par le manuscrit. Fernand termina son livre, mais il ne le publia pas. Il mourut sans descendants, le manuscrit fut donc légué à son neveu, Luis Colón de Toledo, le fils aîné de son demi-frère portugais, Diego. Luis fut contacté en 1569 par un Génois du nom de Baliano de Fornari, qui lui proposa de publier l'*Histoire de la vie et des découvertes de Christophe Colomb* en trois langues : latin, espagnol et italien. Le neveu de Fernand accepta et lui confia le manuscrit. En 1576, Fornari publia la version italienne, affirmant que son but était que « cette histoire, dont la gloire première devait revenir à l'État de Gênes, patrie du grand explorateur, puisse être universellement connue ». Il oublia les deux autres versions et fit disparaître le manuscrit. – Tomás montra de nouveau l'exemplaire espagnol du livre de Fernand. – En d'autres termes, ce que nous avons ici est une traduction de l'italien, qui est elle-même une traduction de l'espagnol commandée par un Génois qui déclara que sa gloire devait revenir à Gênes. – Il posa le livre sur la table. – D'une certaine manière, ce livre n'est qu'une nouvelle source de seconde main.

Moliarti se frotta les yeux, exaspéré.

– Quelles sont les incohérences ? demanda-t-il pendant que le serveur apportait leurs assiettes.

– Pour commencer, la référence aux tombes recouvertes des armes et épitaphes de la famille à Plaisance. Lorsqu'on visite ce cimetière, on peut constater que ces tombes existent bien, mais le nom de famille est Colonna. – Il sourit. – Apparemment, le professeur Toscano pensait que le traducteur génois avait changé la latinisation de Colón en Colonus, et pas en Columbus, contredisant ainsi l'affirmation selon laquelle les tombes appartiendraient à la famille Colombo.

– Mais Fernand n'a pas dit que son père avait sauté dans l'eau à cause d'un certain Jeune Colomb, qui était un de ses parents ?

Tomás sourit encore.

– C'est Colomb le Jeune, Nelson. – Il feuilleta l'*Histoire de la vie et des découvertes*. – C'est ce que dit le livre, oui. Mais c'est une nouvelle contradiction. Colomb le Jeune était un corsaire, dont le nom n'était même pas Colomb ; il s'appelait Jorge Bissipat, et les Italiens le surnommaient Colomb le Jeune pour le distinguer de Colomb l'Ancien, surnom du Français Guillaume de Casenove Coulon.

– Quel bordel !

– Je sais. Mais c'est bien ça, le problème. Comment Colomb le Jeune aurait-il pu être de la même famille et porter le même nom que le père de Fernand si Colombo n'était pas son vrai nom mais un surnom ? La seule explication est que le traducteur aurait été complice, établissant de son propre chef un lien familial entre Christophe Colomb et Colomb le Jeune, un lien de toute évidence impossible.

Moliarti s'adossa à sa chaise, visiblement agité. Il avait fini son plat de poisson et poussa son assiette.

– Bref, que ce soit Colonna ou Colombo, Plaisance ou Gênes, le fait est que Fernand situe les origines de son père en Italie.

– Apparemment, le professeur Toscano n'en était pas aussi sûr, dit Tomás en tournant les pages de son carnet. Dans ses notes, en plus des références à Plaisance comme étant la vraie ville d'origine de Colomb dans l'*Histoire de la vie et des découvertes*, il a noté au crayon que la personne originaire de Plaisance n'était pas l'explorateur, mais que c'étaient les ancêtres de Felipa Moniz Perestrello, l'épouse portugaise de Colomb et la mère de son fils Diego. Toscano semblait penser que Fernand, dans le texte original, avait mentionné Plaisance comme l'une des origines lointaines de Felipa et que le traducteur italien avait bricolé ce passage, remplaçant Felipa par Christophe. Toscano a même noté l'expression italienne « *Traduttore, traditore* », qui signifie littéralement « Traducteur, traître ».

– Tout cela, ce ne sont que des suppositions.

– C'est vrai. Mais les mystères et les contradictions qui entourent sa vie sont si grands que presque tout ce qui touche à Colomb est spéculatif.

Tomás porta de nouveau son attention sur le livre de Fernand.

– Laissez-moi vous montrer d'autres incohérences relevées par Toscano. Par exemple, cette histoire selon laquelle après avoir nagé jusqu'au rivage, son père est allé à Lisbonne « car il savait que de nombreux concitoyens génois vivaient dans cette ville ».

– Vous ne pouvez pas le nier.

– Mais réfléchissez, Nelson. Fernand n'a-t-il pas dit, quelques pages plus tôt, qu'il avait visité Gênes sans avoir pu localiser un seul membre de sa famille ? N'était-ce pas lui qui aurait dit que les origines de son père étaient à Plaisance ? Pourquoi, juste après avoir écrit ça, voudrait-il nous faire croire que son père était originaire de Gênes ? – Tomás regarda les notes du professeur. – Encore une fois, Toscano semble avoir soupçonné le traducteur génois d'avoir trafiqué la vérité, puisqu'il a de nouveau écrit « *Traduttore, traditore* ». – Il saisit d'autres photocopies. – En réalité, il y a tant de contradictions dans ce livre que le père Alejandro de la Torre y Vélez, chanoine de la cathédrale de Salamanque et spécialiste des écrits de Fernand, est également arrivé à la conclusion que « quelqu'un l'avait trafiqué et falsifié ».

– Vous êtes en train de dire que c'est un faux ?

– Non. L'*Histoire de la vie et des découvertes de Christophe Colomb* a bien été écrit par Fernand. Personne ne remet cela en question. Mais il y a dans le texte publié certaines contradictions et incohérences qui ne peuvent avoir que deux explications : soit Fernand n'avait pas toute sa tête, ce qui semble peu probable, soit quelqu'un s'est amusé avec des détails clefs de son manuscrit, les adaptant au goût des lecteurs italiens, pour lesquels il a été publié pour la première fois.

– Qui serait ce « quelqu'un » ?

– Eh bien, il me semble que cela va de soi : ça ne peut être que Baliano de Fornari, le Génois à qui Luis Colón de Toledo a confié le manuscrit et qui n'en a publié que la traduction italienne, avouant ouvertement qu'il voulait que la « gloire première » de la découverte de l'Amérique aille « à l'État de Gênes, patrie du grand explorateur ».

Moriarti eut un geste d'impatience.

– Continuez.

– Eh bien, passons au témoin le plus important.

– Qui ça ?

– Colomb lui-même.

– Qu'est-ce qu'il dit ? demanda Moliarti.

Tomás prit une profonde inspiration tout en remettant de l'ordre dans ses photocopies.

– Nous savons maintenant que Colomb a passé toute sa vie à cacher son passé. Nous l'appelons Christophe Colomb, mais il n'existe pas un seul document dans lequel il se présente sous ce nom. Pas un seul. Colomb s'est toujours présenté, dans les manuscrits qui ont survécu, sous le nom de Colom ou Colón. Non seulement l'homme que nous appelons aujourd'hui Christophe Colomb n'a jamais, pour autant que nous sachions, utilisé ce nom pour se présenter, mais il s'est également assuré que ses origines restent entourées de mystère.

– Vous voulez dire qu'il n'a jamais dit où il était né ?

– Disons que Colomb a toujours caché ses origines avec le plus grand soin, à l'exception d'une occasion.

Tomás désigna quelques photocopies qu'il avait mises de côté.

– Son *mayorazgo*.

– Son *mayor*-quoi ?

– *Mayorazgo*, ou majorat. C'est un testament, daté du 22 février 1498, établissant les droits de son fils portugais, Diego, peu de temps avant le départ de Colomb pour son troisième voyage vers le Nouveau Monde. – Tomás parcourut le texte du regard. – Dans ce document, Colomb rappelle à la Couronne sa contribution à la nation et demande aux Rois catholiques et à leur fils aîné, le prince Juan, de protéger ses droits et sa « charge d'amiral de l'océan, qui est à l'ouest d'une ligne imaginaire que Sa Majesté a fait tracer d'un pôle à l'autre, à cent lieues au-delà des Açores, et autant au-delà des îles du Cap-Vert ». Colomb indiqua que ces droits devaient être légués à son premier-né, Diego, « un homme de naissance légitime et portant le nom de Colón, hérité de son père et de ses ancêtres ». Si Diego mourait sans héritier de sexe masculin, les droits devaient passer à son demi-frère, Fernand, puis au frère de Colomb, Bartolomeo, puis à son autre frère, et ainsi de suite, tant qu'il y aurait des héritiers mâles. – Tomás leva les yeux vers Moliarti. – Ce détail est important. Vous remarquerez que Colomb ne dit pas « portant le nom de Colomb » lorsqu'il parle de lui-même et de ses ancêtres ; il dit « portant le nom de Colón ».

– J'ai compris, dit Moliarti d'un ton plaintif, le visage rembruni. Mais qu'en est-il de ses origines ?

– J'y viens, dit Tomás en lui faisant signe d'être patient. Son testament établit également qu'une partie des revenus auxquels l'amiral avait droit devait être versée à l'office de saint Georges et fournit des instructions très précises sur la façon dont ses héritiers devaient signer tout document. Colomb ne voulait pas qu'ils utilisent leur nom de famille, mais simplement le titre *el Almirant*, sous une étrange pyramide d'initiales et de points. – Tomás montra une autre page. – Voici la partie qui vous intéresse, Nelson. Vous et Toscano, visiblement. Dans son testament, Colomb fit quelque chose sans précédent et rappela aux Rois catholiques qu'il était à leur service en Castille, bien qu'il fût né à Gênes.

– Ha ! Ha ! s'exclama Moliarti en bondissant presque de sa chaise. Voilà la preuve !

– Oh la ! Doucement ! dit Tomás en riant de voir Moliarti s'emporter ainsi. Dans une autre partie de son testament, il demande à ses héritiers de toujours maintenir une personne de leur lignée à Gênes, « dans la mesure où j'y suis né ».

– Vous voyez ? C'est très clair !

– C'est parfaitement clair, en effet, répondit Tomás avec un sourire suffisant. Si c'est la vérité.

Le visage de Moliarti s'assombrit. Son sourire s'estompa, mais sa bouche resta ouverte et ses yeux s'écarquillèrent d'incrédulité.

– C'est quoi ce bordel ? dit-il, sortant de ses gonds. Hors de question ! Vous n'allez quand même pas me dire que c'est un faux ? Sérieusement, arrêtez vos conneries !

– Hé ! s'écria Tomás qui, perturbé par cet emportement, leva les mains en signe de capitulation. Attendez une minute. Je ne dis pas que telle chose est vraie ou fausse. Tout ce que je fais, c'est étudier les documents et les témoignages, consulter les notes de Toscano et tenter de reconstruire son cheminement. Après tout, c'est bien pour ça que vous m'avez embauché, non ? Bon, eh bien, ce que j'ai découvert, c'est que Toscano avait de très gros doutes sur certains aspects de la biographie traditionnelle de Christophe Colomb. Ce que je suis en train de faire, c'est vous exposer le problème de leur fiabilité. Si l'on considère tous les documents et témoignages comme vrais, alors la biographie de l'amiral n'a aucun sens. Il serait né à plusieurs endroits en même temps et aurait eu plusieurs âges et noms différents. C'est impossible. À un moment ou à un autre, il faudra décider de ce qui est vrai et de ce qui est faux. Si l'on veut que Colomb soit génois, il suffit d'ignorer les contradictions et les incohérences des documents et témoignages qui soutiennent cette théorie, et de recourir à de simples suppositions pour les résoudre. L'opposé est également vrai. Mais je ne suis pas ici pour détruire l'hypothèse génoise. En réalité, les origines de Christophe Colomb m'importent peu. Que voulez-vous que ça me fasse ? – Il marqua une pause. – Tout ce que j'essaie de faire, c'est reconstruire le travail de Toscano, ce pour quoi j'ai été embauché.

– Vous avez raison, dit Moliarti, qui s'était un peu calmé. Désolé, je me suis emballé pour rien. Continuez, s'il vous plaît.

– Bon, comme je l'ai déjà dit, Colomb fait dans son testament deux références explicites à Gênes comme sa ville de naissance.

– Donc Colomb a affirmé à deux reprises être né à Gênes.

– Oui, dit Tomás. Ce qui signifie que maintenant tout dépend d'une évaluation de la fiabilité de ce document. Il existe une ratification royale de son *mayorazgo*, datée de 1501, mais qui ne fut découverte qu'en 1925. Elle se trouve aux Archives générales de Simancas. J'ai apporté des photocopies de la copie certifiée conforme des brouillons de son testament, qui se trouve aux Archives générales des Indes à Séville. – Il agita les pages en question. – J'imagine qu'il s'agit de la copie qui était au centre des *Pleyto Sucessorio*, une série de procès qui se sont ouverts en 1578 pour déterminer l'héritier légitime de l'amiral après la mort de Don Diego, son arrière-petit-fils. Il ne faut pas oublier que le *mayorazgo* stipulait que tous les héritiers devaient être des hommes portant le nom de Colón. Mais, désobéissant directement à la clause établie par l'amiral, la cour décida que le nom de Colombo était également valable, et cette annonce circula rapidement dans toute l'Italie. Puisque Christophe Colomb avait droit à une partie de tout revenu provenant des Indes, la nouvelle que toute personne portant le nom de Colombo pouvait être candidate à la succession déclencha un intérêt immense chez les Italiens. Le nom « Cristoforo Colombo » se trouvait être très commun en Italie ; la cour stipula donc que les candidats devaient avoir parmi leurs ancêtres un frère nommé Bartolomeo, un autre frère nommé Jacobo et un père nommé Domenico. Plusieurs descendants de Colomb se présentèrent, parmi lesquels un certain Baldassare Colombo, de Cuccaro Monferrato, et c'est durant ces audiences qu'un avocat espagnol nommé Verástegui présenta une copie du brouillon, montrant qu'il avait été ratifié par le prince Jean le 22 février 1498, date de l'exécution du testament.

– Qui est ce prince Jean ?

– Le fils aîné des Rois catholiques.

– Donc, si je comprends bien, vous avez une copie du brouillon ratifiée par le prince héritier, mais vous n'êtes toujours pas sûr de son authenticité ?

– Nelson, dit Tomás à voix basse, le prince Jean est mort le 4 octobre 1497.

– Et ?

– Comment a-t-il pu ratifier la copie d'un brouillon en 1498, hein ?

Il lui fit un clin d'œil.

Moliarti resta silencieux pendant un long moment, réfléchissant au problème sans quitter Tomás des yeux.

– Eh bien… hmm…

– Ceci, mon cher Nelson, est un vrai problème, qui ébranle complètement la crédibilité de la copie du *mayorazgo*. Et le pire, c'est que ce n'est pas la seule incohérence dans le document.

– Ah bon, il y en a d'autres ?

– Bien sûr. Regardez ça. – Il lui montra une photocopie du texte. – « Je prie aussi le roi et la reine, nos souverains, et leur fils aîné, le prince don Jean, notre maître »… – Tomás leva les yeux sur Moliarti. – C'est le même problème : Colomb s'adresse au prince Jean comme s'il était vivant, alors qu'il était mort l'année précédente, à l'âge de dix-neuf ans. Ce fut un tel événement à l'époque que toute la cour porta le deuil, les institutions publiques et privées fermèrent leurs portes pendant quarante jours, et des signes de deuil furent placés sur les murs et les portes des villes espagnoles. Dans ces circonstances, comment l'amiral, une personne proche de la cour, en particulier de la reine, aurait-il pu ne pas être au courant de la mort du prince ? – Il sourit et secoua la tête. – À présent, écoutez ça. – Tomás poursuivit en regardant ses photocopies. – « Ledit Don Diego, ou tout autre héritier de ces biens, possédera ma charge d'amiral de l'océan, qui est à l'ouest d'une ligne imaginaire que Sa Majesté a fait tracer d'un pôle à l'autre, à cent lieues au-delà des Açores, et autant au-delà des îles du Cap-Vert.

» Ce court passage comporte tout autant d'incohérences. Pour commencer, comment diable le grand Christophe Colomb aurait-il pu affirmer que les îles du Cap-Vert se trouvaient sur le même méridien que les Açores ? Est-il possible que l'homme qui a découvert l'Amérique, qui a même visité ces deux archipels portugais, ait fait une si grossière erreur ?

» Deuxièmement, nous ne devons pas oublier que cette affaire des cent lieues était apparue dans la bulle papale *Inter cœtera*, datant de 1493, qui donna lieu au traité d'Alcaçovas. Le problème est qu'en 1498, lorsque le *mayorazgo* fut signé, le traité de Tordesillas était déjà en vigueur. Alors comment est-il possible que l'amiral se réfère à un traité qui n'était plus d'actualité ? Est-ce qu'il avait perdu la tête ?

» Troisièmement, il dit “à l'ouest d'une ligne imaginaire que Sa Majesté a fait tracer”, à une époque où la reine Isabelle était toujours en vie. Elle n'est décédée que six ans plus tard, en 1504. Alors pourquoi Colomb aurait-il fait référence aux Rois catholiques au singulier ? L'usage voulait, comme on peut le voir dans n'importe quel document de cette époque, qu'on les désigne sous le titre “Leurs Majestés”, au pluriel. Colomb aurait-il décidé d'insulter la reine en faisant comme si elle n'existait pas ? Ou ce document aurait-il pu être écrit après 1504, lorsqu'il n'y avait plus qu'un seul monarque, par un faussaire qui aurait négligé ce détail et aurait daté le document de 1498 ?

– Je vois, dit Moliarti d'un air dépité. Autre chose ?

– Oui, ce n'est pas tout. Le fait que Colomb fasse deux références à Gênes dans son testament mérite une analyse particulière. – Il leva deux doigts. – Deux. Ces références disent explicitement que c'est la ville où il est né. – Il s'adossa à sa chaise et remit ses photocopies en ordre. – Ce que je veux dire par là, c'est que Colomb a passé toute sa vie à cacher ses origines. C'était une telle obsession chez lui que le criminologue Cesare Lombroso, un des grands détectives du XIXe siècle, le classifia même comme paranoïaque. – Il regarda Moliarti. – Plus il devenait célèbre, moins il voulait que les gens connaissent son lieu de naissance et sa famille. Donc, pendant toutes ces années, ce type fait tout son possible pour garder son lieu de naissance secret, et puis soudain, du jour au lendemain, il change d'avis et fait une orgie de références à Gênes dans son testament, détruisant d'un seul coup tout ce qu'il avait construit ? Est-ce que ça vous paraît logique ?

Moliarti soupira.

– Donc ça signifie que son testament est un faux, n'est-ce pas ?

– C'est la conclusion à laquelle est arrivée la cour espagnole, Nelson. Et les biens ont finalement été légués à Dom Nuno, du Portugal, un autre des arrière-petits-fils de Colomb. Mais Nelson, écoutez bien ce que je vais vous dire : il y avait un testament authentique et il a disparu. Certains historiens, comme l'Espagnol Salvador de Madariaga, pensent que son testament a été falsifié, mais que de nombreux aspects du faux testament sont basés sur le document original. – Tomás consulta ses notes. – Cette opinion est partagée par l'historien Luís Ulloa, qui a découvert que la copie falsifiée du *mayorazgo* présentée par l'avocat Verástegui s'était trouvée à un certain moment entre les mains de Luísa de Carvajal, qui était mariée à un certain Luís Buzon, un faussaire connu.

– Et le professeur Toscano, qu'en pensait-il ?

– Le professeur était convaincu que le testament avait été falsifié à partir d'un véritable original, celui qui a été perdu. Comme je l'ai déjà dit, tout le monde voulait être l'héritier de Colomb et il est logique que dans de telles circonstances, avec tant d'argent en jeu, des imposteurs commencent à fleurir un peu partout. Il est donc possible que ce Luís Buzon ait falsifié le testament – avec beaucoup de talent, d'un point de vue technique – et qu'il ait recopié telles quelles les sections les moins problématiques, dont l'essentiel des clauses exécutives.

Tomás agita la main comme s'il voulait ajouter autre chose.

– En réalité, il faut avouer qu'il est étrange que ce testament ne soit pas apparu à la mort de Colomb en 1506. Il n'est apparu qu'en 1578, plus de soixante-dix ans après, à une époque où il semble avoir favorisé un des partis qui se sont fait connaître. Dans ces conditions, comment peut-on croire ce qui y est écrit ? – Tomás sembla soudain un peu las. – C'est impossible.

Moliarti haussa les épaules, avec un air résigné.

– Alors oublions le *mayorazgo*. Existe-t-il d'autres documents ?

– Il y en a qui dateraient de la même période, mais ils n'ont été découverts que beaucoup plus tard, au XIXe siècle pour la plupart. Leur contenu et leurs incohérences seront dans le rapport écrit que je vous rendrai. Concentrons-nous sur le document le plus important, si vous voulez bien.

– D'accord.

– En 1799, Filippo Casoni, originaire de Gênes, publia *Annali della repubblica di Genova*, qui comprend l'arbre généalogique de Cristoforo Colombo, le tisserand de soie. Puisqu'on ignorait encore si le nom de l'explorateur était Colom ou Colón, il contourna le problème en décidant que Colombo était une variante de Colom signifiant « de la famille Colom ». C'était une décision assez audacieuse, qui fut la porte ouverte à toute une quantité de textes officiels. Mais la découverte la plus importante fut publiée en 1904 dans la revue académique *Giornale storico e letterario della Liguria* : elle disait que le colonel génois Ugo Assereto affirmait avoir trouvé un acte notarié daté du 25 août 1479 qui annonçait le départ de Christophe Colomb pour Lisbonne le lendemain. Le document Assereto, comme on l'appelle aujourd'hui, révèle aussi que l'âge de Colomb était « *annorum viginti septem vel circa* », approximativement vingt-sept ans, ce qui signifierait qu'il est né en 1451.

– Vous n'allez pas encore me dire que tout ça est faux, si ? demanda Moliarti.

– Nelson, dit Tomás en souriant, vous pensez réellement que je pourrais être aussi cruel ?

– Oui.

– Vous avez tort, Nelson. Je serais incapable de faire une telle chose.

Une expression de soulagement se dessina sur le visage de Moliarti.

– Bien.

– Cependant...

– Je vous en prie...

– Il faut toujours évaluer la fiabilité d'un document, le regarder d'un œil critique, essayer de détecter les intentions et s'assurer qu'il ne contient pas d'incohérences.

– Vous n'allez pas me dire qu'il y a des anomalies dans ces documents aussi ?

– J'ai bien peur que si.

Moliarti, découragé, laissa sa tête tomber en arrière.

– Bordel !

– La première chose à prendre en compte est qu'ils ne sont pas apparus quand ils auraient dû, mais beaucoup plus tard. Dans ses notes, Toscano a même utilisé cette expression française : « Le temps qui passe, c'est l'évidence qui s'efface. » Dans ce cas, c'est apparemment l'inverse : plus le temps passe, plus les évidences apparaissent.

– Vous dites que les actes notariés sont tous faux ?

– Non, ce n'est pas ce que je dis. Ce qu'ils prouvent, c'est qu'il y avait bien un Cristoforo Colombo à Gênes, tisserand de soie, qui avait un frère prénommé Bartolomeu, un autre prénommé Jacobo, et un père tisserand de laine dont le nom était Domenico Colombo. C'est probablement vrai. Personne ne remet cela en question. Ce que les documents ne prouvent pas, en revanche, c'est que ce tisserand de soie qui vivait à Gênes est la personne qui a découvert l'Amérique. Il n'y a qu'un seul document qui établit un lien entre les deux. – Il montra des photocopies. – C'est le document Assereto. Il établit clairement un lien entre le Colombo génois et le Colom ibérique, en mentionnant la date à laquelle le tisserand de soie est parti pour le Portugal.

– Laissez-moi deviner, dit Moliarti sur un ton légèrement sarcastique. Le document n'est pas entièrement fiable.

– Non, dit Tomás en ignorant son ironie. Considérons les choses dans leur ensemble, en gardant toujours à l'esprit que les documents attestant de la présence de Colomb à Gênes n'ont commencé à émerger comme des champignons qu'au XIXe siècle. Lorsque l'explorateur rentra de son premier voyage au Nouveau Monde, les ambassadeurs génois à Barcelone en 1493, Francesco Marchesi et Giovanni Grimaldi, envoyèrent la nouvelle de son exploit à Gênes, mais oublièrent de mentionner un petit détail, une chose visiblement de peu d'importance : que l'amiral était un compatriote. Et personne à Gênes ne les en informa. Cela vous semble logique ? Et ce n'est pas tout. En 1492, l'année de la découverte de l'Amérique, le père du tisserand Cristoforo Colombo était toujours en vie. Mais il n'existe aucun document affirmant que lui ou des membres de sa famille, des voisins, amis ou connaissances auraient célébré – ou simplement appris – la nouvelle. Par ailleurs, des documents génois officiels montrent que Domenico est mort dans la pauvreté en 1499, après avoir hypothéqué tous ses biens. L'explorateur ignora son père, démuni, jusqu'à sa mort. Et de leur côté, aucun des nombreux créanciers de Domenico ne demanda à son illustre fils de régler ces dettes.

» Plus surprenant encore, pendant les célèbres *Pleyto Sucessorio,* les procès ouverts en 1578 pour déterminer l'héritier légitime de l'amiral après la mort de son arrière-petit-fils, un nombre incalculable de candidats venus de toute la Ligurie arrivèrent en Espagne, affirmant être des descendants de Colomb. – Tomás fixa Moliarti du regard. – Devinez combien de ces candidats venaient de Gênes…

Moliarti secoua la tête.

– Aucune idée.

Tomás forma un cercle avec son pouce et son index.

– Zéro, Nelson.

Il laissa le mot résonner dans l'air comme l'écho d'un gong.

– Pas un seul de ces candidats ne venait de Gênes.

Il marqua une nouvelle pause pour souligner l'importance de cette révélation.

– Jusqu'à ce que des documents commencent à surgir un peu partout au XIXe siècle. Nous devons, en revanche, garder à l'esprit que la recherche historique, à l'époque, était dangereusement mêlée aux intérêts politiques. Les Italiens étaient au milieu d'un processus d'unification et d'affirmation nationale, mené par le Ligurien Giuseppe Garibaldi. C'est à cette époque que les premières théories selon lesquelles Colomb n'était peut-être pas italien sont apparues. C'était inacceptable pour le nouvel État. Le Colomb génois était un symbole d'unité et de fierté pour les millions d'Italiens du pays récemment créé, ainsi que pour ceux qui avaient commencé à émigrer aux États-Unis, au Brésil et en Argentine. Le débat s'est teinté de nationalisme. C'est dans ce contexte socio-politique que la théorie génoise a soudain connu une crise. D'un côté, furent découverts de nombreux documents prouvant qu'un Cristoforo, un Domenico, un Bartolomeo et un Jacobo avaient bien vécu dans cette ville, mais il n'y avait aucun moyen d'établir avec certitude qu'il existait une quelconque relation entre ces personnes et l'explorateur. Sans compter qu'un tel lien semblait absurde, puisque le Colombo génois était un tisserand sans éducation, tandis que le Colom ibérique était un amiral versé en cosmographie, en navigation, dans les langues et en littérature. Compte tenu de ce qui était en jeu, en particulier avec ce scénario politique et cet élan de nationalisme italien en arrière-plan, c'était inacceptable. Et puis, providentiellement, le document Assereto est apparu, fournissant la preuve nécessaire. Le fait que ce document ait été découvert précisément au moment où l'Italie en avait le plus besoin est clairement suspect. Encore plus quand on sait que le colonel Assereto, après avoir fourni la preuve tant attendue, fut honoré par l'État italien pour services rendus à la nation et promu général.

– Tout cela est peut-être vrai, mais je suis désolé, encore une fois ce ne sont que des spéculations. Y a-t-il un élément dans l'acte notarié découvert par Assereto qui puisse être remis en question ?

– Oui.

Les deux hommes échangèrent un long regard.

– Lequel ? demanda finalement Moliarti en avalant sa salive.

– La date de naissance de Colomb.

– Quel est le problème ?

– L'affirmation du document Assereto selon laquelle Colomb serait né en 1451 est contredite par un témoin important. – Tomás lança à Moliarti un regard plein de défi. – Devinez qui a remis en question la date donnée dans le document Assereto ?

– Je n'en ai pas la moindre idée.

– Christophe Colomb lui-même. Nous savons maintenant que, entre bien d'autres choses, il s'est donné beaucoup de peine pour cacher sa date de naissance. Son fils Fernand a simplement révélé que son père était devenu marin à l'âge de quatorze ans. Colomb lui-même, en revanche, est resté silencieux sur son âge, mais il lui a échappé à deux reprises. Dans le journal de son premier voyage, le 21 décembre 1492, il écrit : « J'ai parcouru les mers pendant vingt-trois ans, sans la quitter pour une période qui mériterait d'être comptée. » À partir de cette déclaration, il nous suffit de faire le calcul.

Tomás se mit à griffonner sur une page vierge de son carnet.

» Si on additionne vingt-trois ans en mer et huit à Castille, que l'on peut considérer comme une période "méritant d'être comptée", pendant lesquels il a attendu l'autorisation de naviguer, et les quatorze années entre sa naissance et le début de sa carrière de marin, cela donne quarante-cinq. Autrement dit, Colomb avait quarante-cinq ans lorsqu'il découvrit l'Amérique en 1492. Maintenant, si l'on soustrait quarante-cinq à 1492, on obtient 1447. L'année de sa naissance.

Tomás regarda ses notes.

» Plus tard, dans une lettre datée de 1501 et transcrite par Fernand, Colomb écrit aux Rois catholiques : "cette entreprise m'a occupé pendant plus de quarante ans" ; il fait ici référence à sa carrière de navigateur. – Tomás revint à la page sur laquelle il avait fait ses premiers calculs. – Si on ajoute quarante aux quatorze années de son enfance, nous obtenons cinquante-quatre. Il a donc écrit cette lettre en 1501, à l'âge de cinquante-quatre ans. Si l'on soustrait cinquante-quatre à l'année 1501, on obtient de nouveau 1447. Dans les deux cas, Colomb laisse entendre qu'il est né en 1447, quatre ans avant 1451, date à laquelle le document Assereto affirme qu'il serait né. Cela le discrédite complètement. En plus, le document Assereto n'est, à proprement parler, qu'un simple brouillon, qui n'a été signé ni par le déclarant ni par le notaire, et qui ne mentionne pas la paternité de Colomb, ce qui était la norme dans les documents similaires de l'époque.

Moliarti soupira bruyamment. Il se pencha en arrière et observa les remparts, et la ville derrière eux.

– Dites-moi une chose, Tom, demanda-t-il, brisant le silence qui s'était installé. Pensez-vous que Colomb n'était pas génois ?

Tomás attrapa un cure-dents et commença à jouer avec, le faisant tourner entre ses doigts comme un acrobate miniature.

– Il ne fait selon moi aucun doute que, d'après le professeur Toscano, il n'était pas génois.

– Ça, je l'ai bien compris, dit Moliarti. Mais j'aimerais connaître votre opinion.

Tomás sourit.

– Vraiment ? – Il étouffa un petit rire. – Nous avons ici deux possibilités. Soit nous considérons comme authentiques les documents et récits génois, malgré leurs incohérences, et dans ce cas, Colomb était génois. Soit nous acceptons les innombrables objections à cette théorie et, dans ce cas, il n'était pas génois. – Il leva un troisième doigt. – Il reste une autre hypothèse, peut-être la plus plausible de toutes. Elle se situe quelque part entre les deux premières versions, mais il nous faut faire un petit effort de raisonnement. Cette troisième possibilité est que les preuves et signes des deux côtés soient, dans l'ensemble, corrects, bien que les deux comportent des mensonges et des inexactitudes.

– Celle-ci me plaît.

– Elle vous plaît parce que vous n'avez pas encore pensé à ce qu'une telle hypothèse implique, dit Tomás en riant.

– Ce qu'elle implique ?

– Oui, Nelson. – Il leva deux doigts. – Elle implique que nous ayons affaire à deux Colomb.

Il marqua une pause pour laisser cette idée s'installer dans l'esprit de l'Américain.

– Deux. Le premier, Cristoforo Colombo, génois, tisserand de soie sans éducation, peut-être né en 1451. Et le second, Cristóvão Colom ou Cristóbal Colón, de nationalité incertaine, expert en cosmographie et en sciences nautiques, versé en latin, un amiral, et l'homme qui a découvert l'Amérique, né en 1447.

Moliarti semblait choqué.

– C'est impossible.

– Et pourtant, mon cher Nelson, tout pointe dans cette direction. – Tomás sourit. – Deux Colomb. Le tisserand de soie génois et l'homme qui a découvert le Nouveau Monde. – Ses deux doigts se resserrèrent. – Deux hommes différents que l'histoire a réunis en un seul.

Moliarti soupira, et ses épaules s'affaissèrent comme en signe de reddition.

– Je vois.

– Et, bien sûr, ceci soulève une question très importante...

– Laquelle ?

– Eh bien, si l'homme qui a découvert le Nouveau Monde n'était pas le tisserand de soie génois Cristoforo Colombo, alors qui diable était-il ?

Après que Moliarti fut parti, Tomás se promena dans les environs du château, perdu dans ses pensées. Il songea à Lena. Elle avait été d'une aide inestimable durant ces dernières semaines. Elle avait posé des questions, s'était impliquée dans son travail, l'avait aidé dans ses recherches, avait interrogé des amis qui étudiaient la philosophie, essayé de trouver des indices susceptibles de l'aider à résoudre l'énigme, et elle lui avait même apporté des essais sur Michel Foucault dans l'espoir qu'ils fournissent des détails qu'il aurait négligés. Lena était en réalité tellement dévouée à sa cause qu'elle avait même lu la traduction portugaise de l'*Histoire de la folie à l'âge classique*, à la recherche du nombre 545 ou de mots en lien avec l'énigme qui le tourmentait. Mais, malgré son aide et ses propres efforts, il n'avait pas trouvé le moindre indice.

Il avait encore d'autres livres à étudier et beaucoup de travail devant lui. Il s'arrêta dans une librairie et trouva *Les Mots et les Choses*, qui pourrait peut-être, espérait-il, l'aider dans sa quête. Être entouré de livres l'aidait à détendre son corps et son esprit, lui permettait de penser plus clairement, d'établir des liens, aussi passa-t-il un long moment à parcourir les rayons. Il trouva deux ouvrages d'Amin Maalouf, qu'il examina avec attention : *Le Rocher de Tanios* et *Samarcande*. Ils lui faisaient tous les deux envie, mais il résista à la tentation ; il était peu probable qu'il puisse les lire dans un futur proche.

Il continua néanmoins à parcourir nonchalamment du regard les volumes du rayon. Son attention fut attirée par un titre énigmatique sur une très belle couverture, *Le Dieu des petits riens*, d'Arundhati Roy, mais ce fut surtout *Le Nom de la rose* d'Umberto Eco qui le fit sourire. Un excellent livre, pensa-t-il ; difficile, mais intéressant.

À côté du classique d'Eco se trouvait son *Pendule de Foucault*. Tomás fit la moue ; Eco avait eu le bon sens de s'attaquer au physicien Léon Foucault et de se tenir éloigné du philosophe Michel. Léon avait démontré, au XIXe siècle, la rotation de la Terre grâce à un pendule, qui était désormais exposé à l'Observatoire de Paris. Lorsque Tomás examina la couverture du livre, trois mots lui sautèrent aux yeux : *Eco, pendule, Foucault*. Il s'immobilisa, comme hypnotisé par ces mots.

Eco, pendule, Foucault.

Fébrile, il attrapa maladroitement son portefeuille dans la poche de sa veste et en sortit le petit morceau de papier sur lequel il avait noté l'énigme de Toscano. La question de l'historien l'interrogeait avec toute la splendeur d'un mystère qu'il commençait à croire insoluble :

QUEL ÉCHO DE FOUCAULT EST EN SUSPENS AU 545 ?

Ses yeux firent des allées et venues de la couverture du livre au morceau de papier. Écho, Foucault, suspens. Eco, pendule, Foucault. Le livre était intitulé *Le Pendule de Foucault* et avait été écrit par Umberto Eco. Le professeur Toscano avait demandé : « Quel écho de Foucault est en suspens au 545 ? » Tomás eut l'impression d'avoir été frappé par la foudre.

– Bon sang.

La clef de l'énigme n'était pas cachée dans les livres de Michel Foucault, mais dans le roman d'Umberto Eco au sujet du pendule inventé par l'autre Foucault, Léon. Écho, Eco. Comment avait-il pu être aussi stupide ? Il se maudit. La réponse se trouvait juste sous son nez depuis le début, simple et évidente, et ce n'était que son obsession ridicule pour Michel Foucault qui l'avait empêché de la voir. N'importe qui aurait immédiatement compris qu'il s'agissait d'une référence explicite au pendule de Foucault, pas à l'homme de lettres, docteur, amoureux d'histoire.

– Imbécile.

Il étudia de nouveau le livre et le morceau de papier, son regard passant de l'un à l'autre, jusqu'à ce que son attention se porte sur le dernier élément de la question : les trois chiffres précédant le point d'interrogation.

545.

Avec les gestes maladroits d'un homme affamé devant un banquet de rois, Tomás feuilleta le livre à toute allure, tremblant d'impatience de découvrir enfin la solution, jusqu'à ce qu'il trouve la page 545.

XIV

Tomás sortit le *Pendule de Foucault* de sa mallette et le tendit à Lena, qui pencha la tête sur le côté.

– Qu'est-ce que c'est ? demanda-t-elle en étirant ses longues jambes sur les genoux de Tomás.

– Apparemment, c'est à ce livre d'Umberto Eco que le professeur Toscano faisait référence.

Lena saisit l'ouvrage et l'examina.

– Qu'est-ce qu'il y a à la page 545 ?

Tomás lui prit des mains, trouva la page 545 et la lui montra.

– C'est une scène qui se passe dans un cimetière. Il décrit un enterrement de partisans pendant l'occupation allemande à la fin de la Seconde Guerre mondiale. Je l'ai lue et relue des dizaines de fois, mais je n'ai rien trouvé.

– Je peux regarder ? – demanda-t-elle en tendant la main. Elle lut la page 545 avec attention.

– Tout ça a l'air… assez inutile, finit-elle par dire en riant.

Elle tourna les premières pages et regarda le diagramme de l'Arbre de Vie avec les dix *Sephiroth* hébraïques reproduits avant le début du texte. Elle lut la première épigraphe et resta silencieuse un moment. Elle posa sa main sur le bras de Tomás et se redressa.

– Tu connais cette citation ?

– Laquelle ?

Elle la lut à voix haute, haussant la voix théâtralement.

– « C'est pour vous, enfants de la doctrine et de la connaissance, que nous avons écrit ce livre. Examinez-le, réfléchissez aux sens que nous y avons dispersés en divers endroits et rassemblés à nouveau ; ce que nous avons caché dans un lieu, nous l'avons exposé dans un autre, afin que votre sagesse puisse le comprendre. » C'est une citation tirée de *De occulta philosophia* d'Henri-Corneille Agrippa.

Elle regarda Tomás, un peu étourdie.

– Tu crois que c'est lié ?

– On dirait bien.

Il reprit le livre et étudia l'épigraphe.

– « Ce que nous avons caché dans un lieu, nous l'avons exposé dans un autre »...

Il feuilleta lentement le roman. Après l'épigraphe, il y avait une page blanche, suivie d'une page portant le chiffre 1 et un mot étrange, *Keter*.

– Qu'est-ce que c'est ?

– Le premier *Sephira*.

– *Sephira* ?

– Oui. Le singulier du mot *Sephiroth*. Ce sont les éléments structurels de la Kabbale juive – les émanations à travers lesquelles Dieu se manifeste.

Tomás ouvrit la première page de texte. Elle contenait une seconde épigraphe, celle-ci en hébreu, avec le chiffre 1 de nouveau, mais plus petit, sur la gauche. Il lut dans sa tête la première phrase du roman : « C'est alors que je vis le pendule. »

Il feuilleta le livre et, six pages plus loin, trouva un autre sous-chapitre avec une nouvelle épigraphe, une citation de Francis Bacon, et un petit 2 sur la gauche. Il tourna huit nouvelles pages et trouva une page vierge, avec seulement le chiffre 2 et le mot *okhma*, qu'il reconnut comme le deuxième *Sephira*. Il se rendit à la fin du livre et chercha l'index.

Y figuraient les dix *Sephiroth*, chacun avec des sous-chapitres, quelques-uns dans certains cas, beaucoup plus dans d'autres.

Les *Sephiroth* avec le plus de sous-chapitres étaient le 5, *Guebourah*, et le 6, *Tiphéreth*. Il parcourut des yeux les sous-chapitres du 5 ; ils allaient de 34 à 63. Son attention passa du livre au morceau de papier chiffonné sur lequel était écrite la troublante question :

QUEL ÉCHO DE FOUCAULT EST EN SUSPENS AU 545 ?

Il retourna aux sous-chapitres de *Guebourah*, le cinquième *Sephira*, son regard faisant des allées et venues entre la liste de chiffres et l'énigme. Soudain, l'obscure ignorance fit place à l'aveuglante évidence, comme un soleil faisant la lumière sur tout.

– Mon Dieu ! s'exclama-t-il en bondissant du sofa.

– Quoi ? Quoi ?

– Merde alors !

– Qu'est-ce qu'il y a ?

Tomás montra l'index à Lena.

– Tu vois ça ?

– Quoi ?

Il montra le chiffre 5 et le *Guebourah* à côté.

– Ça.

– Oui, c'est un cinq. Et ?

– Quel est le nombre de l'énigme de Toscano ?

– 545 ?

– Oui. Quel est le premier chiffre ?

– Cinq.

– Et quels sont les deux autres chiffres ?

– Quatre et cinq.

– Quatre et cinq, hein ? Est-ce qu'il y a un sous-titre 45 dans le chapitre 5 ?

Lena consulta l'index.

– Oui.

– Alors ce que Toscano voulait dire, ce n'était pas 545 mais 5:45. Chapitre 5, sous-chapitre 45. Tu comprends ?

Lena en resta bouche bée.

– Je comprends, oui.

– Maintenant, regarde ça, dit Tomás en lui montrant l'index. Quel est le titre du sous-chapitre 45 ?

Lena trouva la ligne et la lut à voix haute :

– « Et de là surgit une question extraordinaire. »

– Tu comprends ? demanda encore Tomás en riant. « Et de là surgit une question extraordinaire. » Qu'est-ce que ça peut bien être ? – Il reprit le morceau de papier froissé. – « Quel écho de Foucault est en suspens au 545 ? » – Il leva un sourcil. – En voilà une question extraordinaire !

– Waouh ! s'exclama Lena. On l'a trouvée !

Elle se pencha de nouveau sur l'index.

– À quelle page se trouve ce chapitre ?

Ils localisèrent le numéro de la page : 236.

Lena éclata de rire, tout excitée.

– C'est ce que dit l'épigraphe du livre, tu te souviens ? « Ce que nous avons caché dans un lieu, nous l'avons exposé dans un autre. »

Elle semblait euphorique.

Tomás tourna frénétiquement les pages du livre. Lorsqu'il trouva la page 236, il examina attentivement le texte. Dans le coin supérieur gauche figurait le nombre 45 en petite police, et à droite une épigraphe de Peter Kolosimo, tirée de *Terra senza tempo*.

– « Et de là surgit une question extraordinaire », lut Tomás. « Les Égyptiens connaissaient-ils l'électricité ? »

– Qu'est-ce que ça peut bien vouloir dire ?

– Aucune idée.

Tomás parcourut d'un regard avide le reste de la page, qui ressemblait à un texte mystique, avec des références au mythique continent perdu de Mu, aux îles légendaires d'Atlantis et d'Avalon, et à la ville maya de Chichén Itzá, aux terres peuplées de Celtes, aux Nibelungen et aux civilisations disparues du Caucase et des Indes. Mais c'est en lisant un autre paragraphe que le cœur de Tomás s'emballa.

– Oh, mon Dieu ! murmura-t-il.

– Quoi ?

Il tendit le livre à Lena et pointa le paragraphe. Elle le lut d'une traite :

Un texte sur Christophe Colomb : il analyse sa signature et y trouve une référence aux pyramides. L'intention réelle de Colomb était de reconstruire le Temple de Jérusalem, puisqu'il était grand maître des Templiers en exil. En tant que Juif portugais et par conséquent expert en kabbale, il utilisa des sorts talismaniques pour calmer les tempêtes et vaincre le scorbut.

Lena termina de lire le passage avec une expression de satisfaction mêlée de confusion. Elle se tourna vers Tomás.

– Colomb était juif ?

*

Le coup frappé à la porte avait quelque chose de différent. Madalena Toscano avait appris à reconnaître les coups habituels. Celui-ci ne l'était pas. Rapide et puissant, il trahissait l'impatience de la personne derrière la porte.

– Qui est-ce ? fit-elle de sa voix tremblante.

– C'est moi, répondit un homme de l'autre côté de la porte. Tomás Noronha.

– Qui ça ? demanda-t-elle avec lassitude. Noronha qui ?

– Le professeur d'université qui travaille sur les recherches de votre mari. Je suis venu il y a quelques jours, vous vous souvenez ?

Madalena entrouvrit la porte, laissant la chaîne de sécurité, et regarda par l'entrebâillement, comme à son habitude. Lisbonne n'était plus le village qu'il avait été, disait-elle aux gens. Il était plein de voleurs, de voyous, et de la pire espèce de bons à rien ; il suffisait de regarder les informations. On n'était jamais trop prudent. Ce qu'elle vit derrière la porte n'avait cependant rien de menaçant. L'homme qui la regardait depuis le couloir avait les cheveux bruns, des yeux vert clair et un visage souriant qu'elle reconnut rapidement.

– Oh, c'est vous ! s'exclama-t-elle gaiement. – Elle défit lentement la chaîne de sécurité et ouvrit la porte. – Entrez.

Le vieil appartement enveloppa Tomás de la même odeur de renfermé et de la même lumière tamisée. De fins rayons de soleil traversaient péniblement les interstices des épais rideaux, incapable d'éclairer les coins sombres de la pièce. Tomás tendit un paquet blanc enveloppé de ficelle à son hôtesse qui était encore en robe de chambre.

– C'est pour vous, dit-il.

Madalena Toscano regarda le petit paquet.

– Qu'est-ce que c'est ?

– Des pâtisseries que j'ai achetées à la boulangerie. Elles sont pour vous.

– Oh, Seigneur ! Ce n'était vraiment pas nécessaire...

– Je vous en prie, c'est un plaisir.

Elle lui fit signe de la suivre dans le séjour et ouvrit le paquet.

– Ça a l'air délicieux ! dit-elle avant d'aller chercher une assiette dans le buffet pour y déposer les pâtisseries. Laquelle voulez-vous ?

– Elles sont pour vous.

– Oh, c'est beaucoup trop. Je ne pourrai jamais manger tout ça. En plus, mon médecin me tuerait s'il le savait. – Elle tendit l'assiette. – Servez-vous, allez-y.

Tomás prit un éclair ; il n'avait pas mordu dans un de ces gâteaux sucrés et moelleux depuis très longtemps. Madalena choisit un palmier croustillant.

– J'ai dit à mon fils, l'aîné : « Tu sais, Manuel, j'aimerais quand même voir le travail de ton père publié un jour. » Je lui ai dit qu'un jeune homme de l'université était venu consulter ses documents, mais que je n'avais pas eu de nouvelles depuis.

– Me revoilà.

– Oui. Vous avez trouvé ce que vous cherchiez ?

– Presque tout. Ce dont j'ai besoin maintenant, c'est de voir le contenu de votre coffre.

– Ah oui, le coffre. Mais je vous ai dit que je ne connaissais pas le code.

– C'est un code comportant des chiffres, n'est-ce pas ?

– Oui.

– La dernière fois, vous m'avez dit que lorsque j'aurais trouvé les mots-clefs, je n'aurais plus qu'à convertir les lettres en chiffres.

– Oui, c'est ce que faisait toujours mon mari.

Tomás sourit.

– Alors je pense avoir trouvé les mots.

– Vraiment ? demanda Madalena. Vous êtes sûr ?

– Vous vous souvenez de cette énigme que vous m'avez donnée ?

– Ce fouillis de lettres ?

– Oui.

– Je m'en souviens. Je l'ai ici.

– Je l'ai déchiffrée et je pense avoir la réponse. Est-ce qu'on peut l'essayer ?

Madalena le conduisit dans la chambre à coucher. Ils s'accroupirent devant le coffre et Tomás sortit son carnet de sa mallette. Il tourna les pages jusqu'à ce qu'il trouve ce qu'il cherchait. Il avait noté les mots-clefs et les chiffres correspondants sous chaque lettre :

J	U	I	F	P	O	R	T	U	G	A	I	S
10	21	9	6	16	15	18	20	21	7	1	9	19

Tomás entra les chiffres. Rien ne se produisit. Ils échangèrent un regard déçu, mais Tomás n'abandonna pas. Il essaya la première séquence de chiffres seule, mais la porte du coffre restait résolument fermée.

– Vous êtes certain que c'est la clef du code ? demanda Madalena.

– On ne peut jamais être complètement certain. Mais je pensais que c'était la bonne, oui ; les lettres semblaient correspondre.

– Ça ne pourrait pas être un synonyme ? Parfois, Martinho aimait jouer avec les synonymes.

– Ah oui ? dit Tomás, surpris. – Il se gratta le menton, l'air pensif. – Eh bien, au XVIe siècle, on a commencé à appeler les juifs convertis les nouveaux chrétiens.

Il sortit son stylo de sa veste et écrivit les mots dans son carnet, puis les chiffres correspondants en dessous :

N	O	U	V	E	A	U	C	H	R	É	T	I	E	N
14	15	21	22	5	1	21	3	8	18	5	20	9	5	14

Il entra les deux séquences et attendit un instant. Sans autre résultat : la petite porte resta fermée. Il soupira et passa une main dans ses cheveux, déçu et à court d'idées.

– Non, dit-il en secouant la tête. Ce n'est pas ça.

Tomás et Madalena échangèrent un long regard, désarmés devant le coffre clos.

Les vases en argile étaient remplis de bouquets de grandes fleurs, qui semblaient passer timidement leurs têtes au-dessus des feuilles, pour essayer de respirer un peu d'air frais. Les pétales, de différentes nuances de rose, étaient fins, aussi légers que des plumes, et s'inclinaient vers le centre de la fleur comme des lambeaux de coquille. Ces fleurs étaient belles, voluptueuses, sensuelles.

– Ce sont des roses ? demanda Tomás, un verre de whisky à la main.

– Elles ressemblent à des roses, dit Constance, mais ce sont des pivoines.

Ils venaient de finir de dîner et se reposaient dans le salon pendant que Margarida se mettait en pyjama.

– Qu'est-ce qu'elles signifient ? demanda-t-il. Parle-moi d'elles.

Tomás avait besoin de se changer les idées. Depuis qu'il fréquentait Lena, il n'avait pas eu particulièrement envie de discuter avec Constance, et il était soulagé de pouvoir simplement écouter.

– Péon était le médecin des dieux grecs. D'après la légende, il aurait soigné Pluton grâce aux graines d'une fleur spéciale. On l'appela « pivoine », en hommage à Péon. Pline l'Ancien affirmait que les pivoines étaient capables de soigner vingt maladies, mais ça n'a jamais été prouvé. Les racines de pivoine, en revanche, étaient utilisées au XVIIIe siècle pour protéger les enfants des crises d'épilepsie et des cauchemars, et c'est ainsi que cette fleur commença à être associée à l'enfance.

Tomás observa les fleurs.

– J'aurais juré que c'étaient des roses.

– Elles sont comme des roses, mais sans les épines. C'est pour cette raison que les chrétiens comparent la pivoine à la Vierge Marie. Une rose sans épines.

– Et que représente-t-elle ?

– La timidité. Les poètes chinois utilisaient toujours les pivoines pour décrire le rougissement des jeunes filles timides, associant la fleur à une certaine innocence virginale.

Tomás se leva et alla dans la chambre de sa fille. Il la borda, embrassa ses joues roses et caressa ses cheveux fins en lui racontant une histoire. Bercée par le rythme des mots murmurés par son père, elle s'abandonna à la douce somnolence qui l'envahissait. Ses yeux se fermèrent et sa respiration devint profonde et régulière. Tomás l'embrassa une dernière fois avant d'éteindre la lumière. Il quitta la chambre sur la pointe des pieds, presque sans respirer, ferma délicatement la porte, puis retourna dans le salon.

Constance s'était endormie sur le canapé, la tête penchée sur le côté, presque sur son épaule. Il la prit dans ses bras et l'emmena dans la chambre à coucher, enleva sa veste et ses chaussures d'une main, la posa sur le lit et remonta la couverture. Elle murmura quelque chose d'inaudible et roula sur le côté, serrant l'oreiller dans ses bras. La chaleur de la couverture fit rougir ses joues couvertes de taches de rousseur. Elle ressemblait à un bébé. Tomás éteignit la lumière et s'apprêtait à retourner dans le salon, mais il hésita. Il s'arrêta dans l'entrebâillement de la porte et se retourna pour voir sa femme qui dormait maintenant profondément. Il s'approcha lentement d'elle, prenant soin de ne faire aucun bruit, l'observa un moment, puis s'assit au bord du lit et la regarda en silence. La couverture se soulevait et retombait lentement, au rythme de sa respiration.

Quel futur voulait-il pour sa femme et sa fille, pour sa maîtresse, pour lui-même ? Ne voulait-il pas vivre dans la vérité ? Saraiva lui avait dit que l'homme n'avait pas accès à une vérité objective. Mais en tant qu'être humain, en tant qu'homme, il avait toujours accès à une autre vérité, une vérité subjective. Une vérité morale.

L'honnêteté.

Les bras enserrant son oreiller, Constance semblait innocente et fragile, avec ses boucles éparpillées sur les draps. Il soupira et passa ses doigts dans ses cheveux, jouant distraitement avec les mèches. Il sentit sa douce respiration et admira la façon dont elle faisait face aux difficultés qui le faisaient, lui, trébucher. Il caressa son visage ; sa peau était chaude et douce. Il imagina qu'il avait dans ses mains deux tickets : un qui lui permettait de rester, l'autre qui lui permettait de partir. Il devait prendre une décision. Il pensa à la façon dont il avait projeté ses propres rêves et aspirations sur sa fille, au choc qu'avait été la nouvelle de son handicap, un choc qu'il n'avait jamais vraiment encaissé, malgré les apparences. Constance avait accepté sa déception avec courage, elle l'avait regardée droit dans les yeux. Mais il avait réagi différemment. Après neuf ans de résistance, il avait fui. Il était peut-être temps de revenir.

Il regarda autour de lui comme pour tenter de mémoriser les ombres de la chambre, la respiration douce et régulière de sa femme, les effluves de son parfum toujours présents dans l'air. Il inspira profondément, et à cet instant précis, tout en caressant tendrement le visage calme de Constance, il arriva à une conclusion. Il savait ce qu'il avait à faire.

XV

Le palais s'élevait au-dessus du brouillard, comme suspendu dans les nuages, flottant mélancoliquement au sommet de la pente ombragée des collines de Sintra. La façade en pierre claire, avec ses sphinx, créatures ailées et animaux étranges et effrayants entrelacés ou enveloppés de feuilles d'acanthe, rappelait la magnificence gothique du style manuélin, associée à l'allure sombre, presque sinistre, d'une inquiétante forteresse. Dans la lumière grise d'un après-midi brumeux, ses flèches, pinacles, remparts, tours et tourelles aux ornements finement ciselés dans la pierre, le faisaient ressembler à un château mystérieux et hanté, perdu à jamais dans le temps.

Assis sur un banc en face du jardin, Tomás ne savait toujours pas quoi penser de l'énigmatique palais. Quinta da Regaleira pouvait être un lieu magnifique, qui semblait venir d'un autre monde, mais sous le manteau de brouillard, sa beauté devenait sombre et effrayante, un labyrinthe d'ombre et de lumière.

Il sentit des frissons parcourir son corps et regarda sa montre : 15 h 05. Moliarti était en retard. Le palais était désert. C'était un jour de semaine en plein mois de mars, une période où l'on ne s'attend pas à voir des visiteurs. Il espérait vraiment que Moliarti arriverait bientôt, car l'idée de rester plus longtemps seul ici ne l'enchantait guère.

Il arracha son regard du palais et observa la statue qui lui faisait face. C'était Hermès, messager du mont Olympe et dieu des orateurs, mais également la divinité fourbe et sans scrupules qui conduisait l'âme des morts aux Enfers, celui qui avait donné son nom à l'hermétisme, symbole de l'inaccessible. Tomás regarda autour de lui et se dit qu'Hermès n'aurait pas pu être mieux choisi pour surveiller Quinta da Regaleira, un lieu où les rochers eux-mêmes gardaient des secrets, où même l'air cachait des énigmes.

– Bonjour, Tom ! lança Moliarti en gravissant les marches du jardin. Désolé pour le retard. J'ai eu du mal à trouver.

Tomás se leva pour le saluer, soulagé d'avoir enfin de la compagnie.

– Aucun problème. J'étais en train de profiter de la vue et de l'air pur de la montagne.

Moliarti regarda autour de lui.

– Cet endroit me donne la chair de poule.

– Quinta da Regaleira est peut-être le lieu le plus ésotérique du Portugal.

– Qu'est-ce qui vous fait dire ça ? demanda Moliarti en observant le palais désert.

– À la fin du XIXe siècle, lorsque le Portugal était encore une monarchie, ce domaine fut acheté par un homme nommé Carvalho Monteiro. Il décida de faire de Quinta un lieu ésotérique et alchimique, le point de départ de la mission qu'il s'était donnée, celle de ressusciter la grandeur du Portugal à partir de sa tradition mythique et de ses exploits de la période des grandes découvertes. Regardez ça. Ça ne vous rappelle rien ?

Moliarti examina la structure complexe et argentée du palais.

– Hmm, murmura-t-il. Peut-être la tour de Belém…

– Exactement. Le style néo-manuélin. Quinta a été construit à une période où l'on revisitait les anciennes valeurs. C'est pour cette raison qu'il y a ici d'innombrables références à l'ordre du Christ, qui succéda aux Templiers au Portugal et joua un rôle fondamental dans l'expansion maritime du pays. Les symboles magiques dispersés ici sont en adéquation avec une formule alchimique du christianisme des Templiers et la tradition classique de la Renaissance, avec des racines profondes à Rome, en Grèce et en Égypte. – Il tendit le bras vers la gauche. – Vous voyez ces statues ?

Moliarti contempla la rangée de silhouettes silencieuses qui se tenaient autour d'un jardin à la française, tout en angles et en lignes droites.

– Oui.

– Je vous présente les gardiens des secrets de ce lieu, les sentinelles qui protègent les mystères de Quinta da Regaleira. Ça vous dirait de faire une petite balade ?

Ils passèrent devant les statues pour rejoindre la loggia au fond du jardin.

– Alors, dit Moliarti, vous avez trouvé le code du coffre de la vieille ?

Tomás secoua la tête.

– Je n'ai pas réussi à l'ouvrir. Mais je sais que j'approche du but. L'énigme du professeur Toscano est sans aucun doute liée à un passage du *Pendule de Foucault*.

– Vous en êtes sûr ?

– Certain. Toscano travaillait sur les origines de Christophe Colomb ; il doutait sérieusement qu'il fût originaire de Gênes, et le passage en question parle de Colomb. – Il passa une main dans ses cheveux. – Mais je pense m'être trompé quelque part en déchiffrant le code.

Ils passèrent devant Orphée et Fortuna, et lorsqu'ils atteignirent la loggia, élégamment sculptée, ils tournèrent à droite pour gravir la côte. Le jardin géométrique laissait place à un jardin romantique où s'entremêlaient harmonieusement de la pelouse, des rochers, des buissons et des arbres. Il y avait des magnolias, des camélias, des fougères arborescentes, des palmiers, des séquoias et des plantes exotiques du monde entier. La végétation luxuriante s'ouvrait ensuite sur un lac mystérieux, dont la surface était recouverte d'un épais manteau couleur émeraude. Deux canards glissaient à la surface en caquetant, creusant des sillons sombres qui se refermaient derrière eux, scellant à nouveau l'épaisse couverture verte.

– Le lac de la nostalgie, dit Tomás.

Il montra du doigt d'immenses arches sombres surmontant le lac et redescendant jusque sous la surface de la terre. Elles formaient d'inquiétantes cavités qui rappelaient l'intérieur d'un crâne, ruisselantes de lierre et de fougère.

– C'est la grotte des Cathares. Le lac continue derrière elle.

– Incroyable ! dit Moliarti.

Ils contournèrent le lac, passèrent sur le petit pont surplombé par un immense magnolia et arrivèrent à un petit bâtiment couvert de quartz et d'une mosaïque de pierres minuscules. Une énorme coquille au centre du mur recueillait un filet d'eau clair.

– C'est la fontaine égyptienne, commenta Tomás en désignant la coquille renversée qui faisait office de bassin. Vous voyez ces dessins ? – Il montra deux oiseaux en mosaïque sur le mur. – Ce sont des ibis. Dans la mythologie égyptienne, l'ibis représente Thot, l'inventeur du langage et le dieu des connaissances ésotériques, qui est à l'origine des hiéroglyphes. Vous savez à qui les Grecs l'identifiaient ?

Moliarti secoua la tête.

– Aucune idée.

– À Hermès. Les mystérieux traités alchimiques d'Hermès Trismégiste sont nés de ce syncrétisme de Thot et d'Hermès. – Il montra du doigt le bec de l'ibis sur la gauche, qui semblait tenir un énorme ver. – L'ibis tient dans son bec un serpent, le symbole de la *gnosis*, ou connaissance. – Tomás fit un grand geste. – Rien ici n'est dû au hasard. Tout a un sens, une intention, un message caché, une énigme qui date des premiers jours de la civilisation.

– Mais l'ibis n'a rien à voir avec les grandes découvertes ?

– Tout ici est lié aux grandes découvertes. Dans le *Livre de Job*, où cet oiseau représente le pouvoir de la prévoyance, Dieu demande : « Qui a donné à l'ibis la sagesse ? » Et qu'était le monde des XVe et XVIe siècles, si ce n'était un lieu profond, un oracle à lire, un mystère à résoudre ?

Il contempla les murs du palais en arrière-plan.

» Les découvertes portugaises sont liées aux Templiers qui ont trouvé refuge au Portugal après avoir été persécutés en France avec l'approbation du pape. En réalité, les Templiers ont apporté au Portugal les connaissances qui ont été nécessaires aux grandes aventures maritimes des XVe et XVIe siècles. C'est pour cette raison qu'il y a une sorte de culture mystique autour des découvertes, un mysticisme qui prend ses racines dans l'âge classique et l'idée de la renaissance de l'humanité.

» Quatre textes sont indispensables à la compréhension de l'architecture de ce lieu. *L'Énéide* de Virgile ; son équivalent portugais, *Les Lusiades* de Luís de Camões ; *La Divine Comédie* de Dante Alighieri ; et un texte ésotérique de la Renaissance, qui contient tout autant d'énigmes et d'allégories, *Hypnerotomachia Poliphili* de Francesco Colonna. Ils ont tous été, d'une manière ou d'une autre, immortalisés dans les pierres de Quinta da Regaleira. – Tomás désigna un banc de pierre devant le lac, près de la fontaine égyptienne. – Asseyons-nous un moment.

Deux lévriers montaient la garde de chaque côté du banc et une femme tenait une torche au milieu.

– C'est le banc 515, dit Tomás. Vous savez ce que représente ce 515 ?

– Non.

– C'est un code dans *La Divine Comédie*. C'est le nombre qui correspond à l'envoyé de Dieu, qui vengera la fin des Templiers et annoncera la troisième ère du christianisme, celle du Saint-Esprit, qui apportera la paix éternelle sur terre. Comme vous pouvez le voir, et comme tout le reste ici, ce banc est une allégorie.

Ils s'assirent. Tomás ouvrit sa mallette et en sortit son carnet.

– J'ai une histoire à vous raconter.

– Vraiment ?

Tomás feuilleta son carnet et s'adossa au banc.

– Vous vous souvenez du message chiffré de Toscano ? J'ai finalement compris que c'était une référence à Umberto Eco, qui pensait que Colomb était, en réalité, un Juif portugais.

– Vous plaisantez.

– Regardez vous-même dans *Le Pendule de Foucault*, c'est écrit noir sur blanc. – Il ignora la mine abasourdie de Moliarti. – Eco m'a permis de rediriger mes recherches et j'ai découvert plusieurs choses qui vous intéresseront certainement. – Il jeta un coup d'œil à ses notes. – La première est qu'il n'y a aucun débat possible sur la nationalité de Colomb en termes d'États souverains actuels. À l'époque, les pays n'existaient pas tels qu'ils existent aujourd'hui. L'Espagne était composée de toute la péninsule Ibérique. Les Portugais se considéraient comme espagnols et protestèrent lorsque les Castillans s'approprièrent ce nom. Il n'y avait pas non plus d'explorateurs portugais dans le sens actuel du terme, mais des explorateurs au service du roi du Portugal ou de la reine de Castille. Fernand de Magellan, par exemple, était un navigateur portugais expérimenté qui parcourut le monde à bord d'une flotte castillane. À ce moment-là, il était castillan.

Tomás poursuivit.

» La deuxième chose à prendre en compte est que le grand débat sur la vraie nationalité de Colomb a commencé quelque part autour de 1892, une période de ferveur nationaliste dans le monde entier. Les historiens espagnols ont commencé à trouver des incohérences dans les arguments génois et ont avancé deux hypothèses : Colomb était soit galicien, soit catalan. Les Italiens, pris dans la ferveur de l'époque et déterminés à soutenir, à la fois politiquement et culturellement, leur pays récemment créé, ont violemment rejeté cette possibilité. Des documents falsifiés ont commencé à émerger dans les deux pays.

Tomás sortit un petit livre de sa mallette.

» C'est une étude sur l'identité réelle de Christophe Colomb par Simon Wiesenthal, un juif qui chassa les nazis en fuite, après avoir survécu à l'Holocauste. Wiesenthal dit avoir parlé de son étude à un historien italien, qui lui aurait répondu… – Tomás traduisit directement les mots de ce dernier – "Ce que vous trouvez n'a que peu d'importance. Ce qui compte, c'est que Christophe Colomb ne devienne pas un Espagnol." – Il fixa Moliarti du regard. – En d'autres termes, ce qui l'intéressait, ce n'était pas la vérité, mais la préservation de l'identité italienne de Colomb, et ce à tout prix.

– Oui, enfin, ne nous emballons pas.

Moliarti passa une main dans ses cheveux, comme pour essayer de réorganiser ses pensées.

– Dites-moi, Tom, vous pensez vraiment qu'il est possible que Colomb soit espagnol ?

– Non, je ne le pense pas. Beaucoup d'indices prouvent qu'il n'est né ni en Castille ni en Aragon. Le premier document certifiant sa présence en Espagne date du 5 mai 1487, et évoque un paiement fait à « Cristóbal Colomo, étranger ». En outre, l'origine étrangère de Colomb a même été prouvée par un tribunal espagnol lorsque son fils portugais, Diego, intenta un procès à la Couronne pour n'avoir pas respecté les clauses d'un contrat entre les Rois catholiques et Christophe Colomb, signé en 1492. Pendant le procès, plusieurs témoins déclarèrent sous serment que Colomb parlait castillan avec un accent étranger. Le tribunal rejeta l'accusation, affirmant que les rois, qui étaient autorisés à accorder de telles faveurs aux citoyens espagnols, ne pouvaient pas les accorder à un étranger qui ne vivait pas dans le pays depuis au moins dix-huit ans. – Tomás consulta ses notes. – Le verdict du tribunal se trouve dans le *Codex V.II.17*, que l'on peut consulter à la bibliothèque El Escorial de Madrid. On peut y lire : « Ledit Don Cristóbal était un étranger, ni natif, ni voisin, ni résident du royaume. » Colomb était bien un étranger.

– Génois, dit Moliarti.

– Vous êtes tenace, répliqua Tomás en riant. Peut-être qu'il l'était, après tout. Qui sait ? Mais nous devons quand même envisager la possibilité qu'il fût portugais. C'est apparemment ce que le professeur Toscano pensait. Ainsi qu'Umberto Eco. – Il marqua une pause pour consulter de nouveau ses notes. – Le premier véritable indice nous vient de l'un des cosmographes et géologues les plus célèbres du XVe siècle, Paolo Toscanelli, de Florence. Ce grand scientifique correspondait avec le chanoine de Lisbonne, Fernam Martins, et avec Colomb lui-même. Ce qui nous intéresse plus particulièrement est une lettre qu'il a envoyée à Lisbonne en 1474, adressée à l'explorateur et écrite en latin. – Tomás s'éclaircit la voix. – Toscanelli écrit : « J'ai reçu vos lettres. Je ne suis pas surpris que vous, qui êtes d'un grand courage, et toute la nation portugaise, qui s'est toujours distinguée dans de grandes entreprises, brûliez aujourd'hui du désir d'entreprendre ce voyage. »

– Et ? demanda Moliarti avec dédain.

– Et ? Tomás éclata de rire. Cette lettre parle d'elle-même ! Elle contient au moins quatre faits étranges. Premièrement, elle montre que Christophe Colomb correspondait avec un des plus grands scientifiques de son temps.

– Je ne vois pas ce qu'il y a d'étrange là-dedans.

– Nelson, ceux qui pensent qu'il était génois pensent également que Colomb n'était qu'un tisserand sans éducation. Comment, si c'était le cas, aurait-il pu correspondre avec Toscanelli ? – Tomás marqua une pause, comme pour souligner sa question. Il regarda de nouveau son carnet. – La deuxième chose est ce « vous, qui êtes d'un grand courage, et toute la nation portugaise », qui implique que Toscanelli pensait que Colomb était portugais. – Il sourit. – La troisième chose curieuse est que la lettre, envoyée à Lisbonne, est datée de 1474. – Tomás agita le papier qu'il tenait dans sa main. – Vous vous souvenez du document notarié affirmant que le tisserand de soie Cristoforo Colombo n'était arrivé au Portugal qu'en 1476 ? Comment Toscanelli aurait-il pu correspondre avec Colomb à Lisbonne si celui-ci n'était arrivé que deux ans plus tard ?

– Quelqu'un s'est peut-être trompé.

– Personne ne s'est trompé. L'historien Bartolomé de Las Casas, décrivant une rencontre entre Colomb et le roi Fernand à Segovia en mai 1501, affirme que l'amiral aurait dit avoir passé quatorze années à essayer de convaincre la Couronne portugaise de soutenir son entreprise. Si Colomb a quitté le Portugal en 1484, et si l'on soustrait quatorze années à cette date, on obtient 1470. Colomb se serait donc trouvé au Portugal en 1470. Quatre ans plus tard, en 1474, il a reçu la lettre de Toscanelli à Lisbonne. Comment est-ce possible, s'il n'est arrivé au Portugal qu'en 1476, comme l'affirment les documents notariés génois ?

» Nelson, contrairement aux apparences, ce n'est pas un détail mineur mais un très, très gros problème. Si gros que des historiens ont passé tout le XIXe siècle à débattre de ces curieuses incohérences. L'explication est que, pendant quelques années, ont existé deux Colomb en même temps : un Colombo à Gênes, tissant de la soie, et un Colom à Lisbonne, tentant de convaincre le roi portugais de le laisser partir naviguer vers les Indes.

Moliarti ne tenait pas en place.

– Et le quatrième problème ?

– La lettre de Toscanelli est écrite en latin. Toscanelli était italien. S'ils étaient tous les deux italiens, est-ce qu'il n'aurait pas été plus naturel pour eux de correspondre en toscan, plutôt que dans une langue morte ?

– C'est vrai. Mais ce n'était pas impossible que deux Italiens correspondent en latin à l'époque. Ils venaient de villes différentes et étaient tous les deux des hommes instruits. Le latin était une manière de montrer leurs connaissances.

– Donc Christophe Colomb était un homme instruit ? demanda Tomás en riant. Je pensais que c'était un tisserand sans éducation.

– Il est évident qu'il a fait des études.

– C'est possible, Nelson. Mais rappelez-vous qu'à l'époque, les classes les plus modestes n'avaient pas accès à l'éducation.

– Peut-être qu'il avait un tuteur ou qu'il était autodidacte.

Tomás rit.

– Peut-être. Qui sait ? Mais il n'y avait pas qu'avec Toscanelli que Colombo n'écrivait pas en italien. Toute sa correspondance était en castillan ou en latin.

Moliarti le regarda d'un air surpris.

– Je ne vous crois pas.

– C'est pourtant vrai. – Tomás sortit des photocopies de lettres écrites à la main. – Vous voyez ? – Il montra une page. – C'est une lettre de Colomb à Nicolo Oderigo, l'ambassadeur génois en Espagne, datée du 21 mars 1502. Elle est conservée aux archives du Palazzo Municipale di Genova. Et devinez quoi ? Elle est écrite en castillan. Dans cette autre lettre au même Oderigo, également écrite en castillan, Colomb lui demande même de traduire la lettre pour un autre Génois. – Il fixa Moliarti du regard. – Vous devez bien avouer que c'est étrange, non ? – Il sortit une dernière photocopie. – Voici une lettre adressée à un autre Italien, le frère Gaspar Gorricio. Et encore une fois, surprise, elle est écrite en castillan. Curieux, n'est-ce pas ?

– Je ne vous suis pas, Tom. Vous m'avez dit vous-même que vous ne pensiez pas que Colombo était espagnol.

– En effet.

– Mais vous êtes en train de me dire qu'il n'écrivait qu'en castillan ou en latin.

– Oui, et c'est la vérité.

– Où voulez-vous en venir ? Pour autant que je sache, on ne parlait pas castillan au Portugal…

– Non.

– Alors que faut-il en conclure ?

– Eh bien, je ne vous ai pas encore tout dit. Les documents personnels de Colomb ont été perdus avec le temps. – Tomás leva la main. – Écoutez-bien ce que je vais dire maintenant, Nelson, car c'est important. Le journal de Colomb n'a pas été conservé, tout ce que nous avons est une copie écrite à la main, découverte au XIXe siècle, qui *aurait* été rédigée par Bartolomé de Las Casas. Bien sûr, au milieu de toute cette confusion, de nombreux faux sont apparus. Dans certains cas, les faussaires ne modifiaient que de petits détails pour soutenir leurs théories. Dans d'autres, les documents étaient entièrement falsifiés. Il s'agissait parfois de s'approprier la nationalité de Colomb, mais parfois ce n'était que pour l'argent. J'ai parlé à des experts en manuscrits originaux, qui ont l'habitude d'acquérir des lettres rares dans des ventes aux enchères. Ils m'ont affirmé que si un manuscrit écrit de la propre main de Colomb faisait surface et que son authenticité était prouvée, sa valeur serait inestimable. La seule chose qui aurait plus de valeur, d'après eux, serait une lettre signée par Jésus Christ lui-même. De quoi motiver les faussaires, non ?

– Vous êtes en train de me dire que tout est falsifié.

– Je suis en train de vous dire que beaucoup de lettres attribuées à Christophe Colomb ont probablement été partiellement ou entièrement falsifiées.

– Dont ces lettres adressées à ses connaissances génoises ?

– Oui.

Moliarti sourit.

– Cela résout donc le problème que vous avez soulevé tout à l'heure, non ? Si ces lettres sont falsifiées, le fait qu'elles soient écrites en castillan ne prouve rien du tout.

– Au contraire, Nelson. Cela prouve que même les faussaires n'ont pas osé écrire les lettres de Colomb à des citoyens génois en toscan, car ça les aurait complètement discrédités. Cela prouve que les originaux sur lesquels les faux ont été basés étaient aussi écrits en castillan. Et cela prouve enfin qu'il existait bien une conspiration pour faire de Christophe Colomb un Italien.

– C'est ridicule.

– Ça n'a rien de ridicule, Nelson. Il y a de nombreux documents falsifiés dans lesquels le nom *Gênes* a été délibérément rajouté.

– Donc les documents notariés trouvés dans les archives de Savone et de Gênes sont falsifiés ?

– Non, ceux-là sont probablement authentiques. Il y avait bien un tisserand de soie du nom de Cristoforo Colombo. Il n'y a aucun doute là-dessus. Les falsifications touchent certains documents de Cristóbal Colón, le navigateur, et tout ce qui essaie d'établir un lien entre Colombo et Colón, comme le document Assereto et ces lettres envoyées par l'amiral à des Génois. Tout ce que nous savons de Christophe Colomb a été écrit par des Italiens et des Espagnols, dans certains cas en toute innocence, dans d'autres beaucoup moins.

– D'accord. Continuez, dit Moliarti en désignant impatiemment le carnet de Tomás. Est-ce qu'il n'y a aucun document dont on soit sûr qu'il ait été écrit par Colomb lui-même ?

– Seuls deux types de documents sont au-dessus de tout soupçon. D'une part, les lettres à son fils Diego, puisqu'elles ont été conservées et transmises par des personnes et des institutions bien identifiées, dans un ordre qui peut être retracé avec précision.

» D'autre part, les notes écrites dans les marges des livres qui appartenaient à Colomb, qui ont été donnés par son fils espagnol, Fernand, à la Bibliothèque colombine de Séville. Même s'il est dans ce cas possible que certaines notes aient été écrites par le frère de Colomb, Bartolomeu. Dans tous les cas, il y a bien certains documents dont on est sûr qu'ils ont été écrits par l'amiral en personne.

– Et dans quelle langue sont écrites ces lettres et ces notes ?

– Pour la plupart, en castillan. Quelques-unes sont en latin, et deux en toscan ; sur ces deux notes en toscan, il n'y en a qu'une dont on soit sûr qu'elle ait été écrite par Colomb. Mais ce n'est pas le meilleur…

Moliarti leva les yeux au ciel.

– Tous les textes écrits de la propre main de Colomb, que ce soit en castillan, en latin ou en toscan, sont truffés de portugaiseries.

– C'est-à-dire ?

– Les textes de Colomb fourmillent de tournures ou de mots portugais. En réalité, il n'a pas écrit en espagnol, mais en *portuñol*, un mélange de portugais et d'espagnol. Si je vais à Madrid et que je dis « *Necesito un carro para ir al palacio* », c'est-à-dire « J'ai besoin d'une voiture pour aller au palais », on saura que je suis portugais, parce qu'en espagnol, on ne dit pas *carro*, mais *coche*.

Moliarti s'adossa au banc, le regard absorbé par le tapis vert qui recouvrait le lac.

– Ah ! s'exclama-t-il. Et quelles sont ces « portugaiseries » ?

Tomás éclata de rire.

– Je pense que c'est la mauvaise question, Nelson. La bonne question serait plutôt : « Quelles ne sont pas ces portugaiseries ? » dit-il avec un clin d'œil taquin.

Mais Moliarti n'était pas d'humeur à rire.

» La seule tentative d'écrire en toscan dont on est sûr qu'elle est bien de lui se trouve dans la marge de son *Livre des prophéties*, au début du psaume 2.2. Dans son exemplaire de l'*Histoire naturelle* de Pline l'Ancien, il y a vingt-trois notes dans les marges. Vingt sont en espagnol, deux en latin, et la dernière en toscan. Les experts ne savent pas avec certitude si elles ont été écrites par Colomb ou par son frère Bartolomeu. Les deux phrases en toscan sont des tentatives assez comiques puisqu'elles sont bourrées de mots portugais et espagnols du XVe siècle.

– Et les autres notes ?

– La plupart sont en *portuñol.* – Tomás se pencha sur ses notes. – À tel point que le professeur espagnol Altolaguirre y Duvale a affirmé que le dialecte utilisé par Colomb était sans aucun doute portugais. Colomb passe vingt-quatre ans de sa vie en Italie, puis, du jour au lendemain, il oublie le toscan et son génois natal. Le même Colomb passe seulement dix ans au Portugal et, comme par magie, il retient le portugais et l'utilise jusqu'à la fin de sa vie. Impressionnant, non ?

– Donnez-moi des exemples.

– Eh bien, commençons par la diphtongue *ie* dans les mots espagnols. De nombreux termes sont les mêmes en portugais et en espagnol ; la seule différence est qu'ils sont écrits avec *ie* en espagnol et avec un *e* en portugais. Par exemple, Colomb écrit *se intende* au lieu de *se entiende* et *quero* au lieu de *quiero*. Il utilise également le *ie* dans des mots espagnols qui n'en contiennent pas, comme *depende*, que Colomb écrit *depiende*. Les Espagnols savent que seuls les Portugais, dans un effort maladroit pour parler espagnol, mettent des *ie* un peu n'importe où.

– Et son vocabulaire ?

– C'est la même chose. Par exemple, Colomb écrit *algún*, alors que le mot espagnol pour « quelque » est *alguno*, et l'italien *alcuno*. Il écrit *ameaçaban*, alors que l'espagnol pour « ils menacèrent » est *amenazaban*, et l'italien *minacciàvano*. Ou encore, *arriscada*, qui signifie « risqué » ou « hasardeux » en portugais, mais qui se dit *arriesgado* en espagnol et *rischiosa* en italien. Et il…

– C'est bon, c'est bon, j'ai compris. – Moliarti inspira profondément et s'éclaircit la voix. – Il doit y avoir une explication logique à ces anomalies, qui nous dirait pourquoi il écrivait dans ce mélange de castillan et de portugais…

– Une explication logique ? Comme quoi ? – Tomás se pencha en avant. – Aux Archives nationales de Gênes, ils m'ont dit qu'à l'époque, les Italiens vivant à l'étranger utilisaient surtout le toscan pour communiquer entre eux.

– C'est vrai, dit Moliarti.

– Alors pourquoi ne le faisait-il pas ?

– Peut-être que Colomb ne parlait que le dialecte génois. Puisqu'il n'était pas écrit, il n'aurait pas pu l'utiliser pour correspondre avec d'autres Génois, non ?

– C'est un peu tiré par les cheveux. D'autant que vous avez tort, le dialecte génois était écrit. Un professeur de langues génois m'a assuré que le dialecte l'était au Moyen Âge. Ce qui soulève deux questions. Colomb ne parlait pas toscan puisqu'il n'avait pas reçu d'éducation, mais il connaissait le latin, que seules les personnes instruites connaissaient ? Et il n'écrivait pas dans le dialecte génois, parlé par tous les Génois et écrit par ceux ayant reçu une éducation, mais il a écrit tout un tas de textes en castillan bourré de portugaiseries ? Ce qui nous amène au cœur du problème. Pourquoi ne pas simplement admettre que, si Colomb n'écrivait dans aucun dialecte italien, la seule explication logique est qu'il n'en parlait aucun ? Et s'il ne parlait aucun dialecte italien, on est obligé de conclure qu'il n'était probablement pas italien. – Il marqua une pause. – Et ce n'est pas tout, Nelson.

– Quoi d'autre ?

– Je n'ai pas pu lire tout ce que les témoins qui connaissaient Christophe Colomb ont dit à son sujet, en particulier lors des batailles juridiques du *Pleyto con la Corona* et du *Pleyto de la Prioridad*, où il a été établi qu'il était étranger. Mais deux chercheurs dont j'ai pu consulter les travaux, Simon Wiesenthal et Salvador de Madariaga, ont trouvé des témoignages assez incroyables. – Tomás consulta de nouveau ses notes. – D'après Wiesenthal, des témoins ont affirmé que Colomb « parlait très bien le castillan, mais avec un accent portugais ». Et Madariaga, de son côté, fait observer que Colomb « parlait toujours castillan avec un accent portugais ». – Tomás sourit triomphalement à Moliarti, ses yeux verts brillant comme ceux d'un joueur d'échecs qui aurait mis échec et mat son adversaire. – Vous voyez ?

Moliarti garda le silence pendant un long moment, le regard perdu dans le vide.

– Merde ! marmonna-t-il finalement dans sa barbe. Vous en êtes sûr ?

– C'est ce qu'ils disent. – Tomás se leva et s'étira pour réactiver sa circulation sanguine. – Il y a beaucoup de choses au sujet de Christophe Colomb qui ne concordent pas, Nelson. Savez-vous qui est la première personne qu'il a contactée à son arrivée en Espagne, probablement en 1484 ?

Moliarti se leva et étira à son tour ses membres raidis d'être restés si longtemps assis. Le banc 515 était magnifique, mais très inconfortable.

– Je n'en ai pas la moindre idée, Tom.

– Un frère du nom de Marchena. Devinez de quelle nationalité il était ?

– Portugais ?

– Bingo !

Tomás sourit.

– Ça ne prouve rien du tout.

– Non, bien sûr, mais ça n'en est pas moins curieux.

Tomás et Moliarti prirent un chemin de terre, flânant entre les arbres.

– Beaucoup de questions restent sans réponses. Par exemple, si Colomb était génois, pourquoi était-il si mystérieux au sujet de ses origines ? Après tout, les relations entre la Castille et Gênes étaient excellentes à l'époque. En réalité, avoir des contacts génois était même assez prestigieux. Les Anglais ont parcouru la Méditerranée sous la protection du drapeau génois de saint Georges, qui était blanc avec une croix rouge et qu'ils adoptèrent plus tard. Et si l'on prend en compte la rivalité entre les Portugais et les Castillans, un citoyen portugais à la tête d'une équipe castillane pouvait être un problème, tout comme l'inverse l'aurait été. Il suffit de voir ce que l'explorateur portugais Fernand de Magellan a subi lorsqu'il était aux commandes de la flotte castillane qui parcourut le monde pour la première fois. S'il avait été génois, Colomb n'aurait eu aucune raison de cacher ses origines. Mais s'il était portugais…

Moliarti ne répondit pas ; il continua à marcher, les yeux rivés sur le sol, les épaules affaissées, le visage assombri.

Ils gravirent en silence le chemin de terre, immergés dans les mystères que Toscano avait exhumés des vieux manuscrits, des secrets gardés par le temps derrière un épais rideau de poussière et de curieux silences, contradictions et omissions. Des magnolias coloraient de rouge et de jaune le chemin vert qui serpentait entre les hêtres, les palmiers, les pins et les chênes. L'air était frais, léger, parfumé par les massifs de roses et de tulipes, dont la grâce féminine contrastait avec la beauté charnelle des orchidées. L'après-midi suivait son cours, au rythme alangui de la grande valse de la nature ; les bois se réveillaient, la cime des arbres bruissant légèrement sous la brise qui s'était mise à souffler doucement des montagnes. On pouvait entendre dans les branches luxuriantes les notes aiguës et joyeuses du gazouillis des chardonnerets, qui luttaient pour se faire entendre par-dessus le roucoulement plus grave des colibris et le chant mélodieux des rossignols.

Le chemin étroit s'ouvrait soudain sur ce qui ressemblait à un patio. Il y avait un mur d'un côté, avec une fontaine d'où jaillissait de l'eau, et un demi-cercle en pierre de l'autre côté.

– La fontaine de l'Abondance, annonça Tomás. Mais il ne faut pas se fier à son nom, elle représente quelque chose de beaucoup plus dramatique. Essayez de deviner quoi…

Moliarti examina la structure. À chaque extrémité du demi-cercle était posé un vase, sur lequel étaient sculptés la tête d'un satyre et un bélier.

– Le satyre représente le chaos. Le bélier est le symbole de l'équinoxe de printemps, il représente l'ordre. Le satyre et le bélier côte à côte signifient « *ordo ab chao* », « l'ordre naît du chaos ».

Au milieu du demi-cercle étaient placées une grande table et une chaise, sculptées dans la pierre. Il y avait une coquille sur le mur de la fontaine et, au-dessus, un jeu de balances en mosaïque.

– Je n'ai pas la moindre idée de ce que ça peut être, dit Moliarti.

– Ceci, Nelson, est un tribunal. Voici le trône du juge, dit Tomás en montrant la grande chaise en pierre. Et voici les balances de la justice. – Il désigna la mosaïque. – Dans le symbolisme des Templiers et des francs-maçons, la lumière et l'obscurité, qui représentent la justice et l'équité, atteignent un équilibre le jour de l'équinoxe de printemps. C'est pour cette raison que le nouveau grand maître entre en fonction ce jour-là, prenant le commandement en s'asseyant sur le trône. – Il montra le mur de la fontaine et les autres dessins en mosaïques. – Ce mur imite les décorations du temple de Salomon à Jérusalem. Vous avez déjà entendu parler du jugement de Salomon ? – Il leva les yeux vers les deux obélisques en forme de pyramide au sommet. – L'obélisque relie la terre au ciel, comme les deux colonnes à l'entrée du temple de Salomon, les vrais piliers de la justice.

Ils poursuivirent leur chemin à travers les arbres et débouchèrent sur un autre patio, plus grand. C'était le portail des gardiens, protégé par deux tritons. Moliarti suivit Tomás le long d'un chemin qui contournait cette nouvelle structure, et ils traversèrent les bois, gravissant la colline jusqu'à ce qu'ils arrivent à une sorte de dolmen, un monticule mégalithique recouvert de mousse. Tomás conduisit Moliarti à travers un passage voûté formé de pierres empilées les unes sur les autres, qui rappelait Stonehenge. Tomás pressa l'une d'elles. À la surprise de Moliarti, la pierre tourna sur elle-même pour révéler une structure interne. Ils entrèrent dans le passage secret et se trouvèrent devant un puits. En se penchant par-dessus la balustrade, ils virent une série d'arches et de colonnes révélant un escalier en colimaçon sculpté dans la pierre. La lumière du soleil s'y déversait, creusant des cavités sombres dans le mur.

– Qu'est-ce que c'est ? demanda Moliarti.

– Un puits initiatique, expliqua Tomás, dont la voix résonnait entre les murs cylindriques. Nous sommes à l'intérieur d'un dolmen, la reproduction d'un monument funéraire. Ce lieu représente la mort de la condition primaire de l'homme. Il faut descendre dans le puits pour trouver la spiritualité, la renaissance de l'homme, l'homme éclairé. On descend dans le puits comme dans sa propre âme, à la recherche de son moi le plus profond. – Il fit signe à Moliarti de le suivre. – Allons-y.

Ils descendirent l'étroit escalier de pierres, suivant les murs du puits dans le sens des aiguilles d'une montre. Le sol était humide, et leurs pas résonnaient d'échos rauques et métalliques, qui se mêlaient au gazouillis des oiseaux plongeant dans l'abysse. Les murs et les balustrades étaient humides et couverts de mousse. Ils se penchèrent par-dessus la rambarde et regardèrent vers le fond du puits, qui ressemblait maintenant à une tour inversée, creusée dans la terre.

– Il y a combien de niveaux ?

– Neuf, dit Tomás. Ce n'est pas un hasard. Le 9 est un chiffre symbolique, et dans bien des langues européennes, il ressemble à l'adjectif « neuf ». En portugais, *nove* pour le chiffre et *novo* pour l'adjectif. En espagnol, *nueve* et *nuevo*. En anglais, *nine* et *new*. En italien, *nove* et *nuovo*. Et en allemand, *neun* et *neu*. Le chiffre 9 symbolise la transition de l'ancien au nouveau. Il y avait à l'origine neuf Templiers, les chevaliers qui ont fondé l'ordre du Temple, auquel succéda plus tard l'ordre du Christ portugais. Salomon envoya neuf maîtres chercher Hiram Abiff, l'architecte du temple. Déméter parcourut le monde en neuf jours pour retrouver sa fille Perséphone. Les neuf muses de Zeus sont nées de ses neuf nuits d'amour. Il faut neuf mois à un être humain pour naître. En tant que dernier chiffre, le 9 annonce à la fois – et dans cet ordre – la fin et le début, l'ancien et le nouveau, la mort et la renaissance, la fin d'un cycle et le commencement d'un autre ; c'est le chiffre qui referme le cercle.

– Intéressant.

Ils finirent par atteindre le fond du puits initiatique, dont le centre était orné d'un cercle de marbre blanc, jaune et rouge, couvert de boue et de petites flaques. À l'intérieur du cercle était dessinée une étoile à huit branches, derrière laquelle on devinait une croix orbiculaire ; c'était la croix des Templiers, l'ordre religieux qui donna leur forme octogonale aux temples chrétiens de l'Ouest. Une des branches jaunes de l'étoile pointait vers une cavité dans le mur.

– Cette étoile est aussi une rose des vents, expliqua Tomás. L'extrémité de la rose indique l'est. Le soleil se lève à l'est, et les églises sont construites face à l'est. Le prophète Ézéchiel a dit : « La gloire du Seigneur entra dans la maison par la porte qui donnait sur l'est. » Allons voir cette cave.

Il s'enfonça dans la cavité obscure creusée dans le mur de pierre, suivi, après quelques secondes d'hésitation, par Moliarti. Ils marchèrent prudemment, presque à tâtons, comme des aveugles. Après un premier tournant, ils aperçurent une rangée de petites lumières jaunes sur le sol à leur gauche, qui leur permirent d'avancer avec plus d'assurance dans le long tunnel irrégulier creusé dans le granite. Puis une ombre apparut sur leur droite. C'était un nouveau chemin dans la cave, signe que le lieu où ils se trouvaient était un labyrinthe plus qu'un simple passage souterrain. Mais Tomás, qui savait parfaitement où il allait, ignora ce passage alternatif, et ils poursuivirent sur le chemin principal jusqu'à ce qu'une lueur annonce le monde extérieur. Ils se dirigèrent vers la lumière et virent une arche en pierre qui surmontait un lac transparent. Un mince filet d'eau s'écoulait d'une cascade. Ils s'arrêtèrent sous l'arche. Le chemin bifurquait devant le lac, et ils devaient choisir un des deux côtés.

– Gauche ou droite ? demanda Tomás.

– Gauche ? proposa Moliarti, sur un ton hésitant.

– Droite, répondit Tomás en désignant le bon chemin. La fin du tunnel est une reconstitution d'un épisode de *L'Énéide* de Virgile. Il représente la scène où Énée descend aux Enfers pour chercher son père et doit choisir entre deux chemins à un croisement. Ceux qui tournent à gauche sont condamnés, destinés à brûler en enfer. Seul le chemin de droite conduit au salut. Énée choisit le droit et traverse le fleuve Léthé jusqu'aux champs Élysées, où se trouve son père. Nous devrions donc choisir ce chemin.

Ils prirent à droite et le tunnel devint de plus en plus sombre, étroit et bas. De nouveau plongés dans l'obscurité totale, ils durent ralentir et se tenir aux murs humides jusqu'à ce qu'ils aperçoivent enfin le monde extérieur. Le tunnel, inondé de lumière, s'ouvrait sur un chemin de pierres de gué surmontant le lac. Ils sautèrent de pierre en pierre jusqu'à l'autre rive et se retrouvèrent dans la forêt, qui les enveloppa de ses couleurs chatoyantes. Ils respirèrent l'air parfumé de l'après-midi et écoutèrent les délicates roulades des linottes qui voletaient de branche en branche.

– Quel lieu étrange, dit Moliarti.

– Vous savez, Nelson, ce domaine est un texte.

– Un texte ? Vous voulez parler des quatre textes que vous avez mentionnés tout à l'heure ?

Ils marchaient maintenant sur un sentier à travers les arbres et finirent par regagner le portail des gardiens. Tomás guida son invité dans une étroite tour médiévale construite à flanc de colline, avec des remparts au sommet. Ils entrèrent par le haut de la tour et descendirent l'escalier en colimaçon.

– Autrefois, pendant l'Inquisition, lorsque la société était dirigée par une Église intolérante, certains travaux étaient interdits. Les artistes étaient persécutés, les pensées nouvelles étaient réduites au silence, les livres étaient brûlés, les peintures déchirées. C'est de là que vint l'idée de sculpter un livre dans la pierre. C'est, après tout, ce qu'est Quinta da Regaleira. Un livre sculpté dans la pierre. Il est facile de brûler un livre de papier, ou de déchirer une peinture sur toile, mais il est beaucoup plus difficile de détruire une propriété entière. Souvenez-vous que ce domaine est fait de constructions conceptuelles qui reflètent la pensée ésotérique, inspirée par le *Hypnerotomachia Poliphili* de Colonna et soutenue par la politique d'expansion maritime du Portugal. D'une certaine manière, c'est à travers les mythes de *L'Énéide*, de la *Divine Comédie* et des *Lusiades* que ce lieu est devenu un grand monument dédié aux découvertes portugaises et au rôle des Templiers dans ces découvertes.

Arrivés à la base de la tour, ils sortirent et traversèrent la cave de Leda jusqu'à la chapelle. Ils marchaient en silence désormais, attentifs au son de leurs pas et au bruissement délicat des bois.

– Et maintenant ? demanda Moliarti.

– On va à la chapelle.

– Ce n'est pas ce que je voulais dire. Qu'est-ce qu'il vous reste à faire pour terminer cette enquête ?

– Ah, fit Tomás. Je vais étudier avec attention ce passage d'Umberto Eco pour voir si je peux trouver le code du coffre de Toscano. Je dois aussi éclaircir quelques points au sujet des origines de Christophe Colomb. Je vais donc devoir accomplir un dernier voyage.

– D'accord. Vous savez que c'est inclus dans le budget.

Tomás s'arrêta près d'un grand arbre, à quelques pas de la chapelle. Il ouvrit sa mallette, en sortit un morceau de papier et le tendit à Moliarti.

– Voici un autre mystère au sujet de Colomb, dit-il.

– Qu'est-ce que c'est ?

– Une copie d'une lettre trouvée aux archives de Veragua.

Moliarti prit la photocopie.

– Quelle lettre ?

Il examina le texte et secoua la tête en rendant la feuille à Tomás.

– C'est du portugais du XVe siècle.

– Je vais vous la lire, dit Tomás. Cette lettre a été trouvée dans les documents de Colomb après sa mort. Elle est signée de la main même du grand Jean II, surnommé le Prince parfait, le roi du Portugal qui a signé le traité de Tordesillas, l'homme qui a dit à Colomb, et il avait raison, qu'il était plus rapide de contourner l'Afrique pour se rendre aux Indes que de passer par l'ouest, le monarque qui…

– Je sais qui était Jean II, le coupa Moliarti, de plus en plus impatient. Donc il a écrit à Colomb, c'est ça ?

– Oui. – Tomás exposa le verso de la feuille et montra des lignes verticales et horizontales. – Vous voyez ces lignes ? Ce sont des marques de pliure. – Il commença à plier la copie. – Si on la plie selon ces lignes, les mots au dos concordent et on peut voir le destinataire. – Il montra la lettre une fois pliée. – Elle est adressée à « Xpovam Collon, notre ami spécial, à Séville ». Il déplia la lettre et lut le texte écrit de l'autre côté.

« Xpoval Colon. Nous, Dom Juan, par la grâce de Dieu roi du Portugal et de l'Algarve, des deux côtés de la mer d'Afrique, seigneur de Guinée, vous adressons nos meilleures salutations. Nous avons vu la lettre que vous nous avez écrite et à travers elle la bonne volonté et l'affection dont vous faites preuve à notre service. Nous vous en remercions. Quant à votre visite, certainement, pour les raisons que vous citez ainsi que pour d'autres motifs pour lesquels nous avons besoin de vos compétences et de votre ingénuité, nous souhaitons et serions très heureux que vous veniez. Pour les affaires qui vous concernent, elles seront traitées d'une manière qui vous satisfera certainement. Et si vous avez quelque crainte de notre justice en raison de certaines de vos obligations, nous vous garantissons par la présente que pendant votre venue, votre séjour et votre retour, vous ne serez arrêté, détenu, accusé, ni cité pour aucune affaire, civile ou criminelle, de quelque nature que ce soit. Et nous ordonnons par la présente à tous nos tribunaux de s'y conformer. Nous vous prions ainsi de venir rapidement et sans hésitation. Nous vous en serons reconnaissant et infiniment redevable. Fait à Avis le 20 mars 1488. Le Roi. »

– Curieuse lettre, n'est-ce pas ? dit Moliarti, intrigué.

– Je suis heureux que vous soyez de cet avis. Il semble que Colomb avait envoyé une lettre au roi Jean II pour de nouveau lui offrir ses services. Il avait apparemment fait part de ses inquiétudes concernant le risque de devoir faire face au système légal du roi du Portugal.

– Mais pourquoi ?

– À cause de quelque chose qu'il aurait fait ici, au Portugal. N'oubliez pas que Colomb a quitté le Portugal précipitamment en 1484, quatre ans avant cet échange de lettres. Quelque chose s'était produit qui avait incité Colomb et son fils Diego à fuir en Espagne, mais nous ne savons pas quoi. Un des mystères entourant l'amiral est précisément le manque de documents au sujet de sa vie ici. C'est comme si toute cette période avait disparu dans un trou noir.

– Et la lettre de Colomb au roi Jean ? Où est-elle ?

– Elle n'a jamais été trouvée dans les archives portugaises.

– C'est bien dommage.

– Et il y a un autre détail curieux.

– Lequel ?

– La façon presque intime dont le roi Jean fait référence à Colomb avant qu'il ne devienne célèbre. Il l'appelle « notre ami spécial à Séville ». Ce n'est pas une lettre formelle entre un souverain puissant et un tisserand étranger sans éducation. C'est une lettre entre deux personnes qui se connaissent très bien.

Moliarti haussa les sourcils.

– Je ne vois pas le rapport avec le problème des origines de Colomb.

Tomás sourit.

– C'est vrai, admit-il. Mais cette lettre prouve en tout cas qu'ils se connaissaient beaucoup mieux que nous le pensions et que Colomb a fréquenté la cour portugaise, ce qui soulève la question de son appartenance à la noblesse, une possibilité en adéquation avec deux autres points. Le premier est, comme nous l'avons déjà dit, son mariage avec Felipa Moniz Perestrello, qui aurait été impensable à l'époque pour un homme du peuple. Si Colomb appartenait également à la noblesse, ce mariage avait un sens.

– Hmm, marmonna Moliarti. Et l'autre point pour soutenir cette théorie ?

Tomás sortit un autre morceau de papier de sa mallette.

– Le second, ce sont ces documents : les lettres patentes émises par Isabelle la Catholique, datées du 20 mai 1493, qui lui accordent des armoiries. – Il montra du doigt le passage en question. – Elle dit ici « *armas vuestras que soliades tener* », c'est-à-dire « les armoiries que vous possédez déjà ». – Tomás regarda Moliarti d'un air perplexe. – Les armoiries que vous possédez déjà ? Donc Colomb en possédait déjà ? Comment un tisserand de soie génois aurait-il pu avoir des armoiries ? – Il sortit une feuille et montra une image à Moliarti. – Regardez ça. Ce sont les armoiries de Colomb. Comme vous pouvez le voir, elles sont composées de quatre images. En haut, un château et un lion, qui représentent les royaumes de Castille et de León. En bas à gauche, des îles, qui représentent les découvertes de Colomb. – Il pointa la dernière partie des armoiries. – Ceci est l'image dont parlait Isabelle la Catholique quand elle évoquait « les armoiries que vous possédez déjà ». Que représentent-elles ?

Il marqua une pause avant de répondre lui-même à sa question.

– Cinq ancres dorées, placées en forme de croix sur un fond bleu. Maintenant, regardez ceci.

Il montra les armoiries portugaises sur la droite.

» Comme vous pouvez le voir, les cinq ancres dorées dans le dernier quartier des armoiries de Colomb ressemblent énormément aux armoiries portugaises, où les cinq écussons sont composés de cinq bezants également disposés en croix, une forme que l'on retrouve aujourd'hui sur le drapeau portugais. Les armoiries de Colomb sont directement liées aux symboles de León, de Castille et du Portugal.

– Incroyable. Mais est-ce que quelqu'un à l'époque a confirmé par écrit que Colomb était portugais ?

Tomás sourit.

– Il se trouve que oui. Lors du *Pleyto de la Prioridad*, deux témoins, Hernán Camacho et Alonso Belas, ont fait référence à Christophe Colomb comme étant un « fils du Portugal ».

– Ça n'a rien de surprenant. Apparemment, tout le monde passe son temps à mentir et à falsifier.

– J'ai autre chose à vous dire, ajouta Tomás en consultant de nouveau ses notes. À l'apogée du conflit entre les historiens espagnols et les historiens italiens au sujet des réelles origines de Christophe Colomb, un des Espagnols, le président de la Société royale espagnole de géographie, Ricardo Beltrán y Rózpide, écrivit un texte qui se terminait par une phrase cryptique : « L'homme qui a découvert l'Amérique n'est pas né à Gênes mais quelque part sur le territoire ibérique, dans la partie occidentale de la péninsule entre le cap Ortegal et le cap Saint-Vincent. » – Il regarda Moliarti dans les yeux. – C'est une remarque assez extraordinaire.

– Je suis désolé, dit Moliarti, mais je ne vois pas ce que ça a de si extraordinaire…

– Nelson, le cap Ortegal est en Galice…

– Précisément. À l'époque, il était tout à fait naturel pour un Espagnol d'affirmer qu'il venait de quelque part en Espagne.

– Et le cap Saint-Vincent est au sud du Portugal.

– Oh.

– Comme vous dites, il aurait été tout à fait naturel, dans une atmosphère de grands débats nationalistes, qu'un historien espagnol affirme que Colomb était originaire de Galice. Mais qu'il mentionne explicitement toute la côte espagnole comme le lieu d'origine de l'amiral, dans ce contexte, n'est pas du tout normal. – Il leva un doigt. – À moins qu'il n'ait su quelque chose qu'il gardait pour lui.

– Et c'était le cas ?

Tomás hocha la tête.

– Apparemment, oui. Beltrán y Rózpide avait un ami portugais, un certain Afonso de Dornelas, qui était également un ami du célèbre historien Armando Cortesão. Sur son lit de mort, Beltrán y Rózpide dit à son ami qu'il y avait, dans les papiers de João da Nova, qui étaient conservés dans des archives privées au Portugal, un ou plusieurs documents qui expliquaient complètement les origines de Christophe Colomb. Dornelas lui demanda à plusieurs reprises de quelles archives il s'agissait. Beltrán y Rózpide lui dit que, les origines de Colomb étant au centre de débats si houleux en Espagne, il risquerait de causer des émeutes s'il révélait où trouver ce document. Il mourut peu de temps après, emportant son secret dans la tombe.

Tomás se tourna et se dirigea vers la chapelle, une sorte de cathédrale miniature, un nouveau lieu mystérieux caché entre les murs de Quinta da Regaleira.

Mais pas aussi mystérieux que sa prochaine destination, un nouveau port dans cet étrange voyage.

XVI

Le brouhaha et l'agitation de la foule étaient ce qui dérangeait le plus Tomás lorsqu'il devait se rendre à Chiado. Après avoir fait le tour du quartier pour trouver une place où se garer, il laissa sa voiture dans un parking souterrain et traversa une place pavée grouillant de monde jusqu'à la Rua Garrett, esquivant les autres piétons. Certains montaient au sommet de la cité, d'autres descendaient jusqu'à la ville basse. Le regard vide, ils semblaient préoccupés par la vie – s'inquiétant pour leur argent, pensant à leurs petites amies, maudissant leurs patrons.

Il atteignit finalement le trottoir de la Rua Garrett qui, bien que large, disparaissait sous les tables et les chaises occupées par des clients oisifs – face à la statue du célèbre poète Fernando Pessoa, avec son chapeau et ses lunettes rondes, assis les jambes croisées. Tomás chercha des yeux les cheveux dorés de Lena, mais elle n'était pas là. Il tourna à l'angle de la rue et se dirigea vers la grande entrée voûtée du café A Brasileira, où se retrouvaient tous les artistes et les intellectuels de Lisbonne.

Dès qu'il passa la porte, il eut l'impression d'avoir fait un bond dans le temps jusqu'aux années 1920. La pièce était longue et étroite, somptueusement décorée dans un style Art nouveau. Le sol était noir et blanc, et des peintures d'époque ornaient les murs. De vieux chandeliers pendaient du plafond en bois sculpté.

Avec leurs jambes arquées, ils ressemblaient à des araignées tenant des petites bougies. Un beau miroir à l'encadrement doré occupait toute la longueur du mur, donnant l'impression que la pièce était deux fois plus grande qu'elle ne l'était réellement. Les petites tables étaient collées au miroir, tandis qu'un long comptoir orné d'arabesques en fer forgé longeait le mur opposé, contre lequel étaient alignées des bouteilles de vin et de spiritueux.

Tomás s'installa à une table partiellement occupée, l'épaule droite appuyée contre le miroir, les yeux fixés au plafond. Il comprit que Lena venait d'entrer dans le café lorsqu'il vit les têtes des clients se tourner vers la porte, comme des troupes obéissant à un ordre silencieux. Elle portait une robe noire près du corps qui lui arrivait aux genoux, avec une ceinture jaune. Ses longues jambes étaient mises en valeur par des collants gris foncé et des escarpins noirs vernis. Elle avait dans les mains plusieurs sacs de courses imposants, qu'elle posa à côté de sa chaise lorsqu'elle se pencha vers Tomás pour l'embrasser.

– *Hej*, dit-elle. Désolée pour le retard, je faisais un peu de shopping.

– Aucun problème.

Chiado, avec ses magasins fantaisistes et ses boutiques à la mode, attirait beaucoup de monde et égayait les rues pavées et escarpées du quartier le plus ancien de la ville.

– Pfiou ! s'exclama-t-elle en rejetant en arrière ses longs cheveux blonds. Je suis déjà épuisée et la journée ne fait que commencer !

– Tu as acheté beaucoup de choses ?

Elle se pencha pour attraper un des sacs à ses pieds.

– Quelques-unes, dit-elle. – Elle ouvrit le sac et lui montra de la dentelle rouge. – Ça te plaît ?

– Qu'est-ce que c'est ?

– Un soutien-gorge, idiot ! répondit-elle en levant les sourcils d'un air espiègle. Pour te rendre fou… J'ai aussi pris ce vieil ascenseur sur la Rua do Ouro.

– L'ascenseur de Santa Justa ?

– Oui. Tu l'as déjà pris ?

– Non, jamais.

– Évidemment. – Elle sourit. – « L'œil d'un étranger voit plus loin que celui d'un habitant. » Oui, encore un proverbe suédois ! Ça signifie que les étrangers visitent plus d'endroits dans un pays que les gens qui y vivent.

– C'est assez vrai, dit Tomás. Tu veux quelque chose ?

– Non, merci, j'ai déjà mangé.

Tomás fit un signe négatif au serveur, qui disparut dans le couloir bruyant, à présent plein à craquer.

Lena se pencha sur la table et chercha le regard de Tomás.

– Qu'est-ce qui se passe ? demanda-t-elle, intriguée. Ça fait deux jours qu'on ne s'est pas vus, et tu te comportes bizarrement. Tu sembles ailleurs. Qu'est-ce qui t'arrive ?

Il laissa finalement son regard se poser sur elle.

– Je ne pense pas avoir été franc avec toi, tu sais.

Lena leva un sourcil, surprise.

– Oh. Vraiment ?

– J'aime toujours ma femme.

Elle plissa les yeux et l'observa, semblant soudain avoir compris.

– Ah. – Lena haussa les épaules en riant, l'air espiègle. – C'est adorable que tu t'inquiètes comme ça, mais tu es marié, et je serais choquée que tu n'aimes pas ta femme.

– Ça ne te dérange pas ?

– Bien sûr que non. Tu peux nous avoir toutes les deux. Ce n'est pas un problème pour moi.

– Mais… – Il hésita, désorienté. – Ça ne t'embête pas que je fasse aussi l'amour avec ma femme ?

– Pas le moins du monde, répondit-elle, toujours amusée par son honnêteté.

Tomás s'appuya contre le dossier de sa chaise, un peu hébété. Il ne savait plus quoi dire. Il ne s'attendait pas à une telle réaction.

– Mais je ne suis pas sûr que ma femme apprécierait beaucoup.

Lena haussa encore les épaules.

– Tu dois donc éviter de lui en parler, non ?

Il passa nerveusement sa main dans ses cheveux.

– C'est aussi un problème. Je ne peux pas vivre comme ça…

– Comment ça, tu ne peux pas vivre comme ça ? Ça fait deux mois que tu as deux femmes dans ta vie, et ça n'a jamais semblé te déranger. Qu'est-ce qui t'arrive ?

– J'ai juste des doutes sur ce qu'on est en train de faire.

Ce fut au tour de Lena d'être interloquée.

– Des doutes ? Quels doutes ? Tu es devenu fou ? Tu as une femme qui n'a aucun soupçon. Tu as une petite amie que, en toute modestie, n'importe quel homme voudrait et qui ne te cause aucun problème. Encore mieux, une petite amie que ton petit arrangement ne dérange pas. Alors quel est ton problème, exactement ? À propos de quoi as-tu des doutes ?

– Le problème, Lena, c'est que je ne sais pas si je veux de ce petit arrangement.

Lena était incrédule.

– Tu ne sais pas si… – Elle fronça les sourcils, essayant de le comprendre. – Tomás, qu'est-ce qui se passe ?

– Je ne veux plus continuer comme ça.

– Alors qu'est-ce que tu veux ?

– Je veux rompre.

Lena s'affaissa sur sa chaise, abasourdie. Elle regardait Tomás comme s'il était devenu fou.

– Tu veux rompre ? demanda-t-elle finalement pour s'assurer d'avoir bien entendu.

Il hocha la tête.

– Oui. Je suis désolé.

– Tu es fou ? Pourquoi ?

– Parce que je me sens tout le temps coupable. Parce que j'aime ma femme. Parce que j'ai une petite fille. Parce que je vis dans le mensonge et que je veux la vérité.

– À d'autres ! s'exclama-t-elle. Le manteau de vérité est souvent doublé de mensonge.

– Ça suffit, avec les proverbes.

Lena se pencha sur la table et lui prit les mains.

– Dis-moi ce que je peux faire pour que tu te sentes mieux.

Tu as besoin de plus d'espace ? Plus de sexe ? Qu'est-ce que tu veux ?

Tomás était surpris que Lena s'accroche ainsi à leur relation. Il avait imaginé qu'elle quitterait le café furieuse et que tout serait terminé.

– Écoute, Lena, je t'aime beaucoup. Tu es une femme exceptionnelle, et tu m'as beaucoup aidé dans mes recherches. Mais j'aime ma famille. C'est pour ma femme et ma fille que je me lève le matin. Au début, tu m'as complètement subjugué, et puis j'ai commencé à comprendre à quel point j'avais été égoïste.

– Donc tu me plaques, c'est ça ?

– Tu es jeune, célibataire et très belle. Comme tu l'as dit tout à l'heure, tu n'as qu'à claquer des doigts et tous les hommes tombent à tes pieds. Tu n'as pas besoin de moi. J'aimerais qu'on parte chacun de notre côté et qu'on reste amis.

Elle secoua la tête, complètement abattue.

– Je n'en crois pas mes oreilles.

Tomás se dit que s'il ajoutait quelque chose, il ne ferait que se répéter. Au bout de quelques instants, il se leva et tendit la main à Lena. Elle l'observait, immobile. Il retira maladroitement sa main et se tourna vers la porte.

– On se verra en cours, dit-il en laissant un peu d'argent sur la table.

Lena le suivit des yeux.

– Le coq qui chante le matin, murmura-t-elle, sera dans le bec du faucon le soir venu.

XVII

Jérusalem

Comme des pieds de ballerine glissant gracieusement sur la scène, les feuilles d'automne flottaient lentement au-dessus du sol, voletant çà et là, avant de se mettre à tourner et tourner encore autour d'un axe invisible, soufflées par un zéphyr chaud qui se transformait graduellement, presque imperceptiblement, en furie, un tourbillon de poussière, traînant les feuilles sur le trottoir et jusqu'à la rue animée, près du mur de la vieille ville de Jérusalem.

Tomás évita l'étroit couloir de vents tourbillonnants et hâta le pas. Il traversa la rue Sultan-Suleiman devant la porte de Damas et se perdit dans la foule. Partout, des blocs de pierre millénaire, solide comme du métal et douce comme de l'ivoire, rappelaient aux passants l'histoire de la ville, des souvenirs faits de sang, de douleur, d'espoir, de foi et de souffrance.

Le temps était sec et agréable, mais il était impossible de s'aventurer sous le soleil puissant sans protection. Des hordes de gens arrivaient de toutes les directions et descendaient en masse les grands escaliers, convergeant vers la grande porte comme des fourmis affamées se jetant sur une goutte de miel, prenant un air sérieux lorsqu'ils passaient devant le regard vigilant des hommes en uniforme et casque vert olive. Les soldats des Forces de défense d'Israël, leur M16 sur l'épaule, arrêtaient de temps en temps des passants, leur demandaient leurs papiers et fouillaient leurs sacs ; ils semblaient négliger leur arme, mais tout le monde savait que ce n'était qu'une impression. Le mouvement de la foule s'intensifiait autour de l'impressionnante porte de Damas. Les passants évitaient les vendeurs ambulants de fruits, légumes et pâtisseries, et pestaient dans leur barbe en se donnant des coups de coude. Beaucoup venaient de loin pour faire leurs courses au souk ou pour prier Allah dans l'immense mosquée al-Aqsa.

Presque écrasé par cette foule massive, Tomás se sentit emporté par le flot humain. Incapable de résister à sa puissance, il se laissa guider entre les bâtiments bas du quartier musulman, jusqu'à une rue étroite grouillant d'activité.

Puis la route bifurquait, et la foule se dispersait dans trois directions différentes. Tomás chercha du regard le nom des rues et consulta sa carte. Il décida que la rue qui l'intéressait était celle du milieu et prit la direction du sud. Il passa sous un édifice qui formait une voûte au-dessus de la rue et se trouva devant un nouveau croisement. Il y avait à l'angle l'Hospice autrichien, et sur le mur de la rue qui continuait à sa gauche, un écriteau en hébreu, en arabe et en latin, qui l'interpella : Via Dolorosa.

Tomás n'était pas pratiquant, mais il ne put à ce moment-là s'empêcher d'imaginer la silhouette courbée de Jésus titubant dans la rue étroite, pliant sous le poids de la croix, escorté par des légionnaires romains, du sang coulant de son front et gouttant sur les pierres. Cette image était le produit de son éducation, presque un cliché. Il avait vu des reproductions de ce parcours fatal tant de fois que, maintenant qu'il s'y trouvait, maintenant qu'il était confronté à ce nom, il plongeait malgré lui dans une séquence d'événements imaginés, des événements qui se seraient déroulés ici deux mille ans plus tôt, et il fut involontairement saisi par l'émotion.

D'après la carte, il devait emprunter la longue rue qui lui faisait face pour traverser toute la vieille ville. Il prit la rue al-Wad et passa devant le Yeshiva Torat Haim, laissant derrière lui la rue empruntée par le Christ pendant les dernières heures de sa vie. À la prochaine intersection à gauche, des soldats israéliens avaient installé un poste de contrôle pour surveiller l'accès à la rue conduisant au complexe sacré de Haram al-Charif et la mosquée al-Aqsa, empêchant tous les non-musulmans d'entrer. Apparemment, une cérémonie religieuse islamique – qu'il ne fallait pas déranger – était en cours. La rue al-Wad, qui était cernée de bâtiments et passait sous une série de tunnels et d'arches, était protégée du soleil et rafraîchie par une brise qui donna la chair de poule à Tomás. Il passa devant les bains publics al-Ain et prit la rue de la Chaîne à l'ouest. Puis il tourna à gauche au niveau du bâtiment Tashtamuriyya et entra dans le quartier juif.

Ici, l'agitation des rues arabes laissait place à une ambiance très différente : les espaces étaient plus calmes et plus ouverts, presque bucoliques, et il n'y avait pas âme qui vive. Les seuls bruits étaient le roucoulement joyeux des oiseaux et le murmure placide de la cime des arbres bruissant dans le vent.

Tomás localisa Shonei Halakhot et chercha le numéro qui l'intéressait. Un panneau doré à côté de la sonnette indiquait en hébreu et en anglais le centre de la Kabbale du quartier juif. Il pressa le bouton noir, puis entendit le son électronique d'une sonnette retentir à l'intérieur, suivi de pas. La porte s'ouvrit sur un jeune homme avec des lunettes rondes et une barbe fine éparse, qui le regarda d'un air interrogateur.

– *Boker tov*, dit-il, saluant Tomás en hébreu avant de lui demander ce qu'il pouvait faire pour lui. *Ma uchal laasot lemaancha ?*

– *Shalom*, répondit Tomás.

Il consulta son carnet, cherchant une phrase qu'il avait notée à l'hôtel pour dire qu'il ne parlait pas hébreu.

– Hmm.... *eineni yode'a ivrit*. Est-ce que vous parlez anglais ?

– *Ani lo mevin anglit*, répondit le jeune homme en secouant la tête.

– Euh... Salomon... hmm...

Tomás bredouilla quelques mots pour indiquer qu'il avait rendez-vous avec le rabbin :

– Rabbin Salomon Ben-Porat ?

– Ah, *ken*, dit le jeune homme en ouvrant la porte pour l'inviter à entrer. *Bevakasha* !

Son hôte le conduisit dans une petite pièce sobrement décorée, prononça un bref « *Slachli* », fit signe à Tomás de patienter, le salua rapidement de la tête et quitta la pièce. Tomás s'assit sur un canapé et regarda autour de lui. Les meubles étaient en bois sombre et les murs étaient couverts de tableaux de figures bibliques. Une légère odeur de camphre et de vieux papier flottait dans l'air, mêlée à celle, plus acide, de cire et de vernis. Une petite fenêtre donnait sur la rue, mais seuls quelques rayons de lumière diffuse passaient à travers les rideaux.

Quelques minutes plus tard, il entendit des voix se rapprocher, et un homme corpulent apparut dans l'embrasure de la porte. Malgré son âge – environ soixante-dix ans, pensa Tomás –, il semblait robuste. Il portait un tallith en coton blanc avec des rayures pourpres et une frange bleue et blanche. Il avait une épaisse barbe grise rappelant un roi assyrien et une calotte en velours noir au sommet de son crâne chauve.

– *Shalom alekhem*, dit-il en tendant cordialement la main. Je suis le rabbin Salomon Ben-Porat, ajouta-t-il en anglais avec un fort accent hébreu. À qui ai-je l'honneur de parler ?

– Je suis Tomás Noronha, de Lisbonne.

– Ah, monsieur Noronha ! s'exclama le rabbin avec effusion.

Ils se serrèrent vigoureusement la main. Celle du rabbin était potelée mais puissante, et sembla écraser celle de Tomás.

– *Na'im le'hakir otcha !*

– Je vous demande pardon ?

– Ravi de vous rencontrer, dit-il en anglais. Vous avez fait bon voyage ?

– Oui, merci.

Le rabbin fit signe à Tomás de le suivre dans un couloir, tout en s'émerveillant des capacités des avions d'aujourd'hui, des inventions fantastiques permettant de voyager plus vite que la colombe de Noé. Il marchait péniblement, son corps imposant se balançant de gauche à droite. Au bout du couloir, il entra dans ce qui ressemblait à une bibliothèque, avec une grande table en chêne en son centre. Il invita Tomás à s'asseoir, puis s'installa en face de lui.

– C'est notre salle de réunion, expliqua-t-il d'une voix rauque. Vous souhaitez boire quelque chose ?

– Non, merci.

– Même pas un verre d'eau ?

– Si, je veux bien un verre d'eau.

Le rabbin se tourna vers la porte.

– Chaim ! cria-t-il. *Mayim*.

Quelques instants plus tard, un homme apparut dans l'entrebâillement de la porte avec une carafe d'eau et deux verres sur un petit plateau. Il devait avoir une trentaine d'années. Il était mince, avec une longue barbe noire, des cheveux bruns frisés et une kippa tricotée sur le crâne. Il entra dans la pièce et posa le plateau sur la table.

– Voici Chaim Nasi, le prince des Juifs, dit le rabbin avec un petit rire.

Tomás et Chaim échangèrent un *shalom* et se serrèrent la main.

– Alors vous êtes un professeur de Lisbonne ? demanda Chaim en anglais.

– Oui.

– Ah, fit-il.

Il semblait vouloir ajouter quelque chose, mais se retint.

– Je vois.

– Chaim a des origines portugaises, expliqua le rabbin. N'est-ce pas, Chaim ?

– Oui. Ma famille est séfarade. Les Séfarades ont été expulsés de la péninsule Ibérique autour de 5250. Selon le calendrier juif, bien sûr. À la fin du XVe siècle selon le calendrier chrétien. Les Séfarades expulsés représentaient environ un quart de million de personnes, ajouta le rabbin. Ils se sont installés en Afrique du Nord, dans l'Empire ottoman, en Amérique du Sud, en Italie et aux Pays-Bas.

– Intéressant, dit Tomás. Ce n'est pas la famille de Spinoza, qui a fui aux Pays-Bas ?

– Si, répondit le rabbin. Les Séfarades étaient un peuple très cultivé, ils comptaient parmi les Juifs les plus éduqués de l'époque. Ils furent les premiers à partir vivre aux États-Unis, et ils se considèrent encore aujourd'hui comme l'une des lignées juives les plus prestigieuses.

Tomás posa un coude sur la table et plaça son menton dans sa main.

– J'ai toujours pensé que l'expulsion des Juifs avait été un événement tragique, dit-il tristement. Peut-être un des actes les plus absurdes commis au Portugal. Et pas seulement sous l'angle des droits de l'homme. Leur départ a été directement lié au déclin du pays. Ce qui enrichit un pays, ce n'est pas l'argent, c'est la connaissance. Que s'est-il passé au Portugal pendant la période des grandes découvertes ? Le pays s'est ouvert à la connaissance. Le prince Henri le Navigateur a rassemblé certains des plus grands esprits de son temps, du Portugal et d'ailleurs, des gens qui ont inventé des instruments de navigation, dessiné des bateaux, conçu des armes plus sophistiquées, fait des découvertes en cartographie. C'était une période de grande richesse intellectuelle. Beaucoup de ces Portugais et étrangers étaient chrétiens, mais pas tous.

– Certains étaient juifs…

– Oui. Il y avait des Juifs dans le groupe d'experts à l'origine des découvertes portugaises, et certains étaient très importants. C'étaient des maîtres dans leurs domaines, qui ont apporté de nouvelles compétences au pays, ouvert des portes, créé des contacts, trouvé des financements. Pendant que les Espagnols persécutaient les Juifs, les Portugais les accueillaient et ils étaient protégés par le roi Jean II. Les problèmes commencèrent lorsque son successeur, Manuel Ier, se mit à rêver de devenir roi de toute la péninsule Ibérique et de faire de Lisbonne sa capitale, et qu'il élabora un plan pour séduire les Rois catholiques. Une des étapes fondamentales de ce plan était son mariage avec l'une des filles des Rois catholiques, qui permettrait d'unir les deux dynasties. Mais la future mariée imposa ses propres conditions.

– Elle voulait que les Juifs soient expulsés, dit le rabbin en secouant la tête.

– Exactement. Elle ne voulait pas de Juifs au Portugal. Dans d'autres circonstances, le roi Manuel aurait dit à la mariée et aux Rois catholiques d'aller se faire voir. Mais les circonstances étaient exceptionnelles. Le roi du Portugal voulait régner sur toute l'Ibérie. Face aux conditions dictées par sa future épouse, et sous la pression de l'Église portugaise, cet imbécile de roi Manuel céda. Il tenta tout de même une sorte de subterfuge : au lieu d'expulser les Juifs, il essaya de les forcer à se convertir. Lors d'une grande opération menée en 1497, il les baptisa contre leur gré, convertissant au christianisme soixante-dix mille Juifs portugais, qu'on surnomma les « nouveaux chrétiens ». Mais évidemment, la plupart continuèrent à pratiquer le judaïsme en secret. Et c'est ainsi qu'eut lieu le premier massacre de Juifs à Lisbonne, en 1506, un pogrom exécuté par le peuple, pendant lequel deux mille Juifs moururent. C'était courant en Espagne, où l'intolérance régnait depuis quelque temps déjà, mais pas au Portugal.

– Le résultat fut catastrophique, dit Chaim. Les Juifs commencèrent à fuir le pays, emportant avec eux un trésor inestimable : leurs connaissances, leur curiosité et leur esprit d'invention. Puis, dans les années 1540, l'Inquisition s'installa au Portugal, et le désastre fut achevé quarante ans plus tard, lorsque le rêve du roi Manuel d'unir le Portugal et l'Espagne devint finalement réalité, mais avec l'Espagne à la tête du royaume. L'Espagne introduisit une forme d'obscurantisme encore plus radical. Le Portugal se ferma aux influences et aux connaissances de l'extérieur. Les textes scientifiques furent interdits, l'éducation fut entièrement prise en charge par l'Église et le pays commença à patauger dans une ignorance fanatique. Avec l'interdiction du judaïsme, le Portugal entra dans une période de déclin, dont il n'est que rarement sorti.

– Eh bien, c'est une manière intéressante d'apprendre à connaître l'histoire d'un pays, dit le rabbin en souriant. À travers ses mauvaises décisions.

– Petites erreurs, mais gros problèmes, dit Tomás.

Le rabbin posa affectueusement une main sur l'épaule de Chaim, mais garda ses yeux fixés sur Tomás.

– Eh bien, notre prince des Juifs ici présent vient d'une des plus importantes familles séfarades du Portugal. – Il se tourna vers son protégé. – N'est-ce pas, Chaim ?

Chaim hocha la tête modestement.

– Oui, monsieur.

– Quel était le nom de votre famille ? demanda Tomás.

– Le nom hébreu ou portugais ?

– Les deux.

– Ma famille a pris le nom de Mendes, mais son vrai nom était Nasi. Des années après le début de la persécution à Lisbonne, mes ancêtres ont fui aux Pays-Bas, puis en Turquie. La matriarche de la famille, Gracia Nasi, utilisa son influence sur le sultan turc et ses nombreux contacts commerciaux pour aider les nouveaux chrétiens à quitter le Portugal. Elle essaya même d'organiser un embargo sur le commerce avec les pays qui persécutaient les Juifs.

– Gracia Nasi est devenue célèbre, ajouta le rabbin. Le poète Samuel Usque lui a même consacré un livre en portugais, *Consolaçãm às tribulaçõens de Israel*, et l'a surnommée « le cœur du peuple ».

– Joseph, le neveu de Gracia, a lui aussi fui Lisbonne pour se réfugier à Istanbul, continua Chaim. Il est devenu banquier et un homme d'État reconnu, et c'était un ami des rois européens et un conseiller du sultan Soliman, qui a fait de lui un duc. Joseph et Gracia sont les Juifs qui ont pris le contrôle de Tibériade, ici en Israël, et ont encouragé les autres Juifs à revenir s'installer ici.

Tomás sourit.

– Vous êtes en train de suggérer que ce sont les Juifs portugais, vos ancêtres, qui ont initié le retour au Moyen-Orient ?

Les deux Israéliens esquissèrent un sourire.

– C'est une des façons de considérer les choses, dit Chaim en caressant sa barbe ondulée. Je préfère penser qu'ils ont été l'instrument de Dieu pour nous permettre de récupérer la Terre promise.

– Mais la meilleure partie de l'histoire, dit le rabbin, c'est que Joseph Nasi est devenu extrêmement riche et qu'il est encore aujourd'hui connu sous le nom de prince des Juifs, notamment parce que le mot *nasi* signifie « prince » en hébreu.

Le rabbin donna une petite tape sur la tête de Chaim.

– C'est pourquoi, en tant que descendant de la famille de Joseph, et puisque son nom est Nasi, j'appelle notre Chaim le prince des Juifs.

– Eh bien, c'est une grande perte pour mon pays, dit Tomás. Imaginez ce que nous aurions pu accomplir si la famille de Chaim était restée au Portugal…

Salomon jeta un coup d'œil à la grande horloge au mur.

– Sa famille et beaucoup d'autres, dit-il tristement. – Il inspira profondément. – Mais on parle, on parle et nous n'avons même pas encore abordé le sujet de notre rencontre, n'est-ce pas ?

C'est le signal que Tomás attendait pour attraper sa vieille mallette et en sortir une liasse de photocopies.

– Très bien ! s'exclama-t-il. Comme je vous l'ai dit au téléphone, j'apprécierais grandement votre aide pour analyser ces documents. – Il posa la liasse de feuilles sur la table et la poussa vers le rabbin ; il en sortit une page, qu'il mit en évidence. – Celle-ci est la plus intéressante.

Salomon chaussa une petite paire de lunettes et se pencha sur la photocopie, examinant les lettres et les symboles.

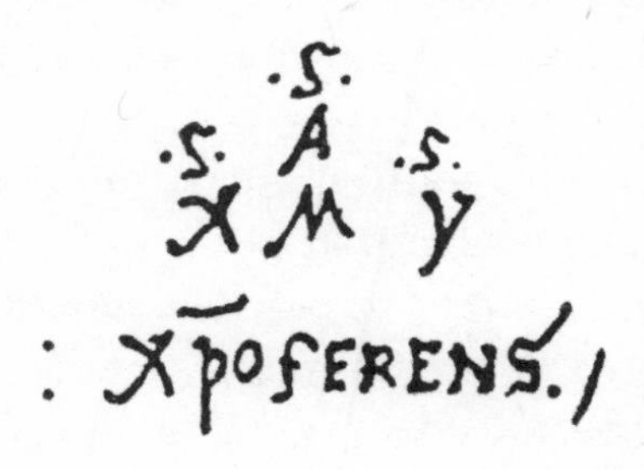

– Qu'est-ce que c'est ? demanda-t-il sans quitter la page des yeux.

– La signature de Christophe Colomb.

Le vieux Juif caressa son épaisse barbe blanche, l'air penseur, avant d'enlever ses lunettes pour regarder Tomás.

– Cette signature révèle beaucoup de choses, dit-il.

Tomás hocha la tête.

– C'est aussi mon avis. Vous pensez que c'est kabbalistique ?

Salomon remit ses lunettes et étudia de nouveau la page.

– C'est possible, c'est possible... dit-il au bout de quelques secondes.

Il posa la photocopie sur la table, se caressa les lèvres du bout des doigts et soupira.

– J'aurais besoin que vous me laissiez un peu de temps pour consulter des livres, parler à des amis et étudier la signature. – Il regarda l'heure. – Il est 11 heures, voyons... Pourquoi vous n'iriez pas visiter un peu la ville avant de revenir vers 17 heures ?

– Parfait.

Tomás se leva, et le rabbin fit un signe en direction de Chaim.

– Chaim va vous accompagner. C'est un excellent guide, il vous fera visiter la vieille ville. *Lehitra'ot.*

Le vieux kabbaliste le salua d'un signe de la main avant de se replonger dans la page et les mystères qu'elle renfermait.

Dehors, l'air était toujours frais et sec, malgré le soleil puissant qui tapait sur les bâtiments et les parcs du quartier juif. En sortant, Tomás remonta la fermeture Éclair de sa veste, puis suivit Chaim.

– Qu'est-ce que vous aimeriez voir ? demanda son guide.

– Comme tout le monde, je pense, le Saint-Sépulcre et le mur des Lamentations.

– Le mur des Lamentations est à cinq minutes d'ici, dit Chaim en pointant le doigt vers la droite.

Ils prirent la direction du mur sacré du judaïsme. Ils tournèrent au sud et se dirigèrent vers la place de la synagogue Hourva. C'était le premier grand espace que Tomás voyait dans la vieille ville. Il y avait des cafés, des restaurants, des boutiques de souvenirs et quelques arbres dans un square dominé par quatre synagogues séfarades, construites par les Juifs espagnols et portugais au XVIe siècle, les ruines de la synagogue Hourva et le fin minaret de la mosquée d'Omar, désormais toute proche. Ils prirent vers l'est, empruntèrent les passages voûtés de la synagogue Tiferet Israel, puis s'enfoncèrent dans un labyrinthe de ruelles.

– Vous pensez que le rabbin pourra déchiffrer la signature ? demanda Tomás.

– Salomon Ben-Porat est l'un des plus grands kabbalistes du monde et le meilleur de Jérusalem. Des gens viennent de très loin pour connaître son avis sur les secrets de la Torah.

Ils passèrent devant le Yeshivat Hakotel et débouchèrent sur une grande place. Derrière elle se dressait un immense mur fait de blocs de calcaire, au pied duquel des rangées de Juifs en kippa se balançaient d'avant en arrière. La zone de prière était séparée du reste de la place par une cloison.

– Le *Kotel HaMa'aravi*, annonça Chaim. Le mur des Lamentations. Tout a commencé ici, sous ce dôme doré. Il y a le rocher sur lequel le patriarche Abraham, obéissant à un ordre de Dieu, se prépara à sacrifier son fils Isaac. Ce rocher est appelé *Even ha-Shetiyah* en hébreu. C'est la pierre de la fondation du monde, le rocher primordial. C'est ici que reposa plus tard l'Arche d'alliance. Toute cette zone surélevée, où se situe le rocher d'Abraham, est appelée mont Moriah, ou mont du Temple, puisque c'est ici que le roi Salomon fit construire le premier Temple de Jérusalem. À la mort de Salomon, une série de conflits mena à la division des Juifs, qui, après avoir été vaincus par les Assyriens, furent réduits en esclavage par les Babyloniens, qui détruisirent le temple. Plus tard, les Babyloniens furent vaincus par les Perses et les Juifs furent autorisés à revenir sur leurs terres. C'est à ce moment-là que fut construit le second Temple. La présence d'Alexandre le Grand marque le début d'une période de domination du Moyen-Orient par les Grecs, puis par les Romains. Ces derniers avaient le pouvoir, mais ils laissaient des rois juifs régner sur les Juifs. C'est ainsi que, peu avant la naissance de Jésus de Nazareth, Hérode le Grand fit agrandir le Temple et construire un grand mur tout autour. Le mur des Lamentations en faisait partie et c'est la seule section qui a survécu.

En 66 de l'ère chrétienne, les Juifs se rebellèrent contre les Romains, débutant ce que l'on appelle les guerres des Juifs. En réponse, les Romains conquirent Jérusalem et rasèrent le Temple en 68, un événement qui causa un traumatisme profond au sein de notre nation. – Il fit un signe en direction du mur. – C'est pour cette raison que ce mur est appelé mur des Lamentations : les Juifs viennent ici pleurer la destruction du Temple.

Ils entrèrent sur la grande place et se dirigèrent tranquillement vers le mur. Tomás remarqua que sa surface était rêche, avec des feuilles vertes de jusquiames perçant çà et là, et des vestiges de gueules-de-loup dans les fissures au sommet. Les blocs de pierre inférieurs, énormes, faisaient de toute évidence partie du mur d'origine, tandis que les pierres les plus hautes étaient beaucoup plus petites et trahissaient des ajouts plus tardifs. Il repéra deux nids dans les interstices entre les rochers, qui appartenaient peut-être aux hirondelles et aux moineaux qui survolaient la place, l'emplissant d'un charmant mélange de chants célestes et de gazouillis.

– Le Temple était le centre de la vie spirituelle, poursuivit Chaim. C'est à travers lui que la bonté entrait dans le monde. Ici, on respectait Dieu et la Torah. C'est ici qu'Abraham faillit sacrifier Isaac et que Jacob eut la vision d'une échelle conduisant au paradis. Lorsque les Romains détruisirent le Temple, les anges descendirent sur terre et couvrirent de leurs ailes cette partie du mur pour la protéger, assurant qu'elle ne serait jamais détruite. C'est pour cette raison que les prophètes affirment que la Présence divine n'abandonnera jamais les derniers vestiges du Temple, le mur des Lamentations. Jamais. Ils disent qu'il est éternellement sacré. – Il pointa du doigt les blocs de pierre à la base du mur. – Vous voyez ces rochers ? Le plus gros pèse quatre cents tonnes. Quatre cents. C'est le plus gros rocher jamais porté par l'homme. Il n'existe aucun rocher de cette taille dans les monuments de la Grèce ancienne, ni dans les pyramides égyptiennes, ni même dans les immeubles modernes de New York et de Chicago. Croyez-le ou non, aucune grue n'est assez puissante pour soulever ce rocher.

Il prit une profonde inspiration.

» Le Talmud nous enseigne que lorsque le Temple fut détruit, toutes les portes du paradis furent fermées, à l'exception d'une, la porte des Lamentations. Ce mur est le lieu où les Juifs viennent pleurer ; c'est un lieu de recueillement. Des Juifs du monde entier viennent y prier, et c'est ici, par la porte des Lamentations, que leurs prières montent au ciel. Le Midrash dit que Dieu ne quitte jamais ce mur. Le Cantique des Cantiques fait référence à sa présence dans cette phrase : "Le voici, il se tient derrière notre mur."

– Si le Temple est si important, pourquoi vous ne le reconstruisez pas ?

– La reconstruction commencera lorsque viendra le Messie. Le troisième Temple sera construit à l'endroit exact où se dressaient le premier Temple et le second. Le Midrash dit que ce troisième Temple a déjà été construit au paradis et qu'il attend simplement d'être préparé pour sa venue sur terre. Tout indique que ce moment est proche. Un signe très important est le retour du peuple juif sur la Terre promise. Le Messie construira le Temple sur le mont Moriah, le mont du Temple.

– Comment reconnaîtrez-vous le Messie ?

– Ce sera justement celui qui prendra la responsabilité de reconstruire le Temple. Ce sera le signe qu'il est le vrai Messie.

– Mais il y a maintenant la mosquée al-Aqsa et le Dôme du Rocher, dit Tomás en les désignant derrière le mur. Pour construire le troisième Temple, il faudra détruire les mosquées, qui font partie du troisième site le plus saint de l'Islam, comme tout ce qui se trouve ici. Haram al-Sharif est un lieu sacré pour les musulmans. Comment pensez-vous qu'ils réagiront ?

– Ce problème sera résolu par Dieu et son envoyé, le Messie.

Tomás regarda vers le mont Moriah et commença à marcher dans sa direction.

– Chaim, dites-moi, comment explique-t-on que les juifs et les musulmans aient précisément choisi, malgré la présence de toutes ces collines environnantes, le même emplacement pour leur lieu saint ?

– L'histoire l'explique. Les Romains expulsèrent les Juifs de Jérusalem et persécutèrent les chrétiens jusqu'à ce que, au IVe siècle de l'ère chrétienne, l'empereur romain Constantin se convertisse au christianisme. La mère de Constantin, Hélène, se rendit à Jérusalem, où elle fit construire les premières églises chrétiennes dans les lieux liés à la vie de Jésus. Jérusalem redevint une ville importante. En 614, l'armée perse envahit la région et, avec le soutien des Juifs, massacra les chrétiens. Les Romains, qui étaient byzantins à l'époque, reconquirent la Palestine en 628, la même année où une armée menée par le prophète Mahomet prit La Mecque et donna au monde une nouvelle force religieuse : l'islam. Dix ans plus tard, Mahomet mourut et son successeur, le calife Omar, vainquit les Byzantins et conquit la Palestine. Puisque l'islam reconnaît Abraham et l'Ancien Testament, ses disciples considéraient également Jérusalem comme un lieu saint. En outre, les musulmans pensaient que Mahomet, des années plus tôt, était monté au ciel depuis l'Even Shetiyah, la pierre sur laquelle Abraham faillit sacrifier son fils et sur laquelle les Juifs avaient construit leurs deux temples. Les ruines laissées par les Romains sur le mont Moriah furent déblayées, et les musulmans y construisirent leurs deux lieux saints, le Dôme du Rocher, en 691, et la mosquée al-Aqsa, en 705, tous deux sur le lieu saint du Haram al-Sharif.

Chaim montra d'un grand geste la colline derrière le mur des Lamentations, où s'élevait sur sa gauche le dôme doré, brillant au soleil, telle une couronne auréolant la vieille ville.

Il poursuivit.

» Les chrétiens et les juifs n'étaient pas autorisés à entrer dans ce lieu construit sur le mont Moriah, mais ils continuèrent à vivre à Jérusalem. Une période de relative tolérance s'ensuivit, jusqu'au XIe siècle, lorsque les musulmans changèrent de politique et refusèrent l'accès à Jérusalem aux chrétiens et aux juifs. Ce fut le début de nos problèmes. L'Europe chrétienne réagit violemment par les croisades. Les chrétiens récupérèrent Jérusalem et créèrent même un ordre religieux nommé d'après le Temple.

– Les Pauvres Chevaliers du Christ et du Temple de Salomon.

– Exactement. Les chevaliers de l'ordre du Temple, aussi appelés Templiers. Ils installèrent leur quartier général ici, sur le Haram al-Sharif, le mont du Temple. Ils y trouvèrent des reliques importantes, mais nous ne savons pas lesquelles. Certains disent qu'ils détenaient l'Arche d'alliance et le calice dans lequel Jésus avait bu pendant la Cène et où des gouttes de son sang avaient été recueillies lors de la crucifixion.

– Le Saint-Graal.

– Oui. Certains disent même que le suaire de Turin, le morceau de tissu qui aurait été utilisé pour couvrir le corps de Jésus après la crucifixion, fut aussi découvert ici par les Templiers. Ce sont aujourd'hui des mystères non résolus qui contribuent à faire du mont Moriah un lieu également mythique pour les chrétiens.

Ils approchèrent de la zone de prière et observèrent les fidèles qui se lavaient les mains dans un bassin pour en éliminer toute impureté avant d'aller prier. En face du mur, des hommes et des femmes, séparés par le *mechitza*, se balançaient d'avant en arrière en une prière rythmée. Certains tenaient de petits livres.

Ils quittèrent la place par le nord et prirent la rue de la Chaîne devant la bibliothèque Khalidi, où était enterré le khan mongol Berké. Puis ils continuèrent jusqu'à la rue de David.

Il était déjà 14 heures passées et ils avaient faim. Chaim emmena son invité dans un restaurant du paisible quartier juif. Ils commandèrent du houmous, du taboulé et deux kébabs de pain pita avec de la sauce *harif*. Ils terminèrent leur repas avec du *katzar*, un café fort servi dans des bols de cuivre.

Ils se baladèrent ensuite dans la rue de David, qui séparait le quartier arménien du quartier chrétien, admirant l'atmosphère joyeuse du bazar, ses boutiques de vêtements, tapis, bibelots et statues religieuses sculptées dans de l'olivier – tout ce qui pouvait attirer l'œil des touristes et la dévotion des pèlerins.

Puis ils arrivèrent enfin devant le bâtiment sinistre de l'église du Saint-Sépulcre. Ils franchirent une porte voûtée encadrée de colonnes en marbre et marchèrent jusqu'au mont du Calvaire, le lieu où les Romains crucifièrent Jésus, désormais caché par la structure des deux chapelles. La chapelle latine, sur la droite, occupe les dixième et onzième stations du chemin de croix, le lieu où les bourreaux de Jésus le clouèrent au crucifix. À côté se trouve l'autel du Stabat Mater, où Marie pleura sous la croix. La chapelle orthodoxe, de l'autre côté, marque le lieu où la croix avait été dressée. Les deux coffrets en verre près de l'autel orthodoxe permettent d'apercevoir la surface irrégulière du Calvaire émergeant du sol.

– Incroyable ! s'exclama Tomás à voix basse, tout en se penchant en avant pour mieux voir la pierre où s'était déroulée la crucifixion. C'est donc le lieu exact où Jésus est mort...

– Ce n'est pas nécessairement le lieu exact. En 325, Constantin convoqua un conseil œcuménique pour discuter de la nature de la Sainte-Trinité. Un des membres du conseil était l'évêque Macaire de Jérusalem, qui convainquit Hélène, la mère de Constantin, de venir en Terre sainte pour localiser les lieux où Jésus était passé. Hélène trouva la grotte où il était né, à Bethléem, et celle du mont des Oliviers, où il avait prédit la destruction de Jérusalem. Elle arriva à la conclusion que Golgotha, le gros rocher sur lequel il avait été crucifié, se trouvait sous les temples païens construits par l'empereur romain Hadrien deux cents ans plus tôt, au nord-ouest de la vieille ville.

– Golgotha ?

– C'est le mot hébreu pour « rocher », qui signifie « le lieu du crâne ». Le dérivé latin est « calvaire ». – Il marqua une pause. – Elle détermina arbitrairement les lieux où Jésus attendit d'être exécuté, où il fut cloué sur la croix, et où la croix fut dressée, c'est-à-dire les dixième, onzième et douzième stations du chemin de croix. Mais ce n'était basé que sur des conjectures, et la vérité est que personne n'est absolument certain que le rocher sous la basilique soit réellement le Golgotha, même si tout semble indiquer que c'est le cas. Il est dit dans l'Évangile que Jésus fut crucifié sur un rocher situé à l'extérieur de ce qui était alors les murs de la vieille ville, au pied d'une butte où des grottes servaient de catacombes, et des études archéologiques ont montré que ce lieu correspond parfaitement à la description.

Tomás et Chaim se placèrent dans la file d'attente pour entrer dans le Saint-Sépulcre, le lieu où le corps du Christ aurait été déposé après sa mort, désormais caché par un tombeau construit au milieu de la rotonde romaine, la majestueuse salle circulaire avec ses galeries d'arcades située directement sous le grand dôme blanc et doré de la basilique. Chaim préféra aller admirer le Catholicon, le dôme couvrant la nef centrale de l'église des Croisés, considéré comme le centre du monde par l'Église orthodoxe. Tomás emprunta donc seul le petit passage conduisant à la salle chaude et humide du Saint-Sépulcre. Avec déférence, il observa la dalle en marbre placée à l'endroit où le corps de Jésus aurait été déposé, et admira les bas-reliefs de la petite crypte, qui représentaient une scène de la Résurrection. Il ne resta que quelques secondes, cédant à la pression silencieuse des visiteurs derrière lui.

Chaim l'attendait à la sortie, le bras tendu, pointant sa montre du doigt.

– Il est 16 h 30, dit-il. Il faudrait rentrer.

La silhouette imposante de Salomon Ben-Porat tournait le dos à la porte. Il discutait avec un homme maigre vêtu d'un *bekeshe*, une veste hassidique de couleur sombre. Celui-ci avait de petits yeux et portait une longue barbe noire en pointe. En les entendant arriver, le rabbin tourna sur sa chaise, un sourire de satisfaction visible à travers sa barbe épaisse.

– Ah ! s'exclama-t-il. *Ma shlomkha ?*

– *Tov*, répondit Chaim.

– Entrez, entrez, dit Salomon en anglais en agitant sa main dans leur direction. Monsieur Noronha ! dit-il d'une voix tonitruante. – Il se tourna vers l'homme assis à sa droite. – Laissez-moi vous présenter un de mes amis, le rabbin Abraham Hurewitz.

L'homme mince se leva pour saluer Tomás et Chaim.

– *Na'im me'od.*

– Le rabbin Hurewitz est venu pour m'aider, expliqua Salomon en se caressant nonchalamment la barbe. J'ai jeté un coup d'œil aux documents que vous m'avez laissés et appelé quelques amis. J'ai ainsi appris que le rabbin Hurewitz avait étudié les textes de Christophe Colomb il y a quelque temps, en particulier son *Livre des prophéties* et son journal, et lorsque je l'ai appelé, il a proposé de venir éclaircir les choses pour vous.

– Parfait, dit Tomás sur un ton reconnaissant, sans quitter Hurewitz des yeux.

– Tout d'abord, je pense qu'il est important de vous faire une petite introduction. – Salomon regarda Tomás avec un air interrogateur. – Monsieur Noronha, pardonnez-moi de vous poser cette question, mais que savez-vous de la Kabbale ?

– Très peu, je le crains, dit Tomás en sortant son vieux carnet. C'est la première fois que j'y suis confronté dans le cadre de mes recherches.

– Eh bien, Monsieur Noronha, la Kabbale contient le code symbolique des mystères de l'univers, avec Dieu en son centre. Le mot *kabbale* vient du verbe *lekabel*, qui signifie « recevoir ». Nous avons ainsi affaire à un système de transmission et de réception, un système d'interprétation, un instrument pour déchiffrer le monde, la clef qui nous permet de connaître les desseins de l'Ineffable.

Salomon parlait avec beaucoup d'éloquence, d'une voix grave et posée.

» Certains disent que la Kabbale date d'Adam, tandis que d'autres pensent qu'elle remonte au patriarche Abraham, et beaucoup croient que le rabbin Moshe Alshich, qui serait l'auteur de *Torat Moshe*, un commentaire du Pentateuque, fut le premier kabbaliste. Pour autant que nous sachions, les premières traces systématisées de la Kabbale sont apparues au Ier siècle av. J.-C. et sont passées par un total de sept phases. La première fut la plus longue puisqu'elle dura jusqu'au Xe siècle. Lors de cette première phase, on utilisait principalement la méditation comme moyen d'atteindre l'extase spirituelle permettant d'accéder aux mystères divins, et les écrits kabbalistiques de cette période décrivent les niveaux supérieurs de l'existence. La seconde phase se déroula de 1150 à 1250 en Allemagne, et se caractérise par la pratique d'un ascétisme absolu et d'une forme extrême d'altruisme. La phase suivante dura jusqu'au début du XIVe siècle et marque la naissance de la Kabbale prophétique, grâce en particulier aux travaux d'Abraham Abulafia. C'est à cette période que furent développées des méthodes permettant de lire et d'interpréter la nature mystique des textes sacrés, et d'associer les lettres hébraïques aux noms de Dieu. La quatrième phase occupa tout le XIVe siècle et donna naissance à l'œuvre la plus importante du mysticisme kabbalistique, le *Sefer Ha Zohar*, ou *Livre de la Splendeur*. Ce texte foisonnant est apparu dans la péninsule Ibérique à la fin du XIIIe siècle, et sa paternité est attribuée à Moses de León.

– De quoi parle-t-il ?

– C'est un travail colossal sur la Création et la compréhension des sens cachés des mystères de Dieu et de l'univers. – Il s'éclaircit la voix. – La cinquième phase commença aussi sur la péninsule Ibérique, lorsque le judaïsme fut banni en Espagne en 1492, et au Portugal en 1496. Son plus grand adepte était Isaac Luria, qui, dans une tentative pour trouver une explication mystique à la persécution des Juifs, développa une théorie de l'exil, associant la Kabbale au messianisme dans l'espoir d'atteindre une rédemption collective. C'est pour cette raison que la sixième phase, les XVIIe et XVIIIe siècles, fut marquée par un pseudo-messianisme, qui fut la cause de nombreux malentendus et ouvrit la voie à la septième et à la dernière phase, connue sous le nom d'hassidisme, qui se développa en Europe de l'Est en réaction au messianisme. C'est la Kabbale qui a fait connaître le mouvement hassidique, fondé par Ba'al Shem Tov. Elle l'a rendu moins obscur et élitiste, accessible à tous.

– Et ces histoires de comptage de lettres et d'Arbre de Vie ? demanda Tomás tout en griffonnant comme un forcené dans son carnet.

– Vous parlez de deux choses bien différentes, Monsieur Noronha, dit Salomon. Ce que vous appelez le comptage des lettres est, j'imagine, la gematria. Cette technique consiste à obtenir la valeur numérique des mots en assignant des nombres aux lettres de l'alphabet hébraïque. Dans la gematria, les neuf premières lettres sont associées aux neuf premiers chiffres, les neuf lettres suivantes sont associées aux neuf dizaines, ou multiples de dix, et les quatre restantes représentent les quatre premières centaines. – Il ouvrit les mains et tendit les bras, comme pour embrasser l'univers. – Dieu a créé l'univers avec des nombres, et chaque nombre contient un mystère et une révélation. Chaque élément de l'univers fait partie d'une chaîne de causes à effets et forme une unité pouvant être multipliée à l'infini. De nos jours, les mathématiciens utilisent la théorie du chaos pour comprendre le fonctionnement complexe des choses, tandis que les physiciens préfèrent utiliser le principe d'incertitude pour justifier le comportement étrange des particules subatomiques à l'état quantique. Nous, les kabbalistes, choisissons la gematria.

» Il y a près de deux mille ans, quelque part entre le IIe et le VIe siècle de notre ère, un énigmatique petit livre métaphysique intitulé *Sefer Yetzirah*, ou *Livre de la Création*, est apparu, décrivant la façon dont Dieu avait conçu le monde à partir de nombres et de mots. Comme les mathématiciens et les physiciens d'aujourd'hui, le *Sefer Yetzirah* affirmait qu'il était possible d'accéder au pouvoir divin par les nombres. C'est le principe de la gematria. Ce système, qui attribue un pouvoir créateur aux mots et aux nombres, est basé sur l'hypothèse selon laquelle l'hébreu fut le langage utilisé par Dieu lors de la Création. Les nombres et l'hébreu sont divins par nature. En utilisant la gematria, il est possible de transformer les lettres en nombres et de faire des découvertes très intéressantes. Par exemple, le mot hébraïque pour "année", *shanah*, correspond au nombre 355, qui est précisément le nombre de jours dans l'année lunaire. Et le mot *herayon*, "grossesse", correspond à 271, le nombre de jours dans neuf mois, la durée d'une gestation.

– Comme une anagramme.

– Exactement, une anagramme divine de nombres et de lettres. Regardez ce qu'il se passe si l'on applique la gematria aux Saintes Écritures. Un autre nom de Dieu, YHVH Elohei Israel, correspond à 613. Et *Moshe Rabeinu* – Moïse, notre prophète – correspond également à 613. 613 est le nombre de commandements dans la Torah. Cela signifie que Dieu a donné à Moïse les 613 lois de la Torah. – Il fit un geste circulaire avec ses mains. – Les Saintes Écritures sont d'une grande complexité holographe ; de nombreux sens différents sont présents dans le texte. Un autre exemple se trouve dans la Genèse, où il est dit qu'Abraham conduisit 318 serviteurs à la bataille. Mais lorsque les kabbalistes analysèrent la valeur numérique du nom de son serviteur, Éliézer, ils découvrirent que c'était 318. On présume ainsi qu'Abraham n'a, en réalité, emmené avec lui qu'Éliézer.

– Vous êtes en train de dire que la Bible contient des messages subliminaux ?

– Si c'est ainsi que vous les appelez, dit Salomon en souriant. Vous savez quel est le premier mot du Pentateuque ?

– Non.

– *Bereshith*. Ce mot signifie « au commencement ». Si l'on divise *bereshith* en deux mots, cela donne *bere*, « il créa », et *shith*, qui signifie « six ». Dieu créa le monde en six jours et se reposa le septième. Le message entier de la Création est contenu dans un unique mot, le premier mot des Saintes Écritures. *Bereshith*. « Au commencement. » *Bere* et *shith*. « Il créa » et « six ». Le six correspond à l'hexagramme, le double triangle du sceau de Salomon, que l'on appelle aujourd'hui étoile de David et qui est sur notre drapeau. – Il désigna le drapeau israélien, bleu et blanc, dans un coin de la pièce. – On trouve également des anagrammes dans le Pentateuque. Par exemple, Dieu dit dans l'Exode : « J'envoie un ange devant toi. » En hébreu, « mon ange » se dit *melakhi*, une anagramme de *Mikhael* – l'orthographe hébraïque de Michel –, l'archange protecteur des Juifs. En d'autres termes, Dieu envoya l'ange Michel.

– Est-ce que ce système d'interprétation s'applique aussi à l'Arbre de Vie ?

– L'Arbre de Vie est une chose différente, répondit le rabbin. Pendant longtemps, deux questions ont dominé la relation de l'homme avec Dieu. Si Dieu a créé le monde, qu'est-ce que le monde, sinon Dieu ? La seconde question, qui découle de la première, est : pourquoi le monde est-il si imparfait si le monde est Dieu ? Le *Sefer Yetzirah*, le texte mystique dont je viens de parler, qui décrit la façon dont Dieu a créé l'univers en utilisant des nombres et des mots, a été écrit, en partie, pour répondre à ces deux questions. Il a d'abord été attribué à Abraham, bien qu'il ait probablement été écrit par le rabbin Akiva. Le *Sefer Yetzirah* révèle la nature divine des nombres et les assimile aux trente-deux chemins de la sagesse empruntés par Dieu lorsqu'il créa l'univers. Ces trente-deux chemins sont composés des dix chiffres, les *sephiroth*, et des vingt-deux lettres de l'alphabet hébraïque. Chaque lettre et chaque *sephira* symbolisent quelque chose. Par exemple, le premier *sephira* représente l'esprit de Dieu vivant, exprimé dans la voix, la respiration et la parole. Le deuxième *sephira* représente l'air qui émane de l'esprit, le troisième *sephira* représente l'eau qui émane de l'air, et ainsi de suite.

Les dix *sephiroth* sont les émanations de Dieu, manifestées dans l'acte de la Création, et ils sont organisés dans l'Arbre de Vie, qui est l'unité élémentaire de la Création, la plus petite particule indivisible contenant des éléments du tout. Bien sûr, ce concept a évolué, et le *Sefer Ha Zohar*, le texte principal de la Kabbale, apparu dans la péninsule Ibérique à la fin du XIIIe siècle, définit les *sephiroth* comme les dix attributs divins. Le premier *sephira* est *Kether*, la couronne. Le second est *Okhma*, la sagesse. Le troisième est *Bina*, la compréhension. Le quatrième est *Hessed*, la miséricorde. Le cinquième est *Guebourah*, la force. Le sixième est *Tiph'ereth*, la beauté. Le septième est *Nesah*, l'éternité. Le huitième est *Hod*, la gloire. Le neuvième est *Yessod*, la fondation. Et le dixième est *Malkhouth*, le royaume.

– Juste un instant, l'interrompit Tomás, tout en écrivant frénétiquement dans son carnet. Vous pourriez aller un peu moins vite, s'il vous plaît ?

Il avait déjà perdu le fil de l'exposé, empêtré dans cet amas de mots inconnus, mais Salomon poursuivit calmement. Il marqua une courte pause pour permettre à Tomás de dessiner l'Arbre de Vie, puis reprit ses explications.

– Le *Sefer Ha Zohar* établit différentes façons d'interpréter l'Arbre de Vie, avec des lectures horizontales, verticales, ascendantes ou descendantes des *sephiroth*. Par exemple, le chemin de haut en bas représente l'acte de la Création, dans lequel la lumière a rempli le premier *sephira*, le *Kether*, et s'est répandu jusqu'au dernier, le *Malkhouth*. Le chemin de bas en haut représente l'acte de développement qui conduit de la créature au Créateur, de la matière à la spiritualité. Chaque *sephira* est associé à l'un des noms de Dieu. *Kether*, par exemple, est *Eheieh*, et *Malkhouth* est *Adonaï*. Et chaque *sephira* est gouverné par un archange. L'archange de *Kether* est *Metatron*. L'Arbre de la Vie s'applique à tout. Aux étoiles, aux vibrations, au corps humain.

Tomás eut soudain l'impression de commencer à saisir.

– Au corps humain ? demanda-t-il.

– Oui. D'après la Kabbale, l'être humain est un microcosme, une version miniature de l'univers, qu'elle intègre à l'Arbre de la Vie. *Kether* est la tête. *Hokhmah*, *Hessed* et *Nesah* sont les côtés droits du corps ; *Bina*, *Guebourah* et *Hod*, les côtés gauches ; *Tiph'ereth* est le cœur ; *Yessod*, les parties génitales ; et *Malkhouth*, les pieds. – Il prit une profonde inspiration et fit un ample geste des mains. – Il y a encore énormément à dire sur la Kabbale. Croyez-moi, on pourrait passer toute une vie à l'étudier ; il m'est impossible d'expliquer tous ses mystères, toutes les énigmes qu'elle contient, dans ce court résumé. Pour le moment, je pense vous en avoir dit assez pour que vous réussissiez à suivre notre interprétation des documents et de la signature que vous m'avez confiés ce matin.

Tomás cessa d'écrire et se pencha sur la table. La conversation semblait être arrivée à son point crucial.

– Oui, intéressons-nous à la signature de Christophe Colomb. D'après vous, est-elle kabbalistique ?

Salomon sourit.

– La patience est la vertu des sages, monsieur Noronha. Avant d'en arriver à la signature, je pense qu'il y a une ou deux choses que vous devriez savoir au sujet de Christophe Colomb.

– J'en sais déjà quelques-unes, dit Tomás avec un petit rire.

– Peut-être, dit Salomon. Mais je suis sûr que ce que le rabbin Abraham a à vous dire vous intéressera aussi.

Salomon se tourna vers la droite et fit signe à Hurewitz de parler. Le rabbin hésita quelques instants, son regard dansant entre les trois hommes qui le fixaient des yeux, avant de prendre une longue inspiration et de commencer.

– Monsieur Noronha, dit-il d'une voix basse et modeste qui contrastait avec le grondement guttural de Salomon. Vous dites que vous en savez déjà beaucoup sur M. Christophe Colomb. Auriez-vous l'obligeance de m'éclairer sur la date de son premier voyage en Amérique ?

– Eh bien, il me semble qu'il a quitté le port de Palos, à Cadix, le 3 août 1492.

Tomás sourit, car il reconnut la technique rhétorique qu'il utilisait avec Nelson. C'était beaucoup moins amusant lorsqu'on en était la victime.

– À présent, monsieur Noronha, pourriez-vous me dire quelle date limite ont donnée les Rois catholiques aux Juifs pour quitter l'Espagne ?

– Hmm… fit Tomás en réfléchissant. Je n'en suis pas sûr. Quelque part en 1492.

– Oui, monsieur Noronha, mais connaissez-vous la date exacte ?

– Non.

Le rabbin marqua une pause pour ménager son effet. Il gardait les yeux fixés sur Tomás, jaugeant ses réactions.

– Et si je vous disais que l'édit royal ordonnait aux Juifs sépharades de quitter l'Espagne au plus tard le 3 août 1492 ?

Tomás écarquilla les yeux.

– Quoi ? Le 3 août ? Vous voulez dire… vous voulez dire le jour où Colomb est parti pour son premier voyage ?

– Celui-là même.

Tomás secoua la tête, surpris.

– Je n'en avais aucune idée ! s'exclama-t-il. C'est une drôle de coïncidence…

Les fines lèvres du rabbin Hurewitz esquissèrent un sourire ironique.

– Vous croyez ? demanda-t-il sur un ton moqueur. Shimon bar Yochai a écrit que tous les trésors du Roi suprême sont gardés par une seule et même clef. Ce qui signifie, monsieur Noronha, que les coïncidences n'existent pas. Les coïncidences sont les façons subtiles dont le Créateur choisit de transmettre Ses messages. Est-ce une coïncidence si les noms de Dieu et de Moïse correspondent au même nombre que les lois de la Torah ? Est-ce une coïncidence si Christophe Colomb a quitté l'Espagne le jour même où les Juifs ont été expulsés du pays ? – Il consulta un petit livre posé sur la table, avec le visage de Colomb sur la couverture et un titre en hébreu. – Ce sont les journaux de M. Colomb sur sa découverte de l'Amérique. Écoutez ce qu'il écrit dans la toute première note. – Hurewitz lut à voix basse, traduisant l'hébreu en anglais au fil du texte. – « Après avoir expulsé les Juifs de votre territoire, Sa Majesté, au même mois de janvier, m'a ordonné de me rendre avec l'armement suffisant dans lesdits territoires des Indes. » – Il leva les yeux et regarda Tomás. – Que pensez-vous de ce passage ?

Tomás, qui avait recommencé à prendre des notes, se mordit la lèvre inférieure.

– J'ai lu son journal, mais j'avoue ne pas m'être attardé sur cette phrase.

– Elle se trouve au début, précisa le rabbin. Eh bien, Monsieur Noronha, cette phrase nous dit plusieurs choses. La première, c'est que la décision d'envoyer M. Colomb aux Indes fut prise en janvier 1492. La seconde est que la décision d'expulser les Juifs, annoncée dans l'édit royal du 30 mars et donnant aux Sépharades jusqu'au 3 août pour quitter l'Espagne, fut prise le même mois. – Il se pencha vers Tomás. – Vous pensez que c'est une coïncidence, monsieur Noronha ?

– Je ne sais pas, répondit le Portugais en secouant la tête, sans quitter ses notes des yeux. Je ne sais vraiment pas. Je n'avais jamais réalisé que ces événements s'étaient déroulés simultanément.

– Rien de tout cela n'est dû au hasard, dit le rabbin avec conviction. Car la phrase que je vous ai lue révèle autre chose : les intentions de M. Colomb. Comme l'a écrit le rabbin Shimon bar Yochai, ce n'est pas l'acte en lui-même qui récompense les hommes, mais l'intention qui le sous-tend. Quelle était l'intention de M. Colomb lorsqu'il mentionna l'expulsion des Juifs au début de son journal ? Était-ce seulement parce qu'il en avait envie ? Était-ce un simple détail ? Une référence désinvolte à un événement de l'époque ? – Il leva un sourcil pour montrer que cette interprétation le laissait perplexe. – Ou bien était-ce volontaire ? – Il leva ses deux index et les colla l'un contre l'autre. – N'est-il pas évident qu'il a tenté de relier les deux événements ?

– Vous pensez qu'ils sont liés ?

– Sans aucun doute. Saviez-vous que, la veille de son départ pour son premier voyage, M. Colomb demanda à ce que tous les membres de l'équipage soient à bord à 23 heures ?

– Ce qui signifie ?

– C'était quelque chose de très rare, loin des habitudes des marins de l'époque. Mais il insista. Et devinez ce qui se produisit une heure plus tard...

– Quoi ?

– L'édit sur l'expulsion des Juifs entra en vigueur. – Il sourit. – Il y avait des Juifs dans la flotte.

– Rabbin, vous voulez dire que Colomb lui-même...

– Exactement. – Le rabbin feuilleta de nouveau le journal. – Écoutez ce qu'il a écrit le 23 septembre, alors que la mer se levait sans vents, mettant fin à un calme dangereux. – Il commença à traduire. – « J'ai été grandement favorisé par les hautes mers, qui n'étaient pas montées autant depuis le temps des Juifs, lorsque Moïse les libéra de la captivité en Égypte. » – Il regarda Tomás. – N'est-ce pas étrange qu'un catholique cite ainsi le Pentateuque, en particulier une description de l'Exode, un événement d'une extrême importance pour les Juifs ? – Il consulta un grand carnet noirci d'écritures en hébreu. – Lorsque j'effectuais des recherches sur M. Colomb il y a quelques années, j'ai fait d'autres découvertes curieuses. La première est que, quelques jours avant d'entreprendre son premier voyage, il reçut des tables astronomiques de Lisbonne, qui avaient été préparées par M. Abraham Zacuto pour le roi du Portugal.

– Le roi Jean II.

– Oui. Une copie de ces tables est aujourd'hui exposée à Séville. À l'époque, j'étais allé les voir. Savez-vous ce que j'ai découvert ?

– Non.

– Que ces tables étaient écrites en hébreu. – Il laissa le temps à cette révélation de faire son effet. – Dites-moi : où M. Colomb aurait-il pu apprendre à lire l'hébreu ?

– Bonne question, dit Tomás. – Il ne put s'empêcher d'ajouter à voix basse : En particulier si l'on est convaincu qu'il n'était qu'un modeste tisserand de soie.

– Je vous demande pardon ?

– Non, rien, je parlais tout seul, répondit Tomás en griffonnant dans son carnet. Cette histoire nous oblige à nous poser une autre question : comment est-il possible qu'un instrument ait été envoyé par le roi Jean II à Colomb deux jours avant qu'il ne parte pour un voyage qui n'était apparemment pas dans les intérêts du Portugal ?

– Je n'ai pas la réponse à cette question, monsieur Noronha, dit le rabbin.

– Je ne vous la demande pas, rabbin. Ce n'est qu'un mystère supplémentaire, qui suggère des relations étroites entre l'amiral et le roi du Portugal.

Le rabbin Hurewitz se replongea dans ses notes.

– D'autres éléments ont attiré mon attention, dit-il. Une lettre très curieuse a été envoyée à la reine Isabelle la Catholique par son confesseur, Hernando de Talavera. La lettre date de 1492, et Talavera y remet en cause la décision des Rois catholiques d'autoriser l'expédition de M. Colomb. Dans un passage, Talavera demande : « Comment le voyage criminel de Colón donnera-t-il la Terre sainte aux Juifs ? – Il leva les yeux d'un air intrigué. – Donner la Terre sainte aux Juifs ? Pourquoi le confesseur de la reine associe-t-il explicitement M. Colomb aux Juifs ? – Il laissa sa question faire son effet pendant quelques instants. – Et ce n'est pas tout. Dans son *Livre des prophéties*, M. Colomb cite presque uniquement des prophètes du Pentateuque, avec d'innombrables références à Isaïe, Ézéchiel, Jérémie et beaucoup d'autres. Son fils Fernand, dans un livre au sujet de son père, affirme même qu'il descend « du sang royal de Jérusalem ». – Il leva les yeux vers Tomás. – « Sang royal de Jérusalem » ? – Il rit discrètement, en cachant sa bouche de sa main. – On peut difficilement faire plus direct.

Le rabbin Hurewitz referma son carnet, signalant qu'il avait terminé. Salomon Ben-Porat prit la liasse de feuilles que Tomás lui avait donnée le matin, s'éclaircit la voix, puis poursuivit la discussion.

– Monsieur Noronha, gronda-t-il, d'une voix qui tranchait avec le timbre délicat d'Hurewitz. J'ai lu les pages que vous m'avez données avec beaucoup d'intérêt et j'y ai trouvé quelques éléments très révélateurs. – Il sortit un morceau de papier et le montra à Tomás. – Quel est ce document ?

Tomás arrêta d'écrire et se pencha pour étudier la photocopie.

– C'est une page de l'*Historia rerum ubique gestarum*, du pape Pie II, un des livres que possédait Christophe Colomb et qui se trouve aujourd'hui à la Bibliothèque colombine de Séville.

Salomon pointa une note dans la marge.

– Et qui a écrit ceci ?

– Colomb lui-même.

– Très bien, dit le rabbin. Avez-vous remarqué qu'il a converti la date chrétienne, ici, en l'année juive 5241 ? – Il pencha la tête. – Dites-moi, monsieur Noronha, les chrétiens ont-ils l'habitude de convertir les dates chrétiennes en dates juives ?

– Certainement pas.

– Ce qui soulève une seconde question : combien de catholiques auraient su faire cette conversion ?

Tomás eut un petit rire.

– Aucun, pour autant que je sache, dit-il en écrivant frénétiquement dans son carnet.

Salomon montra une autre note dans la marge de l'*Historia rerum*.

– Regardez ce petit détail. Colomb appelle la destruction du second Temple « la destruction de la seconde Maison » et, dans une allusion implicite, il établit qu'elle a eu lieu en 68 apr. J.-C.

Le rabbin regarda Tomás, qui haussa les épaules.

– Et ?

– D'une part, il n'y a qu'un peuple qui appelle le Temple de Salomon une « maison ». Vous savez lequel ?

– Les Juifs ?

– Bien sûr. À l'époque, les chrétiens parlaient toujours de la destruction de Jérusalem, jamais du Temple, et encore moins de la « maison ». Il y a également une incohérence historique concernant l'année de la destruction du Temple. Les Juifs disent en général qu'elle a eu lieu en 68, tandis que les chrétiens affirment que c'était en 70. Alors dites-moi : quelle identité Colomb trahit-il lorsqu'il parle du Temple comme d'une maison, qu'il parle de la destruction de la maison plutôt que de la destruction de Jérusalem, et qu'il affirme qu'elle a eu lieu en 68 ?

Tomás sourit.

– Je vois…

Le vieux kabbaliste sortit une autre page de la liasse.

– Cette photocopie comprend également une note marginale étrange.

Tomás regarda la feuille.

– Cette note a également été écrite par Colomb. Qu'est-ce qu'elle signifie ?

– Gog et Magog.

– Pardon ?

– Gog et Magog. Ou, plus précisément, Gog U'Magog.

– Je ne comprends pas.

Salomon se tourna vers les deux autres hommes. Chaim et Hurewitz regardaient la page d'un air stupéfié, comme s'il s'agissait d'une relique ou d'une révélation particulièrement choquante.

– Prince des Juifs, dit le rabbin en se tournant vers Chaim. Tu es un Sépharade d'origine portugaise. Dis à notre ami lisbonnais ce que cela signifie.

– Gog U'Magog est une référence à la prophétie d'Ézéchiel au sujet de Gog, de la terre de Magog, dit Chaim, qui parlait pour la première fois depuis le début de la réunion. D'après cette prophétie, pendant la période précédant immédiatement l'arrivée du Messie, Gog et Magog mèneront une guerre à grande échelle contre Israël, apportant la destruction. – Il regarda Tomás. – Lorsque les Juifs furent expulsés de la péninsule Ibérique, les Sépharades virent cette décision comme un signe que la prophétie était en train de se réaliser à leur époque, avec les Rois catholiques dans le rôle de Gog et Magog, et les Juifs dans celui d'Israël.

Pendant que Tomás noircissait son carnet, Salomon sortit une autre photocopie.

– Quoi d'autre ? demanda Tomás en levant finalement les yeux.

– En jetant un coup d'œil aux lettres que Colomb a envoyées à son fils Diego, je suis tombé sur quelque chose de très intéressant.

Il désigna les mots écrits en haut de la page.

– « *Muy caro fijo* ». Mon très cher *fijo* ?

Tomás rit.

– Il jongle avec le portugais, ici. Le mot espagnol pour « fils » est *hijo*, et le mot portugais est *philo*. – Il haussa les épaules. – On appelle ce mélange de portugais et d'espagnol le *portuñol*.

– Monsieur Noronha, gronda Salomon, l'expression *muy caro fijo* n'a aucun sens pour moi. Ce qui me surprend, c'est le symbole au-dessus.

– Le symbole ? demanda Tomás. Quel symbole ?

– Celui-ci, dit le rabbin en montrant le gribouillis au-dessus des mots.

– Qu'est-ce que c'est ?

– C'est un acronyme juif.

– Un acronyme juif ?

– Oui. Même s'il est écrit d'une façon étrange, ce gribouillis combine deux lettres hébraïques : *he* et *bet*. Puisqu'en hébreu nous lisons de droite à gauche, ça se lit *bet he*. *Bet he* est une référence juive traditionnelle, correspondant à la salutation *Baruch HaShem*, qui signifie « Béni soit le Nom », la façon dont les orthodoxes font référence à Dieu. Elle est placée au-dessus du premier mot du texte, comme le voulait la coutume. Dans le cas des Sépharades convertis de force au christianisme, c'était un signe secret, signifiant : « N'oubliez pas vos origines. » Il est intéressant de constater que je n'ai trouvé ces initiales que sur les photocopies des lettres de Colomb adressées à son fils Diego. Il n'utilise l'expression *bet he* dans aucune autre lettre. Autrement dit, en utilisant un acronyme hébraïque, Colomb demandait à Diego de ne pas oublier ses origines. – Il inclina la tête. – Il n'est pas difficile d'imaginer quelles étaient ces origines, n'est-ce pas ?

Tomás continuait à tout noter avec application.

– Quoi d'autre ? demanda-t-il quand il eut fini d'écrire.

– Intéressons-nous à ce qui vous intrigue le plus, annonça le rabbin. La signature de Colomb.

– Ah, oui ! s'exclama Tomás. Que pouvez-vous me dire à son sujet ?

– Tout d'abord, oui, elle est bien kabbalistique.

Le visage de Tomás se fendit d'un sourire triomphant.

– J'en étais sûr !

– Mais il est important que vous compreniez, monsieur Noronha, que la Kabbale est un système d'interprétation ouverte. Les messages codés traditionnels, lorsqu'ils sont déchiffrés, révèlent un texte précis. La Kabbale ne fonctionne pas ainsi. Elle révèle des doubles sens, des significations subliminales, des messages subtilement cachés.

Il prit la photocopie portant la signature de Colomb et la plaça sur la table afin que tout le monde puisse la voir.

.S.

.S. A .S.

X M Y

: Xpo FERENS./

Tomás indiqua les lettres.

– Que représentent ces initiales ?

– Cette signature se prête à de nombreuses interprétations, dit Salomon. Ici, plusieurs textes semblent occuper le même espace, mélangeant la tradition hébraïque et des innovations introduites par les Templiers.

Tomás le regarda d'un air surpris.

– Les Templiers ?

– Oui. Peu de gens le savent, mais plusieurs mystiques, magiciens et philosophes chrétiens se sont consacrés à l'étude de la Kabbale. Les Templiers en faisaient partie. Ils ont, ici, à Jérusalem, produit des analyses qui furent plus tard incorporées aux écoles du judaïsme traditionnelles. Il semble que Colomb ait été familier de ces innovations. – Il montra le *s* tout en haut. – L'interprétation chrétienne, ou templière, devrait être en latin. Ces *s*, placés en triangle, représentent le Sanctus. *Sanctus, Sanctus, Sanctus.* Le *A* signifie *Altissimus*, et nous permet de lire vers le haut à partir de la troisième ligne, qui part de la matière et monte vers l'esprit. Le *X*, le *M* et le *Y* doivent donc être lus de bas en haut. Le *X* lié au *S*, le *M* au *A* et au *S* du haut, et le *Y* au *S* de droite. En d'autres termes, *XS* pour *Xristus*, *MAS* pour *Messias*, et *YS* pour *Yesus*. Ainsi, l'interprétation templière est, en latin : *Sanctus. Sanctus. Altissimus Sanctus. Xristus Messias Yesus.* Il n'y a absolument aucun doute, c'est une signature chrétienne.

– Chrétienne ? s'exclama Tomás, surpris. Donc il n'était pas juif ?

– On y arrive, dit Salomon en faisant signe à Tomás d'être patient. Souvenez-vous, je vous parlais tout à l'heure de la complexité holographe des Saintes Écritures, dont le texte combine, selon la Kabbale, plusieurs sens. C'est précisément ce que nous avons avec la signature de Colomb. Sous la signature chrétienne templière en latin, il y a en réalité un message kabbalistique juif en hébreu. Selon l'un des plus grands kabbalistes de tous les temps, le rabbin Eleazar ben Judah, il existe deux mondes, un monde caché et un monde dévoilé, qui font en réalité partie d'un seul et même monde. – Il tapota la photocopie du bout du doigt. – C'est le cas de cette signature. Une interprétation kabbalistique commencerait par remarquer que les initiales de la signature correspondent à des mots hébraïques. Si l'on considère que la lettre *A* correspond au mot hébraïque *alef* pour Adonaï, un des noms de Dieu, et que le *S* correspond au mot *sheen* pour Shaddaï, un autre nom de Dieu, ou du Seigneur, nous obtenons *Shaddaï. Shaddaï Adonaï Shaddaï*, que l'on peut traduire par « Seigneur. Seigneur Dieu Seigneur ». Et que se passe-t-il lorsque l'on prend la dernière ligne, *XMY*, et qu'on la lit de droite à gauche, comme de l'hébreu ? On obtient *YMX*. *Y* pour Yehovah, *M* pour *maleh* et *X* pour *hessed*. *Yehovah maleh hessed*. « Dieu plein de miséricorde ». Autrement dit, sous la prière chrétienne en latin se cache une prière juive en hébreu. Les deux mondes, le monde caché et le monde révélé, font partie d'un seul monde.

– Brillant.

– Et vous n'avez encore rien vu, Monsieur Noronha, dit Salomon. Attendez un peu. Les choses se compliquent encore si on lit *XMY* de gauche à droite et que l'on considère que le *Y* correspond à la lettre hébraïque *ayin*. Nous avons *shema*, ou « écoute », le premier mot du Deutéronome 6:4 : « Écoute, Israël, l'Éternel, notre Dieu, est le seul Éternel. » Les Juifs appellent cette prière le Shema, et la récitent deux fois par jour, le matin et le soir, ainsi qu'avant d'aller dormir et sur leur lit de mort. Le Shema est une prière monothéiste, qui affirme l'unicité de Dieu, et ce verset aurait été écrit sur le drapeau de guerre des dix tribus perdues. Lorsqu'ils la récitent, les Juifs acceptent le Royaume des cieux et les Commandements. C'est le mot hébraïque que Colomb a choisi de mettre dans sa signature. – Le rabbin leva un doigt. – Mais regardez ce double sens. Si *Y* correspond ici au *yod* hébraïque, *XMY* peut se lire *XMI*, ou *shmi*, qui signifie « mon nom ». Probablement le nom de l'auteur de cette signature : Christophe Colomb.

Le vieux kabbaliste se pencha sur la page, comme si elle s'apprêtait à révéler quelque chose de stupéfiant.

» Écoutez bien, monsieur Noronha, car ceci est très important. Lisons *XMY* de droite à gauche, comme on lit l'hébreu. Nous avons *YMX*. Si *Y* représente maintenant *yod*, un nouveau mot apparaît ici : *YMX*. *Yemax*. Avec la lecture de gauche à droite, nous obtenons *yemax shmi*. Savez-vous ce que cela signifie ?

– Je n'en ai pas la moindre idée.

– « Que mon nom soit effacé. »

– Mon Dieu ! s'exclama Tomás, blême, résolvant peu à peu le puzzle dans son esprit. *Colom, nomina sunt odiosa*.

– Je vous demande pardon ?

– *Nomina sunt odiosa*. « Les noms sont odieux. » C'est un proverbe latin. Dans ce contexte, cela signifie que le nom de Colomb est gênant. D'après ce que vous me dites de l'interprétation kabbalistique de sa signature, il est évident que les contemporains de l'amiral n'étaient pas les seuls à vouloir créer de la confusion autour de son identité. Pour une raison que j'ignore, Colomb lui-même voulait effacer son nom d'origine. – Il se gratta le menton d'un air pensif. – Je comprends, maintenant. Colom n'était pas son vrai nom. Ce n'était qu'un surnom qu'il avait adopté, une sorte de... déguisement. Il a supprimé lui-même son vrai nom.

– Pourquoi ?

– Je ne sais pas.

– *Yemax shmi*. « Que mon nom soit effacé. » C'est bien lié.

– Son nom était odieux et devait donc être effacé, dit Tomás, reliant l'expression latine et l'expression hébraïque. Quel était son vrai nom ?

– Ça, je l'ignore, répondit le rabbin. Mais je peux vous donner un autre indice : il renonça également à son prénom.

– Lequel ? Cristóvão, Cristóbal ou Cristoforo ?

– Tous.

– Comment ça ?

Salomon Ben-Porat prit le morceau de papier portant la signature de Colomb et désigna le triangle de *s*.

– Vous voyez ces points entre les *s* ?

– Oui.

– Ils ne sont pas là par hasard, dit le rabbin. En hébreu, un point à côté d'une lettre peut avoir un sens. Il peut signifier que la lettre est une initiale ou qu'il faut une voyelle. Nous avons déjà vu que les points indiquaient les lettres initiales : le *sheen* pour Shaddaï et l'*alef* pour Adonaï. Dans les langues anciennes, les petits points pouvaient indiquer que quelque chose devait être lu de haut en bas. La Kabbale dit que tous les éléments de l'univers sont reliés par un fil magique et que les choses inférieures cachent le secret des choses supérieures. Le rabbin Shimon bar Yochai, un kabbaliste important, fit remarquer que le monde inférieur avait été créé à l'image du monde supérieur ; l'inférieur n'est qu'un reflet du supérieur. Le *Livre des mystères de la Kabbale* dit que le monde dans lequel nous vivons est une inversion du monde de l'âme. L'axiome inscrit sur la Table d'émeraude d'Hermès dit : « Ce qui est en haut est comme ce qui est en bas. » Les mots « reflet » et « inversion », en haut et en bas, suggèrent tous l'idée de miroir, qui est très cher à la Kabbale. Puisque les points indiquent que quelque chose doit être lu de haut en bas, j'ai décidé de faire une petite expérience en inversant les lettres de la signature.

Le rabbin sortit la feuille sur laquelle il avait écrit et la montra à Tomás.

– Le résultat est surprenant.

Tomás observa les symboles au bas de l'image inversée.

– Qu'est-ce que c'est ? demanda-t-il.

– Un Arbre de Vie sans tête.

– C'est un Arbre de Vie ?

– Oui, regardez.

Le rabbin ouvrit un livre et montra à Tomás une structure de cercles.

– Voici l'Arbre de Vie.

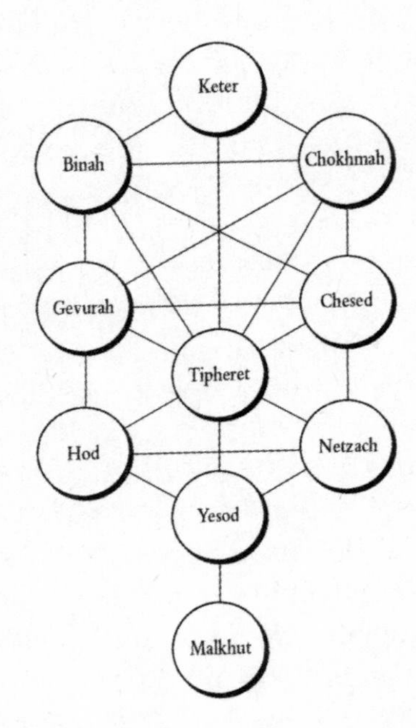

– Il y a dix cercles, dit Tomás.

– Oui, dix *sephiroth*. La représentation traditionnelle de l'Arbre de Vie en compte dix. Mais la deuxième représentation la plus importante n'en a que sept. Ici, en éliminant la partie supérieure de la signature, on obtient un Arbre de Vie sans tête.

Il coupa les trois *sephiroth* les plus hauts – *Kether*, *Hokhma* et *Bina* – et le plaça à côté de l'image inversée de la signature de Colomb.

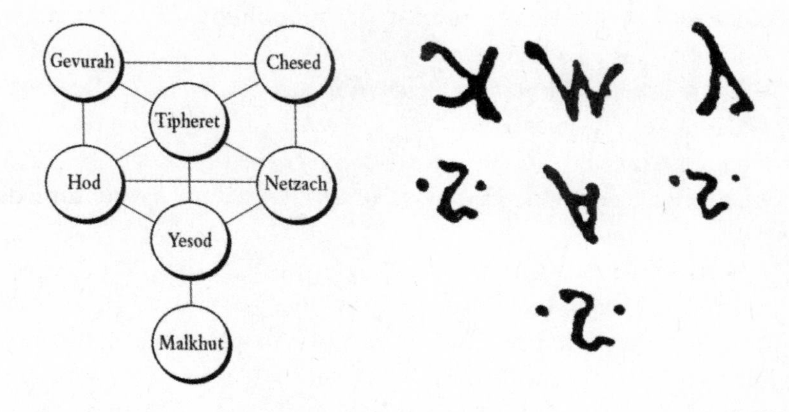

– Oh ! s'exclama Tomás en comparant les deux structures. Elles sont assez similaires.

– Oui, confirma le rabbin. La signature kabbalistique de Christophe Colomb reproduit cet Arbre de Vie particulier. Chaque lettre est un *sephira*.

– Est-ce que réduire l'Arbre de Vie à sept *sephiroth* ne le rend pas incomplet ?

– Non. Certains n'en ont que cinq, voire quatre seulement. Mais celui qui en contient sept est particulièrement significatif. Le sept est un chiffre très important dans la Kabbale. Il représente la nature à l'état originel, immaculé. Dieu a créé le monde en six jours, puis s'est reposé le septième. – Il montra la version en miroir de la signature de Colomb. – En regardant cette image, on voit clairement que c'est la façon qu'a choisie Colomb pour révéler sa véritable identité. Car la ligne du haut est XWλ. Le *X* est associé au *chet* dans Hessed, le *sephira* correspondant au bras droit et symbolisant la gentillesse. Le λ est associé au *gimal*, la première lettre du *sephira Guebourah*, le bras gauche, qui symbolise la force. Entre les deux, le *W*, que l'alphabet hébraïque associe au *tet*, la première lettre du *sephira Tiph'ereth*, la beauté, représente la synthèse de la gentillesse et de la force. Colomb a supprimé le haut de l'Arbre de Vie et l'a restructuré en utilisant les membres du milieu et du bas. Son intention kabbalistique est sans équivoque.

Salomon montra de nouveau la première ligne de la signature : XWλ.

» Regardez ça, Monsieur Noronha. En lisant cette ligne de droite à gauche, nous avons λWX. *Yeshu*. – Il regarda Tomás et fronça les sourcils. – C'est une chose terrible.

– Terrible ? demanda Tomás. Comment ça ? Qu'est-ce que ça signifie ?

– La déification de Jésus par les chrétiens est considérée comme de l'idolâtrie par certains Juifs. Ce qui nous ramène à la ligne où l'on peut lire λWX dans la version inversée de la signature de Colomb. En hébreu, le nom « Jésus » se prononce « Yeshua ». Comme les Juifs n'aimaient pas ce nom, ils ont enlevé la dernière lettre et ont gardé « Yeshu ». C'est précisément la façon dont doit être lue la ligne λWX. Yeshu. Ce n'est pas un nom innocent. Yeshu signifie « *yemax shmo vezichro* », « Que son nom soit effacé. »

– Incroyable ! s'exclama Tomás. Ça rigole pas !

– Monsieur Noronha, dit Salomon, ce que j'essaie de vous dire, c'est que Christophe Colomb, un catholique, a placé le nom hébraïque Yeshu dans sa signature kabbalistique, formulant le souhait que le nom et le souvenir de Jésus soient effacés.

Tomás resta un moment silencieux, abasourdi.

– Mais… pourquoi ? réussit-il finalement à articuler. Pourquoi Christophe Colomb aurait-il fait ça ?

– N'oubliez pas qu'il vivait dans l'Ibérie de la fin du XVe siècle. S'il était juif, comme tout semble l'indiquer, la vie ne devait pas être facile à l'époque pour les Sépharades dans cette partie de l'Europe. Ce qui nous amène à son prénom. – Le rabbin prit la page dans ses mains. – Sous la signature kabbalistique se trouve son nom, Xpoferens. Pouvez-vous me dire ce que cela signifie ?

– Xpoferens ? *Xpo*, en grec, signifie « Christ », et *ferens* est une forme du verbe latin *fero*, qui signifie « porter ». Xpoferens est Christoferens. Celui qui porte le Christ. « Christ » est à la base des noms Cristóvão, Cristóbal et Cristoforo.

– Et c'est un nom qu'aucun Juif n'utiliserait, ajouta le rabbin. Christ. Personne en Israël n'appellerait son enfant ainsi. Comment

Colomb, un Juif, aurait-il pu avoir comme prénom Cristóvão ou Cristóbal et signer « Cristoferens » ? – Il leva son index. – Il n'y a qu'un seul type de Juif capable de faire ça.

– Lequel ?

– Un Juif voulant à tout prix se faire passer pour un chrétien, mais qui professe toujours sa foi juive en secret. Un tel homme pourrait prendre « Christ » comme prénom, mais pour se réconcilier avec Dieu, il inclurait dans sa signature kabbalistique un rejet catégorique du nom de Jésus, effaçant le nom et son souvenir. Yeshu. Ce que je veux dire, monsieur Noronha, c'est que l'expression « *yemax shmi* », « que mon nom soit effacé », est un rejet simultané de son nom et de son prénom. – Il fit claquer sa main sur la photocopie portant la signature. – À en juger par tout ce que j'ai vu ici, je peux vous dire que l'homme que l'on appelle aujourd'hui Christophe Colomb était, selon toute probabilité, un Sépharade né sous un autre nom, qui reste inconnu. Il a caché sa vraie religion sous un manteau chrétien, mais n'est pas devenu un nouveau chrétien. Il était ce qu'on appelait un « Marrano ».

Salomon Ben-Porat posa ses coudes sur la table en chêne et se tut. Il avait terminé. Un silence lourd s'installa dans le bureau, interrompu uniquement par le son du stylo de Tomás, qui continuait à écrire frénétiquement dans son carnet, notant le raisonnement extraordinaire du vieux rabbin. Son écriture était presque indéchiffrable, et il n'arrêta qu'après avoir inscrit le dernier mot prononcé par Salomon.

« Marrano ».

Il était sur le point de refermer son carnet, mais quelque chose le fit hésiter. Le mot attirait son regard comme un aimant, un accroc, une tache d'encre perturbante dans son écriture fluide. Il l'observa un moment avant de lever les yeux vers le rabbin.

– Qu'est-ce que vous entendez par « Marrano » ?

– « Marrano » ? répéta Salomon, surpris. Vous devez bien le savoir… Qu'est-ce que cela signifie en portugais ?

– C'est un mot archaïque pour « cochon ».

– Voilà. Au Portugal et en Espagne, « Marrano » était un nom péjoratif donné aux nouveaux chrétiens qui restaient juifs en secret. On les appelait ainsi car, comme tout bon Juif, ils refusaient de manger du porc, lequel était considéré comme impur, non casher, et dont la consommation était interdite par le code alimentaire.

– Hmm, murmura Tomás, perdu dans ses pensées. Un « Marrano » était un Juif qui faisait semblant d'être chrétien ?

– Oui.

– Et Colomb était un « Marrano ».

– Sans aucun doute.

– Est-ce qu'il aurait pu être un « Marrano » génois ?

Le rabbin éclata de rire.

– « Marrano » fait référence à un Juif ibérique, expliqua-t-il. Et dans tous les cas, en tant que Juif, Colomb n'aurait absolument pas pu être génois.

– Vraiment ? Pourquoi ?

– Parce que depuis le XIIe siècle, les Juifs n'avaient pas le droit de séjourner à Gênes pendant plus de trois jours d'affilée. Au XVe siècle, à l'époque de Colomb, cette interdiction était toujours en vigueur.

– Je vois.

– Et il y a autre chose que vous devriez savoir : selon une tradition juive étrange, le mot *Génois* était un euphémisme pour « Juif » aux XVe et XVIe siècles.

– Vous plaisantez ?

– Non. D'une personne qui était juive, il était fréquent de dire qu'elle était « de la nation », sous-entendu, de la nation juive. Apparemment, à cette époque de persécution antisémite, de nombreux Juifs, lorsqu'ils étaient interrogés par des chrétiens, disaient qu'ils étaient génois. C'était une façon ironique ou discrète de dire que quelqu'un était juif. Vous comprenez ?

– En a-t-on des preuves ?

– C'est une histoire qui s'est transmise oralement, il n'y a aucun document pour le prouver. Mais on en trouve une confirmation implicite dans une lettre envoyée en 1512 par le frère António de Aspa, de l'ordre de Saint-Jérôme, au grand inquisiteur de Castille. Dans cette lettre, Aspa écrit que Colomb a emmené « quarante Génois » avec lui lors de sa première expédition vers le Nouveau Monde. Nous savons aujourd'hui que presque tous les membres d'équipage étaient castillans, bien que, parmi eux, quelques dizaines fussent vraisemblablement de la nation juive, probablement des « Marranos ». Autrement dit, António de Aspa, de cette façon, informait l'inquisition qu'il y avait quarante Juifs à bord.

– Hmm, fit Tomás, réfléchissant à une question qu'il s'était déjà posée mille fois. Quel écho de Foucault est en suspens au 545 ?

– Je vous demande pardon ?

Tomás sursauta, revenant soudain à la réalité.

– C'est une question que quelqu'un m'a posée. « Quel écho de Foucault est en suspens au 545 ? » – Il se leva d'un bond, tout excité. – La réponse à cette question se trouve dans un livre d'Umberto Eco, mais ce n'est pas « Juif portugais » ou « nouveau chrétien » comme je le pensais. C'est autre chose.

Le rabbin haussa les épaules.

Tomás sourit de toutes ses dents.

– « Marrano ».

XVIII

Lisbonne

Les doigts de Tomás tournèrent lentement, avec une précision mécanique, le cadran du verrou, qui répondit par un cliquetis métallique. Madalena regardait par-dessus son épaule, les yeux grands ouverts, bouillonnant d'impatience.

– Vous êtes sûr que c'est ça ? murmura-t-elle.

Tomás regarda le morceau de papier sur lequel il avait noté la combinaison.

M	A	R	R	A	N	O
13	1	18	18	1	14	15

– Nous allons vite le savoir, répondit-il.

Tomás s'était arrangé pour se rendre chez Toscano dès son retour au Portugal, sans même passer chez lui. Il devait savoir s'il avait déchiffré la combinaison du coffre et si cela lui permettrait enfin d'accéder à ce que Toscano pensait être la preuve de sa grande découverte.

Il entra les nombres un par un : treize, un, dix-huit, et dix-huit de nouveau. *Click-click-click-click*. Leur respiration lourde et profonde répondait au cliquetis froid et métallique, si précis et serein, si faible et pourtant si incroyablement angoissant. C'était le son d'un coffre avide, gardant jalousement son secret. C'était le son contemplatif d'un appareil soupçonneux et possessif, obligé d'envisager la possibilité de ce qu'il craignait le plus : son propre dévoilement. C'était comme si le coffre préférait garder son trésor dans l'obscurité, et ce duel silencieux entre l'homme et le secret nourrissait la tension palpable dans la semi-pénombre de l'étouffante chambre à coucher.

Lorsque Tomás approcha de la fin de la séquence, il marqua une pause, inspira profondément, puis entra les derniers nombres : un, quatorze. *Click-click-click.*

Quinze. *Click.* La porte s'ouvrit.

– Oui ! s'exclama Tomás, levant le poing triomphalement. On a réussi !

– Dieu merci !

Il plongea la main dans la bouche béante du coffre et, timidement, presque craintivement, comme un explorateur sur le point de braver une jungle inconnue, il toucha la surface douce et froide d'une feuille de papier. Il prit avec précaution les pages renfermant, pensait-il, un mystère ancien et les sortit délicatement, comme s'il s'agissait d'une relique oubliée.

Il y avait trois pages.

Les deux premières étaient des photocopies, qu'il examina minutieusement. À première vue, il semblait s'agir d'un document du XVIe siècle. Il les survola rapidement pour se faire une idée de leur contenu avant de recourir à son expérience de paléographe. Il lut la miniature en bas de la première photocopie, déchiffrant minutieusement le contenu en apparence impénétrable.

– « L'année suivante, en… »

Il passa la date, qu'il n'arrivait pas à déchiffrer, et poursuivit :

» "Le roi était dans la vallée de Paraíso, située au-dessus du monastère Maria das Virtudes, à cause de la grande épidémie, qui sévissait partout dans la région ; le sixième jour de mars, Xpova Colonbo, italien, entra dans le port de Restelo, à Lisbonne, revenant de sa découverte des îles de Cipango et d'Antilia, entreprise à la demande du roi et de la reine de Castille…"

– Qu'est-ce que c'est ? demanda Madalena.

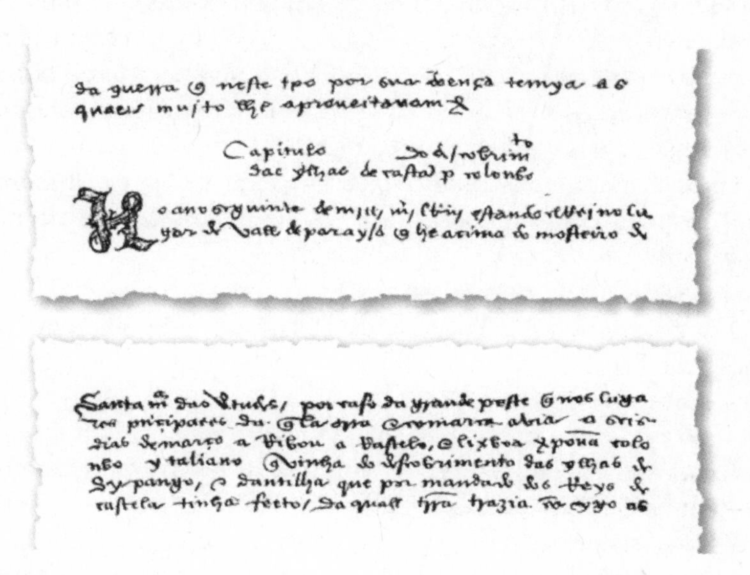

Tomás observa les pages, intrigué.

– Ça ressemble, répondit-il, hésitant, à la *Chronique du roi Jean II*, de Rui de Pina. Il me semble que c'est le passage qui décrit la rencontre entre le roi Jean II du Portugal et Christophe Colomb, après le retour de Colomb de son premier voyage ; celui pendant lequel il a découvert l'Amérique.

– Est-ce que c'est important ?

– Eh bien, oui. Mais c'est surtout inattendu. – Légèrement déconcerté, il se tourna vers Madalena. – D'une part, parce que ce texte est connu depuis longtemps. Il n'a rien de secret. Et d'autre part, parce que cette chronique contredit la théorie de votre mari. – Il montra du doigt les troisième et quatrième lignes de la seconde page. – Vous voyez ici ? « *Xpova colo nbo y taliano* », ce qui signifie « Christophe Colomb, italien ». Votre mari était convaincu du contraire, que Colomb n'était pas italien.

– Mais Martinho m'a dit qu'il avait mis la preuve dans le coffre…

– La preuve ? La preuve de quoi ? Que Colomb était italien ? – Il secoua la tête, perplexe. – Je ne comprends pas. Ça n'a aucun sens.

Madalena prit les deux photocopies et les examina attentivement.

– Et ça ? Qu'est-ce que c'est ? demanda-t-elle en montrant une écriture faite au crayon au dos de la première page.

Tomás lut la note.

Codex 632

– Étrange, murmura-t-il.

– Qu'est-ce que c'est ?

Il haussa les épaules, ne sachant quoi penser.

– Aucune idée. « *Codex 632* » ?

Il se gratta le menton.

– Ce doit être un numéro de manuscrit.

– Un numéro de manuscrit ?

– C'est une référence que les bibliothécaires utilisent pour se repérer dans les archives. Ça facilite…

– Je sais ce qu'est un numéro de manuscrit, dit Madalena.

Tomás la regarda d'un air penaud. Avec son apparence lasse et négligée, Madalena ressemblait à une femme d'origine modeste, mais derrière le visage ridé et le corps flétri se cachait une femme très instruite, qui avait fréquenté les cercles académiques et qui vivait entourée de livres. S'il régnait un tel désordre dans sa maison, comprit Tomás, ce n'était pas parce qu'elle s'était laissée aller après la mort de son mari, mais simplement parce qu'elle n'avait pas l'habitude des tâches ménagères.

– Je suis désolé, dit-il avec sincérité. Je pense que votre mari a noté ce numéro de manuscrit pour pouvoir le consulter dans une bibliothèque.

Madalena l'étudia de nouveau.

– Mais il est écrit « codex ».

– Oui. – Tomás sourit. – Un codex est un manuscrit ancien fait de papyrus, de parchemin ou de papier, et relié comme un livre. Comme il s'agit d'un manuscrit du XVIe siècle, je dirais qu'il est écrit sur du parchemin.

Madalena lui prit la troisième page des mains.

– Vous avez vu ça ? demanda-t-elle.

C'était une feuille de papier blanc, portant un nom et un numéro en dessous.

– Comte João Nuno Vilarigues, lut Tomás, perplexe.

– Vous le connaissez ?

– Jamais entendu parler.

Il regarda la suite de chiffres sous le nom.

– Ça ressemble à un numéro de téléphone.

– Faites voir.

Madalena regarda de plus près et réfléchit quelques instants.

– C'est drôle, je reconnais l'indicatif. Martinho appelait beaucoup dans cette région.

– Ce numéro ?

– Je n'en suis pas sûre. Mais l'indicatif est le même.

– Il correspond à quelle région ?

Madalena se leva et quitta la pièce sans un mot. Elle revint rapidement avec un annuaire sous le bras. Elle l'ouvrit à la page des indicatifs téléphoniques portugais et laissa glisser son doigt le long des colonnes.

– Le voilà ! Tomar.

En rentrant de chez Toscano, Tomás réfléchit à la suite de son enquête. Contacter le comte Vilarigues était désormais sa priorité. Il n'avait jamais entendu parler de lui et il se demandait ce que ce comte avait à voir avec la découverte de Toscano. Mais après avoir voyagé aussi loin, il n'aurait pas pu se sentir plus soulagé de savoir que sa prochaine destination serait Tomar, si près de chez lui.

Il était 22 heures lorsqu'il ouvrit la porte de son appartement. Il était épuisé et se réjouissait de pouvoir prendre une douche, manger et aller au lit.

– Les filles, je suis rentré ! lança-t-il en laissant tomber dans l'entrée ses bagages malmenés par le voyage, la poussière de Jérusalem toujours incrustée dans le cuir.

L'appartement resta dans l'obscurité.

« C'est étrange », pensa-t-il en allumant la lumière. Tout était propre et en ordre, mais personne ne semblait être à la maison.

– Les filles ? cria-t-il de nouveau. Où êtes-vous ?

Il regarda sa montre et se dit qu'elles étaient probablement déjà couchées. Il traversa le petit appartement en grandes enjambées, essayant de ne faire aucun bruit, et regarda dans les deux chambres. Elles étaient toutes les deux vides. Il transporta sa valise jusqu'au pied de son lit, la posa par terre, puis regarda autour de lui, désorienté. Où pouvaient-elles bien être ? Il se gratta la tête. Est-ce que quelque chose était arrivé ? Il resta là un moment, à se demander quoi faire. Il pourrait appeler Constance sur son portable, mais il avait déjà essayé deux heures plus tôt et était tombé sur son répondeur.

Il était affamé – il ne supportait pas la nourriture servie dans les avions – et se dirigea donc vers la cuisine. Si le taux de sucre dans son sang était un peu plus haut, se dit-il, il serait plus à même de prendre des décisions. Il craignait le pire – que Margarida ait dû être transportée à l'hôpital –, mais Constance aurait certainement laissé un mot dans ce cas.

En traversant le vestibule, il remarqua que le vase sur le guéridon était rempli de fleurs orange en forme de cloches avec de longues tiges incurvées, mêlées à d'autres fleurs, jaunes celles-ci, qui ressemblaient à des roses. Il examina les fleurs d'un air pensif, puis se pencha pour les sentir. Elles semblaient fraîches. Il hésita, se caressa le menton et toucha délicatement les pétales. Puis il fit demi-tour et se dirigea vers le salon.

Les vases étaient remplis des mêmes fleurs. Il ramassa un morceau de papier posé sur la table et vit que c'était un reçu de fleuriste pour des roses et des digitales. Il resta là un moment à réfléchir, puis, le reçu toujours dans la main, il se tourna vers la bibliothèque et chercha un livre, qu'il trouva finalement sur l'étagère du haut : *Le Langage des fleurs*, le livre favori de Constance. Il alla directement au glossaire, à la recherche des digitales. Il était écrit qu'elles représentaient le manque de sincérité et l'égoïsme. Il se tourna d'un mouvement brusque vers les fleurs.

Frénétiquement, gagné par la panique, il tourna maladroitement les pages du livre jusqu'au *r*, puis chercha une référence aux roses jaunes. Son doigt se figea sur le mot.

Infidélité.

XIX

Tomar

Les pigeons de Praça da República remplissaient le square de leurs gloussements musicaux. Gros, visiblement bien nourris, certains donnaient des coups de bec aux pavés et voletaient au ras du sol en faisant claquer leurs ailes, tandis que d'autres venaient se poser sur les toits, s'alignaient sur tout ce qui dépassait des façades des immeubles ou recouvraient l'énorme statue en bronze de Gualdim Pais au centre du square.

Quelques-uns se pavanaient aux pieds de Tomás en roucoulant, indifférents à l'homme assis sur le banc en bois. Ils ressemblaient à de petits pions gris se déplaçant sur un échiquier géant. Tomás regarda autour de lui, admirant l'élégante mairie et le square de Tomar, mais ce fut l'architecture gothique de l'église à sa droite qui attira réellement son attention. Il observa la façade blanchie à la chaux de l'église baptiste de São João, son élégante porte manuéline et l'imposant clocher adjacent qui la dominait de toute sa hauteur. Sous les cloches, un trio symbolique représentait fièrement les armoiries royales, la sphère armillaire et la croix de l'ordre du Christ.

L'esprit de Tomás se détacha un instant des énigmes de Toscano, de Christophe Colomb et de la fondation, ainsi que du comte qu'il avait retrouvé, avec beaucoup de difficultés, et qu'il s'apprêtait maintenant à rencontrer. Depuis que Constance était partie, Tomás vivait reclus. Il avait l'impression d'errer dans la confusion qu'était devenue sa vie. Toutes les heures passées seul chez lui, tel un ermite, l'avaient amené à analyser sa relation avec sa femme et les raisons de son infidélité. Il réalisait à présent que sa liaison avec Lena avait été plus qu'une aventure sexuelle. Son infidélité était un symptôme de la façon dont il s'était détaché de Constance, un isolement qui était peut-être le résultat de la déception et de la rancœur silencieuses qu'il avait ressenties en voyant ses attentes pour leur futur commun s'effondrer.

Il passait des heures allongé sur son lit ou sur le canapé, dans l'attente d'un appel que Constance ne passait jamais, se levant toutes les cinq minutes pour errer dans son petit appartement, en pyjama, pas rasé, se parlant à lui-même. La seule chose qui le motivait était la découverte de Toscano. C'était la raison pour laquelle il se levait le matin. En plus de l'argent, qui simplifierait beaucoup la vie de sa fille, sa quête de la vérité l'avait conduit sur le banc où il était maintenant assis. Et à une rencontre avec un comte à propos duquel il n'avait rien appris. Seulement son numéro de téléphone, qu'il avait retrouvé sur d'anciennes factures téléphoniques de Madalena. Rien de plus.

Un homme vêtu d'un costume gris foncé, d'une veste argentée et d'un nœud papillon s'approcha de lui avec un regard interrogateur.

– Monsieur Noronha ? demanda-t-il d'un ton hésitant.

Tomás sourit.

– Oui. Vous devez être le comte Vilarigues ?

– João Nuno Vilarigues, dit l'homme en ajustant sa veste et en penchant solennellement la tête.

Le comte était mince et affichait un air mystérieux. Ses cheveux noirs, grisonnants aux tempes, étaient coiffés en arrière, révélant un front haut. Il avait une fine moustache et une barbiche en pointe. Mais ce qui était le plus frappant chez lui, c'était son regard perçant. Il ressemblait à un voyageur dans le temps, arrivé tout droit de l'Italie de la Renaissance.

– Merci d'être venu, dit Tomás. Même si, pour être honnête, je ne suis pas tout à fait sûr de savoir pourquoi nous sommes ici.

– Vous m'avez dit au téléphone que vous aviez trouvé mon numéro de téléphone dans des notes laissées par feu le professeur Toscano concernant Christophe Colomb.

– Oui.

Le compte soupira et observa Tomás un moment, comme pris dans un débat avec lui-même. Au bout de quelques secondes qui semblèrent une éternité, il brisa enfin le silence.

– Êtes-vous familier des recherches du professeur Toscano ?

Il cherchait manifestement à tâter le terrain, à tester Tomás.

– Oui, répondit celui-ci.

Le comte resta silencieux, comme s'il en attendait davantage, et Tomás comprit qu'il allait devoir prouver sa connaissance des travaux du professeur.

– Le professeur Toscano pensait que Christophe Colomb n'était pas génois, mais un « Marrano », un Juif portugais.

– Pourquoi avez-vous repris ses recherches ?

Ce n'était pas une question innocente, pensa Tomás, mais un test. Il lui faudrait se montrer prudent s'il voulait tirer quoi que ce soit de ce mystérieux personnage.

– J'enseigne l'histoire à la Nouvelle Université de Lisbonne et j'ai rendu visite à la veuve du professeur Toscano pour voir les documents qu'il avait laissés. Je pense pouvoir en faire un article exceptionnel, capable de changer tout ce que nous savons sur la période des grandes découvertes.

Le comte resta silencieux encore pendant un long moment, gardant les yeux fixés sur l'historien, comme s'il essayait d'examiner son âme même.

– Avez-vous entendu parler de la fondation américaine ? demanda-t-il finalement.

La façon dont l'homme avait prononcé ces mots mit Tomás en alerte. C'était, pour une raison qu'il ignorait, la question la plus importante de toutes, celle qui déterminerait si le comte coopérerait ou se tairait. Puisque les alliés de Toscano semblaient ne pas bien réagir à la mention de la fondation qui avait financé ses recherches, Tomás décida qu'il valait mieux garder secrète sa collaboration avec Moliarti. Du moins pour le moment.

– Quelle fondation ? s'entendit-il dire.

Le comte avait toujours les yeux fixés sur Tomás, qui, de son côté, le regardait avec une sincérité qu'il espérait convaincante.

– Aucune importance, dit le comte, apparemment satisfait.

Il regarda autour de lui, puis vers la colline, plus détendu.

– Êtes-vous déjà allé au château de Tomar et au couvent de l'ordre du Christ ?

Tomás suivit son regard jusqu'au sommet de la colline derrière la ville et distingua, au-dessus de la végétation, les murs en pierre du château.

– Oui, mais c'était il y a très longtemps.

– Alors venez avec moi, dit le comte en faisant signe à Tomás de le suivre.

Ils traversèrent le square et se dirigèrent vers les pittoresques petites rues pavées, avec leurs balcons chargés de pots colorés. Une énorme Mercedes noire était garée près d'un mur blanc qui s'étendait jusqu'à la vieille synagogue. Le comte Vilarigues s'installa sur le siège du conducteur et, dès que Tomás se fut assis à côté de lui, il démarra, circulant à travers les ruelles tranquilles de Tomar.

Après quelques secondes de silence, le comte commença à parler.

– Avez-vous déjà entendu parler de la Christi Militia ?

– Les Templiers ?

– Non, la Christi Militia.

– Ça ne me dit rien.

– J'en suis un représentant. Il s'agit de l'organisation qui a succédé à l'ordre du Temple, ou aux Templiers.

Tomás fronça les sourcils, étonné.

– Mais l'ordre du Temple n'existe plus depuis longtemps !

– C'est précisément pour cette raison que la Christi Militia lui a succédé. Lorsque l'ordre du Temple fut supprimé, certains chevaliers décidèrent de le faire survivre en secret et formèrent la Christi Militia, ou l'ordre militaire du Christ, une organisation clandestine avec ses propres statuts, dont l'existence n'est connue que de très peu de personnes. Quelques nobles portugais, descendants des chevaliers de l'ordre du Temple, se rassemblent chaque printemps à Tomar pour faire vivre les anciennes coutumes et la tradition orale de secrets jamais révélés. Ce sont les gardiens des derniers mystères de l'ordre du Temple.

– Incroyable ! J'ignorais totalement son existence.

– Que savez-vous de l'ordre du Temple ?

– Une chose ou deux. Je suis historien, mais ma spécialité est la cryptanalyse et les langues anciennes, pas le Moyen Âge et les grandes découvertes. Disons que le hasard m'a conduit à ces recherches… Je travaille dessus simplement parce que je connaissais le professeur Toscano.

La voiture arriva à un embranchement dominé par une statue d'Henri le Navigateur. Le comte tourna à droite et quitta les artères principales de la ville pour rejoindre le flanc verdoyant de montagne et traverser les ombres luxuriantes du Mata dos Sete Montes, en direction des remparts du vieux château.

– Alors laissez-moi vous raconter l'histoire depuis le début, dit le comte. Lorsque les musulmans interdirent l'accès de la ville sainte de Jérusalem aux chrétiens, un cri de révolte résonna dans toute l'Europe et les croisades commencèrent. Jérusalem fut prise en 1099 et le christianisme s'établit en Terre sainte. Mais lorsque les croisés commencèrent à rentrer en Europe, les pèlerinages chrétiens jusqu'à Jérusalem devinrent très dangereux. C'est à cette époque qu'apparurent deux nouveaux ordres militaires : les Hospitaliers, qui s'occupaient des malades et des blessés, et une milice de neuf chevaliers qui souhaitaient aider les pèlerins à se rendre à Jérusalem en toute sécurité. Bien qu'ils ne fussent que neuf, ces hommes réussirent à rendre les routes du pèlerinage beaucoup plus sûres. En retour, on avait installé leurs quartiers généraux à la mosquée al-Aqsa, au sommet du mont Moriah, à Jérusalem, le lieu exact où s'était dressé le légendaire Temple de Salomon. C'est ainsi que sont nés les chevaliers de l'ordre du Temple. – Il marqua une pause. – Les Templiers.

– Une histoire bien connue.

– C'est vrai. Et si extraordinaire qu'elle interpella l'imagination de toute l'Europe. Certains disent que les Templiers, en fouillant dans les ruines du Temple de Salomon, tombèrent sur des reliques précieuses, des secrets éternels, des objets divins. Le Saint-Graal. Que ce soit grâce à ces mystères ou simplement à leur ingéniosité et à leur ténacité, les Templiers se développèrent dans toute l'Europe.

– Dont le Portugal.

– Oui. L'ordre fut officiellement créé en 1119, et quelques années plus tard, ils arrivèrent au Portugal. La ville de Tomar, prise pendant la conquête des Maures en 1147, fut offerte aux Templiers en 1159 par le premier roi du Portugal, Afonso Henriques. Menés par Gualdim Pais, ils construisirent le château l'année suivante.

La Mercedes prit un dernier tournant et entra dans un petit parking entre les arbres. L'énorme donjon du château apparaissait derrière les grandes fortifications de pierre, dont le crénelage semblait avoir été découpé dans le ciel bleu. Ils laissèrent la voiture à l'ombre des grands pins et prirent le chemin qui faisait le tour des remparts de la citadelle et du donjon, en direction de l'imposante Porta do Sol.

Pendant quelques instants, ce fut comme s'ils étaient revenus au Moyen Âge, à une époque simple et rustique, perdue dans le souvenir des siècles, et dont il ne restait que ces fières ruines. Un mur brut crénelé partait sur leur gauche, longeant le chemin et la forêt dense. Le flanc de colline était parcouru d'une brise qui faisait bruisser les arbres. Des hirondelles et des rossignols gazouillaient, et les cigales répondaient de leurs stridulations aiguës aux bourdonnements laborieux des abeilles. À droite du chemin, la côte aride et rocheuse s'étendait dans un silence sec et vide jusqu'au château qui se dressait au sommet tel un seigneur féodal, imposant et arrogant.

– Voilà donc le château des Templiers, dit Tomás en observant les vieux remparts.

– Oui. Les Templiers reçurent de grandes parcelles de terre au Portugal en échange de leurs services au combat, en particulier les conquêtes de Santarém et Lisbonne, mais c'est ici que leur présence était la plus importante, au château de Tomar, devenu leur siège. Cependant, l'ordre connut une fin abrupte, après la persécution qui commença en France en 1307 et mena en 1312 à la bulle papale *Vox in excelso*, ordonnant la dissolution de l'ordre. Le pape demanda aux rois européens d'arrêter les Templiers, mais le roi Denis de Portugal refusa d'obéir. Le pape décida que les biens des Templiers devaient aller aux Hospitaliers, mais une fois encore, le roi Denis refusa de se plier à cet ordre. Il interpréta à sa manière ce problème légal, affirmant que les Templiers ne faisaient qu'occuper des propriétés appartenant à la Couronne. Si les Templiers cessaient d'exister, la Couronne récupérerait ses terres. L'attitude du roi attira l'attention des Templiers français, qui étaient alors violemment persécutés dans leur propre pays. Beaucoup vinrent trouver refuge au Portugal. Le roi Denis laissa les choses se calmer un moment, puis il proposa la création d'un nouvel ordre militaire, avec des quartiers généraux à Algarve, pour protéger le Portugal des musulmans. Le Vatican accepta et l'ordre militaire du Christ fut officiellement fondé en 1319. Denis donna à cette nouvelle organisation tous les biens de l'ancien ordre du Temple, parmi lesquels dix villes. Mais le plus important, c'est que ses membres étaient des Templiers. Autrement dit, l'ordre du Temple devint l'ordre du Christ. La résurrection des Templiers au Portugal fut achevée en 1357, lorsque l'ordre du Christ transféra son siège au château de Tomar.

Ils franchirent la magnifique Porta do Sol et se trouvèrent devant un beau jardin géométrique surplombant la vallée sur leur gauche. Il y avait des haies sculptées en demi-sphères et des buissons non taillés, des cyprès élancés, des sycomores et des parterres de fleurs.

– Pourquoi me racontez-vous tout cela ? demanda Tomás.

Le comte Vilarigues rit. Il montra les remparts à leur droite, les édifices médiévaux devant eux et les escaliers conduisant à la structure cylindrique de la magnifique rotonde. Elle ressemblait à une forteresse, avec ses épais contreforts montant jusqu'au toit, ses créneaux du XVIe siècle et son clocher dominant l'ensemble. On apercevait, de l'autre côté du complexe, les épais murs extérieurs du cloître principal et les ruines de la salle capitulaire, située derrière un sycomore géant qui projetait son ombre protectrice sur le monastère.

– Mon cher, je vous raconte tout cela pour vous aider à comprendre cet endroit merveilleux. Après tout, c'est à Tomar, derrière ces mystérieux murs médiévaux, que réside l'esprit pur du Saint-Graal, l'âme énigmatique et ésotérique qui se cache derrière le développement et les découvertes maritimes du Portugal. – Il fit un clin d'œil à Tomás. – Mais aussi parce que ces détails ont une importance dans l'histoire extraordinaire que je suis sur le point de vous raconter. Et, bien sûr, parce que vous connaissiez Toscano.

– Et quelle est cette histoire ?

– Mon cher, vous le savez sans doute. Ce que je vais vous raconter est la véritable histoire de Christophe Colomb, l'explorateur qui a donné l'Amérique aux Castillans.

– La… la véritable histoire de Christophe Colomb ? Vous la connaissez ?

Ils traversèrent le jardin, passant sous un buisson en forme d'arche, pour aller s'asseoir sur un banc carrelé bleu et orange attenant au mur.

– C'est une histoire dont le prologue remonte aux Templiers. – Le comte observa les murs en contrebas. – Dites-moi, avez-vous déjà remarqué les croix sur les voiles des caravelles portugaises utilisées pendant les voyages de découverte ?

– Elles étaient rouges, si je me souviens bien.

– Des croix rouges sur un fond blanc. Cela ne vous rappelle rien ?

– Hmm… non.

– Les croix portées par les croisés étaient rouges sur un fond blanc. Celles des Templiers étaient rouges sur un fond blanc avec des bras incurvés. Les croix de l'ordre du Christ étaient rouges sur un fond blanc. Et les caravelles portugaises arboraient également des croix rouges sur des voiles blanches. Il s'agissait des croix de l'ordre du Christ, les croix des Templiers, hissées sur les mers à la recherche du Saint-Graal.

Il se pencha en avant et plongea son regard dans celui de Tomás.

– Savez-vous ce qu'était réellement le Saint-Graal ?

– C'est le calice dans lequel le Christ a bu pendant la Cène. Joseph d'Arimathie y aurait recueilli des gouttes de son sang lorsqu'il mourut sur la croix.

– Superstitions, mon ami ! Le Saint-Graal n'est un calice que dans un sens figuré, une métaphore si vous préférez.

Il montra du doigt la ville de Tomar, qu'on apercevait derrière les arbres et les remparts, au pied de la colline.

– Si vous allez à la chapelle baptismale de l'église São João Baptista, là-bas à Tomar, vous verrez un triptyque représentant Jean le Baptiste tenant le Saint-Graal. Dans le Graal se trouve un dragon ailé, un animal mythique mentionné dans la légende des chevaliers de la Table ronde. Dans cette légende, Merlin le magicien raconte l'histoire d'un combat dans un lac souterrain entre deux dragons, un ailé et l'autre non, l'un représentant les forces du bien, l'autre les forces du mal, l'un symbolisant la lumière, l'autre l'obscurité. Ce combat entre des dragons est aussi représenté en haut d'une colonne de la même église, qui lui confère une indéniable valeur d'initiation.

– Vous parlez de l'église dans le square où nous nous sommes retrouvés tout à l'heure ?

– Oui.

– Hmm, murmura Tomás, se rappelant la façade blanche et l'imposant clocher.

– Le dragon est le symbole templier de la sagesse, associé aux dieux Thot et Hermès. Le dragon dans le Saint-Graal représente la sagesse hermétique. – Il marqua une pause avant de poursuivre. – Alors qu'est-ce que le Saint-Graal ? C'est la connaissance. Et qu'est-ce que la connaissance, si ce n'est le pouvoir ? C'est quelque chose que les Templiers ont très vite compris. Lorsqu'ils arrivèrent au Portugal pour fuir la persécution ailleurs en Europe, ils apportèrent avec eux le calice et le dragon, le Saint-Graal ou la sagesse – scientifique et occulte – gagnée pendant deux siècles d'exploration de la Terre sainte. Ils étaient navigateurs ou inventeurs, et avaient l'esprit de la découverte, de l'apprentissage hermétique. Le Portugal était leur destination, mais c'était également leur point de départ pour la découverte du monde, leur nouvelle quête de connaissance. Le nom de ce pays est Portugal, après tout. Il vient de *Portucalem*, mais il peut aussi être associé au Saint-Graal. Porto Graal : le port du Graal. C'est de ce grand port qu'ils sont partis à la recherche du nouveau Graal. Le Saint-Graal de la sagesse. Le Graal de la connaissance. La découverte d'un nouveau monde.

– Ce que vous êtes en train de dire, c'est que les explorations maritimes sont le résultat de la quête des Templiers pour le Saint-Graal ?

– En partie, oui. Les Templiers et les Juifs, avec leurs secrets et leurs pratiques kabbalistiques mystérieuses, les uns cherchant ouvertement le Saint-Graal, les autres cherchant plus discrètement la Terre promise. Unis par leur nostalgie de Jérusalem et du saint Temple de Salomon, les Sépharades et les Portugais formaient un mélange explosif, et ils ont été rassemblés au début du XVe siècle par l'un des plus grands hommes d'État de l'histoire du Portugal, et l'un des plus grands visionnaires de l'humanité, le prince Henri du Portugal, l'esprit derrière le mouvement que nous appelons aujourd'hui « mondialisation ». Troisième fils du roi Jean Ier, Henri fut gouverneur de l'ordre du Christ en 1420 et gagna plus tard le surnom d'Henri le Navigateur. Il rassembla des hommes de science – des Portugais, des Templiers, des Juifs et d'autres – et imagina un plan pour lancer la quête du Saint-Graal. – Le comte leva une main et commença à réciter : « Que le Portugal prenne conscience de lui-même », a écrit le poète Fernando Pessoa. « Se rende à sa propre âme. Il y trouvera la tradition de la chevalerie, où continuent à vivre, proches ou lointaines, la tradition secrète du christianisme, la succession super-apostolique, et la quête du Saint-Graal. »

Il continua sur un ton moins déclamatoire.

» Le grand projet d'Henri le Navigateur de braver les mers inconnues et de découvrir le monde fut mis en œuvre par les Portugais pendant plusieurs siècles. Les chevaliers devinrent des navigateurs, et les voyages d'exploration portugais, les nouvelles croisades. Le pays fourmillait de nouveaux croisés. Nous en connaissons beaucoup. Mais d'autres furent impliqués dans des voyages secrets et firent des découvertes jamais révélées. Leurs noms sont restés cachés dans les ombres de l'Histoire.

– Vous voulez dire que Christophe Colomb était un de ces hommes ?

– J'y arrive. Mettons de côté les grands desseins mystiques de la période des grandes découvertes et concentrons-nous sur les événements triviaux de la vie quotidienne au Portugal à la fin du XVe siècle. Lorsque Henri le Navigateur et, plus tard, le roi Afonso V moururent, un autre homme prit en charge l'expansion maritime. Le fils du roi Afonso, le nouveau roi Jean II, surnommé le Prince parfait. Peu après son accès au trône, un événement eut lieu qui allait façonner la destinée de Christophe Colomb.

– La découverte du cap de Bonne-Espérance par Bartolomeu Dias.

Le comte éclata de rire.

– Pas du tout, mon cher, c'est arrivé beaucoup plus tard.

Ils quittèrent le banc carrelé et traversèrent le square, se baladant entre les orangers. Vilarigues marcha jusqu'aux ruines des chambres royales du château, qui avaient perdu leur toit, et posa affectueusement sa main sur le mur nu et rêche.

– Le prince Henri, l'homme à l'origine de ces projets avant le roi Jean II, a vécu entre ces murs. Comme un autre homme d'État, quelqu'un dont la vie allait être modifiée par le même événement que celui qui allait marquer la vie de Colomb. Il s'agit de Manuel le Fortuné, le successeur du roi Jean II.

– Quel est cet événement ?

Le comte pencha la tête et regarda Tomás d'un air étrange.

– La conspiration pour faire assassiner le roi Jean.

Tomás fronça les sourcils.

– Pardon ?

– Le complot contre Jean II. Vous n'en avez jamais entendu parler ?

– Ça me rappelle vaguement quelque chose.

– Écoutez attentivement ce que je vais vous raconter, dit le comte, en lui faisant signe d'être patient. En 1482, le conseil royal, dirigé par le tout nouveau roi Jean II, décida que les magistrats royaux pouvaient pénétrer dans les propriétés des seigneurs féodaux, pour s'assurer que la loi était correctement appliquée, et confirmer leurs privilèges et leurs propriétés. Cette décision était une attaque directe contre le pouvoir des nobles, qui étaient jusqu'alors les maîtres absolus de leurs domaines. Le plus puissant de ces nobles était Fernand II, duc de Braganza et cousin éloigné du roi. Le duc décida de présenter les documents légaux prouvant les privilèges et propriétés que lui et ses ancêtres avaient reçus. Il demanda à son conseiller financier, João Afonso, d'aller les sortir de leur coffre. Mais au lieu d'y aller lui-même, João Afonso envoya son fils, qui était jeune et inexpérimenté.

» Au moment où le garçon cherchait les documents dans le coffre, un clerc du nom de Lopo de Figueiredo arriva et proposa de l'aider. Celui-ci découvrit alors des lettres inquiétantes échangées entre le duc de Braganza et les Rois catholiques de Castille et d'Aragon. Intrigué, il les déroba et demanda une audience privée avec le roi. Il lui montra les lettres, dont certaines incluaient des observations écrites de la main même du duc. Jean II les examina et comprit rapidement qu'elles révélaient une conspiration contre la Couronne. Le duc portugais de Braganza était un agent secret des Rois catholiques à Castille et leur avait promis de les aider à envahir le pays.

Vilarigues baissa la voix, comme s'il prononçait un mot interdit.

» C'était un traître. Les lettres montraient que le duc de Viseu, le frère de la reine, était également impliqué, ainsi que sa mère. Jean II fit copier les documents et demanda à Lopo de Figueiredo de les remettre dans le coffre où il les avait trouvés. Le roi passa plus d'un an à jauger en secret l'étendue du complot et à se préparer à le démanteler. Il découvrit même les détails de la façon dont les conspirateurs prévoyaient de l'exécuter.

» Puis, un jour de mai 1483, il fit arrêter et juger le duc de Braganza. Jugé coupable de trahison, Fernand II fut décapité quelques jours plus tard à Évora. Mais la conspiration continua, menée désormais par le duc de Viseu, jusqu'en 1484, lorsque le roi Jean décida d'y mettre fin pour de bon. Il demanda à rencontrer le duc et, après une rapide conversation, le poignarda à mort. D'autres nobles impliqués dans le complot furent décapités ou empoisonnés, ou fuirent en Castille.

» Pendant ce temps, un étrange événement se produisit. Le roi Jean convoqua le frère du duc de Viseu. Manuel se présenta, craignant pour sa vie – après tout, son frère avait été exécuté par le roi au même endroit. Mais l'issue fut bien différente. Le roi Jean accorda à Manuel tous les biens de son frère et, curieusement, l'informa que si son propre fils, Afonso, mourait sans héritier, Manuel hériterait du trône. Et c'est précisément ce qui se produisit.

– Quelle étrange histoire ! dit Tomás, impressionné par cette intrigue de palais. Mais je ne comprends toujours pas pourquoi vous me racontez tout ça.

Le comte Vilarigues croisa les bras sur sa poitrine et leva un sourcil.

– Vous voulez dire que vous menez une enquête sur Christophe Colomb, mais que l'année de ce grand nettoyage royal ne vous interpelle pas ?

– Quand dites-vous que c'est arrivé ?

– En 1484.

Tomás se gratta le menton pensivement.

– C'est l'année où Colomb a quitté le Portugal pour la Castille.

– Exactement.

Le comte sourit, une étincelle espiègle dans les yeux.

Tomás resta silencieux un moment, réfléchissant à ce qu'il venait d'entendre, considérant ce que cela impliquait, rassemblant les pièces du puzzle.

– Vous insinuez que Colomb faisait partie de la conspiration contre le roi Jean ?

– Précisément.

– Ah… – Tomás luttait, incapable d'organiser le tourbillon de pensées se bousculant dans son esprit. – Ah…

Le voyant ainsi désarmé, le comte vint à son secours.

– Dites-moi une chose : avez-vous déjà remarqué qu'il y avait quantité de documents sur la présence de Colomb en Espagne, mais un énorme vide concernant sa présence au Portugal ? Rien. Pas un seul document. Le peu que l'on sait vient de références rapides laissées par Las Casas, Fernand Colomb et l'amiral lui-même. Rien d'autre. – Il haussa les épaules. – Pourquoi cela ? Simplement parce que Colomb portait un autre nom. Nous avons remué ciel et terre pour trouver des documents avec le nom Colom, alors qu'il fallait chercher un tout autre nom.

– Que… Quel nom ?

– *Nomina sunt odiosa.*

– « Les noms sont odieux », dit Tomás, traduisant presque mécaniquement. Cicéron.

Le comte le regarda d'un air surpris.

– Ce fut rapide.

– Le professeur Toscano a laissé cette citation comme indice pour percer le mystère Colomb.

– Ah, dit le comte. Savez-vous que c'est moi qui la lui ai fait connaître ? Je suis content de voir qu'il en a pris note. – Il haussa les épaules. – Enfin, dans tous les cas, le vrai nom de Colomb reste inconnu. *Nomina sunt odiosa.* Ce qui compte, c'est de savoir qu'il avait un autre nom. Un nom noble.

– Comment le savez-vous ?

– Christophe Colomb était un noble et un membre de l'ordre du Christ. Sa véritable histoire fait partie de la tradition orale des Templiers. Et de nombreux éléments corroborent mes propos. Avez-vous lu la lettre que le roi Jean a envoyée à Colomb en 1488 ?

– Que n'ai-je pas lu…

– Que pensez-vous de ce passage où le roi mentionne les problèmes de Colomb avec les autorités légales ?

Tomás ouvrit son carnet, cherchant les notes qu'il avait prises sur cette lettre.

– Un moment… je l'ai, dit-il. Le roi a écrit : « Et si vous avez quelque crainte de notre justice en raison de certaines de vos obligations, nous vous garantissons par la présente que pendant votre venue, votre séjour et votre retour, vous ne serez arrêté, détenu, accusé, ni cité pour aucune affaire, civile ou criminelle, de quelque nature que ce soit ». – Il regarda le comte. – C'est tout.

– Et ? Quels sont ces crimes qui ont poussé Colomb à fuir en Espagne avec son fils en 1484 ?

– La conspiration.

– Exactement. La conspiration démantelée en 1484. De nombreux nobles fuirent en Espagne avec leurs familles cette année-là. Toutes les personnes impliquées dans le complot imaginé par les ducs de Braganza et Viseu s'exilèrent en masse.

Tomás attrapa sa mallette et la fouilla pour en sortir un exemplaire de l'*Histoire de la vie et des découvertes de Christophe Colomb*, qu'il feuilleta rapidement.

– Un instant, un instant… dit-il, comme s'il craignait que son idée ne lui échappe. Si ma mémoire ne me trompe pas, le fils espagnol de Colomb, Fernand, écrivit la même chose dans une référence rapide à l'arrivée de son père en Castille. Laissez-moi voir… Voilà. La lettre dit : « qui vers la fin de l'année 1484 quitta secrètement le Portugal avec son jeune fils Diego, craignant que le roi ne cherche à le faire arrêter ».

– « Quitta secrètement le Portugal » ? demanda le comte ironiquement. « Craignant que le roi ne cherche à le faire arrêter » ? – Il sourit. – On peut difficilement faire plus clair, n'est-ce pas ?

– Mais vous pensez que le roi aurait accordé son pardon à Colomb s'il était réellement impliqué dans cette conspiration ?

– Tout dépend des circonstances, mais d'après ce que nous savons, c'est tout à fait possible. Colomb ne faisait pas partie des cerveaux du complot ; il n'était qu'un pion, un personnage secondaire. Qui plus est, il a été pardonné quatre ans après ces événements, à une époque où plus personne n'était une menace pour le roi. Le roi Jean lui-même a nommé le frère d'un des conspirateurs héritier du trône. Il était encore plus facile pour lui de pardonner un petit joueur comme Colomb s'il pensait qu'il pourrait lui être utile. – Le comte désigna le carnet et le livre que Tomás avait sortis de sa mallette. – Et vous avez remarqué la façon dont le roi s'adresse à Colomb dans sa lettre de 1488 ?

Tomás lut ses notes.

– « À Xprovam Collon, notre ami spécial à Séville. »

– « Ami spécial » ? Bon sang ! Vous imaginez une telle intimité entre le grand roi du Portugal et un simple tisserand étranger, un homme du peuple ? – Le comte secoua la tête. – Non, c'est une lettre d'un roi à quelqu'un qu'il connaît bien, un noble qu'il a fréquenté à la cour. Plus important encore, c'est une lettre de réconciliation.

– Alors qui était réellement Colomb ?

Le comte se remit en marche, se dirigeant vers les escaliers au bout de la cour.

– Christophe Colomb était un noble portugais d'origine juive, lié à la famille du duc de Viseu, qui joua un rôle mineur dans le complot contre le roi Jean II. Lorsque le complot fut démantelé, les conspirateurs fuirent en Espagne. Les conspirateurs les plus importants et leurs complices les rejoignirent plus tard. Colomb était l'un d'entre eux. Il laissa son nom derrière lui et refit sa vie à Séville, où il fit bon usage des connaissances en navigation acquises au Portugal. Il se fit appeler Cristóbal Colon et décida de cacher son passé, notamment à cause du fort antisémitisme qui sévissait en Espagne. Après la découverte de l'Amérique, des auteurs italiens insinuèrent qu'il était génois. Cette insinuation arrangeait bien Colomb, qui l'encouragea sans jamais la confirmer ou l'infirmer. Son comportement aida à calmer les soupçons au sujet de ses vraies origines, distrayant les gens avec quelque chose de beaucoup moins choquant. – Il pencha la tête. – Avez-vous remarqué que même son fils espagnol ignorait la vérité au sujet de ses origines ? Fernand s'est même rendu en Italie pour vérifier les rumeurs selon lesquelles son père venait de Gênes. – Il regarda Tomás. – Vous le croyez, vous ? Colomb n'a même pas révélé ses origines à son propre fils ! Imaginez un peu la peine qu'a dû se donner l'amiral pour garder son secret. Il est évident que Fernand n'a rien trouvé à Gênes, comme il l'a révélé dans son livre, ce qui l'a conduit à soulever la théorie que son père était né à Plaisance, mélangeant ainsi ses origines avec celles d'ancêtres paternels de la femme portugaise de l'amiral, Felipa Moniz Perestrello, qui étaient bien d'origine italienne.

– Alors même les Rois catholiques ignoraient qui il était réellement ?

– Non, eux savaient. – Le comte hocha la tête. – Colomb avait joué un rôle dans la conspiration contre la Couronne portugaise. Parmi les documents trouvés dans le coffre du duc de Braganza se trouvaient des lettres des Rois catholiques. Puisque Colomb était impliqué dans le complot, les rois le connaissaient forcément, au moins vaguement. En fait, c'est la seule chose qui explique pourquoi ils lui ont accordé du crédit. – Il tendit la main vers le livre de Fernand Colomb. – Laissez-moi voir. – Le comte commença à tourner les pages. – Quelque part par ici… Il y a une référence assez claire. C'est un extrait d'une lettre de Colomb au prince Jean. Voilà. Il dit : « Je ne suis pas le premier amiral de ma famille. » – Il observa Tomás en penchant la tête sur le côté, d'un air moqueur. – Colomb n'était pas le premier amiral de sa famille ? N'était-il pas censé être un tisserand génois sans éducation ? demanda-t-il en riant. En d'autres termes, l'amiral lui-même a fait une référence indirecte à ses origines nobles, que les rois espagnols connaissaient déjà. Si Colomb avait vraiment été un simple tisserand génois, comme le veut la ridicule version officielle, les Rois catholiques auraient bien ri de sa demande d'audience.

» Compte tenu de la rivalité entre le Portugal et l'Espagne, il valait mieux éviter de rendre public le fait que l'amiral de la flotte espagnole était un Portugais, en particulier un Portugais d'origine juive. Cela n'aurait pas été acceptable. Sa véritable identité a donc été gardée secrète, au point que le certificat de naturalisation de son fils cadet, Diego, n'indique pas sa nationalité d'origine. D'après la loi espagnole, ces certificats devaient mentionner la nationalité d'origine du citoyen naturalisé. Diego fut la seule exception. Cela montre jusqu'où la Couronne était prête à aller pour cacher les origines de l'amiral. S'il avait vraiment été génois, il n'y aurait eu aucune raison de taire sa nationalité. Les rumeurs italiennes arrangeaient bien les Rois catholiques et grâce à cette conspiration de silences et d'ententes implicites, nourris par l'explorateur et ses protecteurs, les origines de Colomb restèrent obscures.

Ils passèrent sous un sycomore géant et un noyer mélancolique, sentinelles immobiles et témoins silencieux de plusieurs siècles de vie dans cet étrange monastère, et commencèrent à gravir le large escalier en pierre de la forteresse templière.

– Si Colomb était impliqué dans la conspiration, pourquoi le roi Jean l'a-t-il convoqué à Lisbonne en 1488 ?

Le comte Vilarigues caressa sa barbiche en pointe.

– Pour des affaires d'État, mon cher. Christophe Colomb pensait qu'il était possible de se rendre en Inde par l'ouest, mais les Rois catholiques n'étaient pas convaincus. Le roi Jean savait que le voyage était probablement impossible, et ce pour deux raisons. La première est que le monde était beaucoup plus grand que Colomb ne l'imaginait. La seconde est que le roi du Portugal savait déjà qu'il y avait un continent sur le chemin.

Ils traversaient la cour de l'église pour rejoindre le portail sud du monastère lorsque Tomás s'immobilisa et regarda le comte.

– Donc le roi Jean savait depuis longtemps que l'Amérique était là.

Le comte éclata de rire.

– Bien sûr qu'il le savait. Ce n'était d'ailleurs pas si important. Pour autant que je sache, l'Amérique fut découverte il y a plusieurs milliers d'années par les Asiatiques, qui colonisèrent les deux Amériques, du nord au sud. Les Vikings, plus précisément Erik le Rouge, furent les premiers Européens à y arriver. Cette connaissance fut préservée par les Templiers nordiques, dont certains sont venus au Portugal. Et les Portugais avaient définitivement exploré ces parties du monde au XVe siècle, toujours en secret. L'amiral Gago Coutinho, le premier homme à avoir traversé l'Atlantique sud en avion, conclut que les marins du XVe siècle avaient atteint la côte de l'Amérique avant 1472. Il suspectait aussi que des explorateurs au service de la Couronne portugaise avaient été les premiers Européens à y arriver après les Vikings. En réalité, pendant les procès du *Pleyto de la Prioridad*, débutés en 1532 par les fils du capitaine Pinzón – qui avaient servi sous les ordres de Colomb – avec l'étrange théorie que l'amiral avait découvert une terre dont l'existence était déjà connue, plusieurs témoins qui avaient été en contact avec le grand explorateur furent entendus. L'un d'entre eux, un certain Alonso Gallego, affirma que Colomb avait « servi le roi du Portugal et entendu parler desdits territoires des Indes ». Ceci est confirmé par le biographe Bartolomé de Las Casas, un contemporain de Colomb, qui affirma qu'un marin portugais avait dit à l'amiral qu'il y avait des terres à l'ouest des Açores. Ce même Las Casas s'est rendu aux Antilles et a affirmé que les indigènes de Cuba lui avaient dit que d'autres marins, blancs et barbus, avaient déjà visité ces terres avant les Espagnols. Vous avez déjà vu le planisphère de Cantino ?

– Bien sûr.

– Et vous avez remarqué qu'il montre la côte de la Floride ?

– Oui.

– Le planisphère a été dessiné par un cartographe portugais en 1502 au plus tard, mais la Floride n'a été découverte qu'en 1513. Étrange, non ?

– Il est évident qu'ils en savaient plus qu'ils voulaient bien le laisser croire.

– Bien sûr. Et que penser de la décision de Colomb d'emporter des pièces portugaises lors de son premier voyage vers le Nouveau Monde ? Pourquoi pas des pièces espagnoles ? La seule explication est que l'amiral savait que les populations locales connaissaient déjà la monnaie portugaise, vous ne croyez pas ?

Le portail orné de motifs manuélins était fermé. Ils contournèrent la rotonde par la droite, toujours dans la cour principale, et, juste après le clocher, pénétrèrent par la petite porte de la sacristie dans la pénombre du sanctuaire. Ils achetèrent des tickets, traversèrent le cloître du cimetière et sa cour de style gothique flamboyant, où étaient plantés de petits orangers, et s'engouffrèrent dans les couloirs sombres jusqu'au cœur du monastère des Templiers. La rotonde.

Le bâtiment exhalait l'odeur caractéristique des objets anciens, que Tomás associait aux musées. Sa structure externe à seize côtés abritait une structure octogonale, où était situé le maître-autel. Les murs étaient couverts de fresques, et les piliers, de statues dorées ; la nef ronde était surmontée d'un dôme byzantin. C'était le lieu de culte des Templiers de Tomar, modelé sur la rotonde du Saint-Sépulcre de Jérusalem. C'était le joyau du monastère, avec son architecture sombre et imposante. Le portail du sud, vu de l'intérieur, était encadré de deux piliers torsadés, comme ceux qui, d'après les Écritures saintes, protégeaient le Temple de Salomon. Mais Tomás et le comte étaient tellement absorbés par leur conversation que, après avoir rapidement regardé autour d'eux, ils oublièrent très vite le bâtiment.

– Je suis désolé, mais il y a des choses que je ne comprends pas, dit Tomás en regardant distraitement l'octogone central. Si les Portugais savaient déjà que l'Amérique existait, pourquoi ne sont-ils pas allés l'explorer ?

– Ils pensaient qu'il n'y avait rien d'intéressant là-bas, répondit le comte. Les Portugais voulaient se rendre en Orient. D'un point de vue ésotérique, ils pensaient que la connaissance qu'ils cherchaient était quelque part dans le royaume chrétien mystique du prêtre Jean, comme le suggère le poème épique *Parzival*, de Wolfram von Eschenbach, une information probablement apportée ici par les Templiers germaniques. D'un point de vue économique, leur ambition était de trouver une route vers les Indes, de façon à éviter le monopole commercial de Venise et de l'Empire ottoman, et acheter des épices à leur source à un prix beaucoup plus raisonnable. Henri le Navigateur était motivé par la quête du Saint-Graal, ou de la connaissance qu'il représentait, et c'était la priorité de son équipe de Templiers. Mais les intérêts commerciaux éclipsèrent peu à peu les intérêts mystiques. Ils pensaient ne trouver en Amérique que des indigènes et des arbres, comme ils le constatèrent rapidement en débarquant sur la côte américaine. C'est pourquoi le roi Jean commença à s'intéresser aux projets de Colomb.

» Christophe Colomb savait qu'il y avait un continent à l'ouest des Açores. Il pensait, selon moi, que ce continent était l'Asie dont avait parlé Marco Polo. Il essaya de convaincre le roi du Portugal de le laisser partir explorer l'Ouest, mais le roi Jean savait déjà que la vraie Asie était beaucoup plus loin ; c'est pour cette raison qu'il ne cessait de rejeter les suggestions du jeune noble. En 1484, lorsque la conspiration contre le roi fut démantelée, Colomb s'enfuit en Castille, où il essaya de vendre sa théorie aux Rois catholiques. Il est important de noter que ce développement arrangeait bien le roi Jean. C'était un fin stratège, qui comprit très vite que dès que l'Espagne verrait les Portugais gagner des millions grâce au commerce avec les Indes, elle voudrait sa part du butin. Une guerre éclaterait. Le roi Jean considérait les Espagnols comme une menace potentielle pour ses projets. Il avait besoin de détourner leur attention avec quelque chose d'apparemment très précieux, mais qui n'était pas le prix ultime.

– L'Amérique, dit Tomás.

– La seule et unique, ajouta le comte avec un clin d'œil. L'Amérique remplissait ces critères ; c'était le leurre parfait. Mais les Espagnols manquaient d'informations, et ils étaient déjà bien occupés à tenter d'expulser les Maures du sud de la péninsule Ibérique. Ils rejetèrent donc ses propositions. Découragé et nostalgique de son pays, Colomb voulut rentrer au Portugal, mais il restait toujours le problème de son implication dans le complot d'assassinat. Il écrivit donc au roi Jean en 1488 pour proclamer son innocence et lui demander pardon. Le roi saisit l'opportunité et lui envoya une lettre de réconciliation que vous avez déjà lue, garantissant qu'il ne serait pas arrêté pour quelque crime que ce soit. Avec cette lettre de sauf-conduit, Colomb se rendit au Portugal pour défendre son projet. À sa surprise, il vit que le roi Jean n'avait aucune intention de préparer une expédition vers l'ouest, mais voulait qu'il essaie de convaincre les Rois catholiques d'entreprendre ce voyage. Il promit d'offrir secrètement à Colomb toute l'aide dont il aurait besoin et de faire tout ce qui était en son pouvoir pour s'assurer que son voyage serait un succès. À Lisbonne, Colomb fut témoin du retour de Bartolomeu Dias, qui déclara avoir découvert un passage vers l'océan Indien. Il comprit alors que le roi Jean avait de bonnes raisons de ne pas écouter ses suggestions. Résigné, il accepta l'offre d'aide secrète et retourna en Espagne.

– Le retour de Bartolomeu Dias est un point crucial, dit Tomás. Les historiens ont toujours pensé que si le roi Jean avait rejeté l'idée d'essayer d'atteindre l'Inde en passant par l'ouest, c'était parce que l'arrivée de Dias avec la nouvelle de sa découverte du cap de Bonne-Espérance prouvait que c'était un meilleur itinéraire.

– Foutaises ! s'exclama le comte avec un geste las. Le roi Jean le savait depuis longtemps ! – Le comte tapota l'épaule de Tomás. – Mon cher ami, pensez-y. Si le roi Jean avait vraiment le projet de naviguer vers l'ouest, pensez-vous vraiment qu'il aurait embauché un navigateur génois de Séville, comme le veut la version officielle ? N'avait-il pas à sa disposition des hommes bien plus expérimentés, des navigateurs accomplis comme Vasco de Gama, Bartolomeu Dias, Pacheco Pereira, Diogo Cão, et bien d'autres, tous beaucoup plus qualifiés pour une telle mission ? Ceux qui pensent que le roi Jean a laissé Colomb se rendre à Lisbonne pour discuter de la possibilité d'une expédition vers l'ouest ont certainement perdu la raison ! – Le comte secoua la tête. – Vous ne trouvez pas ça étrange que Bartolomeu Dias ait découvert le passage vers l'océan Indien en 1488, mais que le Portugal ait envoyé Vasco de Gama explorer ce passage seulement dix ans plus tard ? – Il le regarda d'un air perplexe. – Pourquoi avoir attendu dix ans ?

– Eh bien, pour préparer le voyage, j'imagine…

– Dix ans pour préparer un voyage ? Allons… Si les Portugais avaient été inexpérimentés en matière de navigation, d'accord, je comprendrais, je voudrais bien y croire. Mais ils menaient régulièrement des expéditions maritimes. Elles faisaient partie de leur quotidien. Cette théorie ne tient pas la route. – Il se pencha en avant. – Dix années inexplicables séparent les voyages de Dias et de Gama. – Il haussa les épaules. – Pourquoi ? Pourquoi ont-ils ainsi retardé ce voyage aux Indes qu'ils attendaient tant ? Ceci, mon cher ami, est un des plus profonds mystères des grandes découvertes, le sujet de nombre de spéculations parmi les historiens. – Il fit un signe de tête en direction de Tomás. – D'une certaine manière, vous aviez raison lorsque vous disiez que les Portugais préparaient quelque chose. Ils préparaient les Espagnols.

– À quoi ?

– Le roi du Portugal savait qu'ils ne pouvaient s'embarquer dans cette aventure vers les Indes que lorsqu'ils auraient résolu le problème des Espagnols. Le traité de Tolède de 1480, qui faisait suite au traité d'Alcaçovas, donnait au Portugal le droit d'explorer la côte africaine, ainsi que les Indes, mais le roi Jean II craignait que les Espagnols reviennent sur leur parole. Après tout, les Rois catholiques, tout en signant les traités d'Alcaçovas et de Tolède, avaient parallèlement conspiré avec des nobles portugais pour assassiner le roi. Comment le roi Jean pouvait-il leur faire confiance ? Il avait besoin de Colomb pour convaincre les Espagnols d'envoyer une expédition vers l'ouest, et il était important qu'ils croient que l'Amérique était l'Asie. Les Portugais attendaient le voyage de Colomb et les nouvelles négociations géopolitiques qui en découleraient.

– Ce voyage eut lieu en 1492.

– Oui. Secrètement soutenu par le roi Jean II.

– De quelle manière ?

– En premier lieu, financièrement, répondit le comte en levant le pouce. Isabelle la Catholique avait promis un million de *maravedis* pour financer l'expédition. Mais ce n'était pas suffisant, et Colomb ajouta lui-même un quart de million. Dites-moi : où donc un noble désargenté aurait-il pu trouver une telle somme ? Les défenseurs de la théorie génoise affirment que l'argent lui a été prêté par des banquiers italiens, mais si c'était le cas, ils seraient revenus frapper à sa porte. Quiconque lui a prêté l'argent n'est jamais venu réclamer une part des profits du commerce avec les Caraïbes. Pourquoi ? Parce que le profit réel de cet investissement n'était pas financier mais géostratégique. Pour résumer, parce que le mystérieux financier était le roi du Portugal.

» En second lieu, le roi Jean a fourni à Colomb les instruments de navigation nécessaires. Quelques jours seulement avant de partir, Colomb a reçu de Lisbonne un jeu de tables astronomiques, les *tábuas de declinação do sol*, écrites en hébreu, un outil essentiel pour corriger les imprécisions de l'astrolabe. Qui les a envoyées ? demanda-t-il en souriant. Le roi portugais, évidemment. Il s'est plié en quatre pour s'assurer que le voyage serait un succès. Le roi Jean a piégé les Espagnols, qui partirent malgré eux pour l'Amérique.

– Je suis d'accord, mais le voyage de Colomb a eu lieu en 1492 et Vasco de Gama n'a atteint les Indes qu'en 1498. Pourquoi avoir attendu encore six ans ?

– Parce qu'ils devaient s'occuper des développements géopolitiques qui s'étaient produits entre-temps, en piégeant les Espagnols avec un nouveau traité, signé avec l'approbation du Vatican, qui assurait la situation la plus favorable à Lisbonne. Il fut conclu en 1494, lorsque le Portugal et l'Espagne signèrent le traité de Tordesillas, qui divisait le monde en deux parties, une pour chaque royaume ibérique. Les Espagnols pensaient que leur partie était la plus intéressante, puisqu'elle incluait ce qu'ils pensaient être les Indes – c'est-à-dire le continent récemment découvert par Colomb. – Le comte leva la main. – Et maintenant, mon cher, pensez-vous que le roi Jean aurait signé ce traité s'il pensait que les Indes se trouvaient dans la partie espagnole ? La seule explication possible est que le roi Jean savait déjà que la moitié espagnole n'incluait pas les « vraies » Indes. Les Portugais laissèrent « l'Inde américaine » à leurs rivaux et gardèrent pour eux la vraie Inde. Le risque de guerre était éliminé, et les Portugais purent enfin commencer à planifier le grand voyage de Vasco de Gama.

– Mais ça n'explique pas pourquoi Vasco de Gama est parti trois ans après la signature du traité.

– Le Prince parfait est mort en 1495, ce qui a retardé le processus, et la flotte n'est partie qu'en 1497, sous le règne du roi Manuel.

– Comment pouvez-vous être aussi sûr que Colomb était le pion utilisé par le roi Jean pour détourner les Espagnols de la « vraie » Inde ?

– Il n'y a rien de spéculatif là-dedans, répondit le comte. Cette information concernant l'accord entre Colomb et le roi Jean fait partie de l'héritage secret de l'ordre du Christ. Elle est soutenue par de nombreuses preuves, certaines indirectes et d'autres irréfutables.

– Quelles preuves ?

Le comte sourit.

– On y arrive, dit-il. Commençons par les preuves indirectes. Êtes-vous familier des documents sur lesquels est fondée la théorie génoise ?

– Oui, bien sûr.

– Pensez-vous qu'ils soient fiables ?

– Non, ils sont pleins de contradictions et d'incohérences.

– Donc vous pensez qu'il était portugais ?

– Oui. Mais je dois avouer qu'il n'existe aucune preuve concrète.

– Qu'est-ce qu'il vous faut ? Un film amateur de Colomb chantant l'hymne national portugais face à la caméra ?

– Non. Mais, malgré toutes ses incohérences et absurdités, la théorie génoise est la seule qui donne à Colomb une identité, une famille, un foyer, et qui soit soutenue par des documents. Tout le reste est bancal, c'est vrai. La théorie portugaise souffre du problème inverse. Bien qu'elle soit logique et qu'elle explique les mystères entourant l'amiral, cette théorie ne fournit aucun document qui permette de l'authentifier clairement.

– Très bien, nous arrivons à la preuve, dit le comte en faisant signe à Tomás d'être patient. Concentrons-nous sur les preuves indirectes pour le moment. D'après tout ce que vous avez lu, est-ce que l'histoire que je vous ai racontée a du sens ?

– Oui, je pense. Les choses semblent coïncider.

– Alors examinons les événements étranges qui eurent lieu pendant ce premier voyage de 1492. Colomb est arrivé aux Antilles et a établi le contact avec les indigènes, à qui il a donné le nom d'« Indiens », pensant se trouver en Inde. Mais c'est pendant le retour que furent prises les décisions les plus étranges du voyage. Au lieu d'emprunter la même route qu'à l'aller et de partir à l'est vers les Canaries, comme l'avait fait le capitaine de la *Pinta*, l'amiral prit la direction du nord, vers l'Arctique, sur la caravelle *Niña*. Nous savons aujourd'hui que c'était la route la plus simple, puisque les alizés, plus favorables, y soufflaient à cette période de l'année. Mais si personne n'avait jamais navigué sur ces mers avant, comment diable Colomb savait-il qu'il fallait prendre cette route ? Il avait de toute évidence été informé. Il navigua vers le nord nord-est pendant deux semaines avant de tourner vers l'est, dans une zone où dominaient les vents d'ouest, en direction des Açores. Las Casas prétend que l'amiral n'a pas corrigé son cap parce qu'il n'était pas encore arrivé à l'archipel portugais, ce qui prouve son intention d'y aller. Il rencontra une tempête et navigua jusqu'à l'île de Santa Maria, où il jeta l'ancre.

» Un curieux épisode suivit. Les Portugais accueillirent étonnamment bien la caravelle espagnole, allant même jusqu'à lui envoyer un bateau de provisions. Le gouverneur provisoire de l'île, un certain João Castanheira, dit qu'il connaissait bien Colomb. L'amiral envoya une partie de son équipage sur le rivage pour prier dans une chapelle. En ne voyant pas ses hommes revenir, Colomb comprit qu'ils avaient été faits prisonniers par les Portugais. Santa Maria envoya des hommes à Colomb pour lui demander de se rendre, car le roi avait ordonné son arrestation. L'amiral refusa d'obtempérer et essaya de naviguer jusqu'à l'île de São Miguel, mais avec un équipage aussi réduit et une nouvelle tempête menaçant à l'horizon, il comprit que c'était impossible et retourna à Santa Maria. Le lendemain, les Portugais laissèrent l'équipage partir. Lorsque les marins remontèrent à bord de la *Niña*, ils affirmèrent qu'ils avaient entendu Castanheira dire qu'il voulait uniquement arrêter Colomb, sur les ordres du roi, et que les Espagnols ne l'intéressaient pas.

Le comte prit un air sceptique.

» Bien sûr, tout cela est très curieux. Colomb fait un détour par les Açores au lieu de se rendre directement en Castille ? Et que penser de la réaction de l'amiral en apprenant que le roi avait donné l'ordre à ses hommes de l'arrêter ? Plutôt que de partir pour fuir l'ennemi, comme quiconque doté d'un tout petit peu de bon sens l'aurait fait, il décida, curieusement, de mettre le cap sur l'île de São Miguel, où les ordres du roi auraient certainement été exécutés tout aussi efficacement. N'est-ce pas un comportement étrange ?

– C'est vrai, dit Tomás. Quelle est l'explication ?

– Il pensait que l'ancien ordre du roi, d'arrestation du traître, était toujours en vigueur. N'oublions pas que Colomb avait été impliqué dans le complot de meurtre. Castanheira avait connaissance de cet ancien mandat d'arrêt mais, comme il était isolé sur une île, il ne savait pas qu'il avait été révoqué. L'amiral, plutôt que de fuir en Castille, comme on aurait pu s'y attendre, décida de naviguer jusqu'à São Miguel. Pourquoi aurait-il fait une telle chose si sa vie avait été en danger ? La réponse est très simple : Colomb savait que les autorités de São Miguel étaient au courant de la vérité. – Le comte fit un geste impatient de la main, comme pour balayer cette histoire. – Bref, poursuivons. Après cette curieuse visite de Colomb aux Açores, quelle aurait été la suite logique, selon vous ?

– Retourner en Castille.

– Exactement.

Il se couvrit les yeux du dos de la main, feignant la souffrance.

» Mais le destin est cruel. Une autre tempête l'obligea à s'arrêter à Lisbonne. Vous le croyez ? À Lisbonne ! Les vents conspirèrent pour le jeter dans la gueule du loup, dans l'antre de l'ennemi ! – Il éclata de rire, visiblement content de lui. – Notre ami jeta l'ancre à Restelo le 4 mars 1493, à côté du propre bateau du roi. Le capitaine visita la *Niña* pour demander à Colomb ce qu'il faisait à Lisbonne. L'amiral répondit qu'il ne parlerait qu'à son « ami spécial », le roi du Portugal. Le 9, Colomb fut conduit dans une villa à Azambuja, où il rencontra le roi Jean. Il lui baisa la main dans une première pièce, où ils échangèrent quelques mots en privé. Puis le roi conduisit l'amiral dans une autre pièce, où se trouvaient plusieurs membres importants de sa cour. Les récits des chroniqueurs sur ce qui s'est passé dans cette pièce diffèrent.

» Fernand Colomb, citant son père, raconte que le roi écouta le récit de son voyage avec une expression joyeuse sur le visage, faisant seulement remarquer que, selon les traités d'Alcaçovas et de Tolède, les terres qu'il avait découvertes lui appartenaient. Rui de Pina, en revanche, dit que le roi semblait fort mécontent en écoutant le récit des exploits de son ancien sujet et que Colomb s'adressait à lui assez violemment, l'accusant de négligence pour ne pas avoir cru plus tôt en son projet. D'après Pina, les termes qu'il utilisa étaient si insultants que les nobles présents décidèrent d'exécuter Colomb. Mais, curieusement, le roi Jean ne se contenta pas de les en empêcher, il traita son visiteur effronté et agressif avec la plus grande politesse. Le lendemain, Colomb et le roi Jean reprirent leur conversation, et le roi lui promit de lui fournir toute l'aide dont il aurait besoin, lui offrit de s'asseoir en sa présence, le traitant avec les plus grands honneurs. Ils se quittèrent le 11, et les nobles portugais le raccompagnèrent avec les plus grandes marques de respect.

Le comte regarda Tomás.

» Que pensez-vous de ça ?

– Eh bien, d'après ce que vous m'avez dit, c'est une histoire assez surprenante.

– N'est-ce pas ? À commencer par les tempêtes. – Le comte fit une moue moqueuse. – Opportunes, non ?

– Que voulez-vous dire ?

– Que la troisième tempête n'était rien d'autre qu'une grosse averse, assez importante pour donner à Colomb un prétexte pour s'arrêter à Lisbonne. Pendant le célèbre procès *Pleyto con la Corona*, au cours duquel tous les participants de ce voyage furent appelés à témoigner, les marins espagnols se rappelèrent parfaitement la tempête des Açores, mais aucun ne mentionna celle de Lisbonne. Autrement dit, Colomb s'était rendu à Lisbonne parce qu'il le voulait. Comme il l'a dit au capitaine du vaisseau royal ancré dans le Tage, il souhaitait parler au roi.

Le comte haussa les sourcils.

» Vous comprenez ? Colomb apprit à Santa Maria que le roi voulait le faire arrêter, et la première chose qu'il fit en quittant les Açores fut précisément de se rendre à Lisbonne pour demander une audience avec le roi ! Cela vous paraît normal ? Pourquoi s'est-il jeté si sereinement dans la gueule du loup ?

– Vous marquez un point, dit Tomás. De quoi ont-ils parlé ?

– Personne ne le sait, mais tout porte à croire qu'ils jouaient la comédie.

– Ils jouaient la comédie ?

– Las Casas décrit Colomb comme un homme calme et poli, incapable de dire des grossièretés. Apparemment, son insulte préférée était : « Que Dieu vous prenne ! » Comment a-t-il pu parler au roi de façon si brutale que les nobles décidèrent de le tuer ? Et que penser de la réaction de l'implacable roi Jean II ? Il s'agit du roi qui a fait décapiter et empoisonner certains des nobles les plus importants du Portugal. Le roi qui a poignardé son propre beau-frère. Et voilà qu'un tisserand étranger vient l'insulter dans sa propre maison, devant ses sujets ! Une telle offense était une raison suffisante pour le faire exécuter sur-le-champ. Mais qu'a fait ce roi calculateur et sans pitié – le premier dirigeant absolutiste du Portugal ? – Le comte laissa sa question en suspens pendant quelques instants. – Il a empêché les nobles de tuer Colomb et fait pleuvoir sur lui les plus grands honneurs. En outre, il l'a aidé à approvisionner la *Niña* en denrées pour le voyage jusqu'en Castille, il a prié Colomb de transmettre ses salutations aux Rois catholiques, et a même demandé à ses nobles de le raccompagner en grande pompe ! – Il leva un doigt comme s'il donnait un discours en public. – Ceci, mon cher ami, n'est pas le comportement d'un étranger forcé de visiter son ennemi juré. Ni le comportement d'un roi offensé par l'homme qui, pour couronner le tout, vient de contrarier sa plus grande ambition. Ce sont deux hommes en conspiration, jouant la comédie. Avec les Espagnols occupés à chercher la « fausse »

Inde, le roi Jean était enfin libre de préparer le voyage de Vasco de Gama vers la « vraie » Inde, et c'est là le véritable exploit des grandes découvertes. Savez-vous ce qu'a fait Colomb après avoir quitté le roi Jean ?

– Hmm… il est rentré en Castille ?

– Non. Il a fait un autre petit détour par le Portugal, à Vila Franca de Xira.

– Mais pour quoi faire ?

– Pour parler à la reine, qui se trouvait dans un monastère. Las Casas dit que Colomb y est allé pour lui présenter ses hommages et que la reine était accompagnée du duc et du marquis. Vous ne trouvez pas ça curieux ?

– Bien sûr que si ! De quoi ont-ils parlé ?

– D'affaires familiales, je suppose.

– Quelles affaires familiales ?

– Mon cher ami, réfléchissez un peu à la trajectoire de Colomb. Un noble portugais obligé de fuir en Castille avec son fils à cause de son rôle dans un complot contre le roi. Qui étaient les cerveaux de cette conspiration ? La mère de la reine, et son frère, le duc de Viseu. Colomb avait des liens avec la reine elle-même. Je ne peux pas vous dire précisément de quelle nature étaient ces liens, mais je peux vous assurer qu'ils étaient intimes, peut-être même parents. – Le comte leva un doigt pour souligner l'importance de cette information. – Comment expliquer autrement une telle rencontre ? Et comment expliquer qu'ils aient discuté jusqu'à la nuit tombée ? Pourquoi le nouveau duc de Viseu, le futur roi Manuel en personne, le frère de la reine, était-il présent ? – Il fit un geste résigné. – La seule explication possible est qu'il s'agissait d'une réunion entre des membres d'une même famille qui ne s'étaient pas vus depuis longtemps. – Il leva les yeux vers Tomás. – Vous avez une autre explication ?

– Non, admit Tomás. Mais ça ne veut pas dire que tout ceci est vrai.

– Colomb a dormi à Alhandra durant la nuit du 11. Le lendemain, le roi a envoyé une escorte pour lui proposer de le raccompagner en Castille et de s'occuper du logement et des animaux pour le voyage. – Le comte sourit. – Très aimable de la part du roi, vous ne trouvez pas ? Aider Colomb à aller livrer à la Castille la route secrète des Indes. Se plier en quatre pour contribuer à sa propre défaite. – Il secoua la tête d'un air sceptique. – Enfin, quoi qu'il en soit, Colomb est retourné sur la *Niña* et a levé l'ancre de Lisbonne le 13. – Le comte regarda de nouveau Tomás. – Vous savez quelle a été la destination suivante de Colomb ?

– Ne me dites pas qu'il a continué son tour du Portugal !

– Et si. À Faro !

Cette fois, ils éclatèrent de rire tous les deux. L'histoire du retour de Colomb commençait à ressembler à une farce.

– Faro ? répéta Tomás. Pourquoi diable Faro ?

– Dieu seul le sait, dit le comte en haussant les épaules. Colomb est arrivé à Faro le 14 et y a passé presque une journée entière, puisqu'il n'est reparti que le soir. Comme Colomb était un noble portugais, il est évident qu'il allait rendre visite à quelqu'un qu'il connaissait. Finalement, il n'est arrivé en Castille que le 15. – Vilarigues se caressa la barbe. – Naturellement, l'équipage espagnol de Colomb mourait d'impatience de rentrer. Et Colomb lui-même devait être impatient de rentrer raconter aux Rois catholiques l'histoire de sa découverte des Indes. Malgré tout, il est allé tranquillement se promener d'un bout à l'autre du Portugal, pour bavarder avec le roi et la reine, visiter des connaissances par-ci par-là – un peu comme s'il était en vacances. Christophe Colomb, mon cher ami, était un noble portugais qui avait rendu un grand service à son pays en détournant la Castille de la véritable route des Indes.

Tomás se passa une main sur le visage.

– D'accord, admit-il, mais dites-moi une chose : l'équipage espagnol n'a-t-il pas trouvé ce comportement curieux ?

– Bien sûr que si. – Le comte désigna la mallette de l'historien. – Est-ce que vous avez sur vous des copies des lettres de Colomb ? Celle écrite en 1500, lorsqu'il était en captivité à Dona Juana de la Torre ?

Tomás sortit de sa mallette une liasse de photocopies, trouva la lettre et la tendit à Vilarigues, qui la parcourut rapidement.

– Regardez cette phrase, dit-il. « Je pense que Votre Grâce se souviendra, lorsque la tempête me ballotta jusqu'à Lisbonne sans voiles, que je fus injustement accusé de m'y être rendu pour donner l'Inde au roi. » En d'autres termes, l'équipage aussi trouva son comportement très étrange, et ses discussions avec le roi Jean particulièrement suspectes. Colomb n'a pas rencontré le roi Jean en 1493 pour lui offrir l'Amérique. Il l'a rencontré pour qu'ils puissent faire le point sur la situation et discuter de la prochaine étape, qui conduirait au traité de Tordesillas.

– D'accord, dit Tomás. Que tous ces détails soient corrects ou non, cette version de l'histoire coïncide parfaitement avec ce que nous savons. Mais où sont les preuves concrètes ? Où se trouve le document qui confirme tout cela ?

– Vous n'espérez quand même pas trouver un document déclarant que Colomb était un agent secret du Portugal ?

– Non, il est évident que les informations de ce type n'étaient pas révélées. Ce que je veux, c'est la preuve que Colomb était portugais.

Vilarigues se toucha la barbe.

– Eh bien, dit-il, vous savez, l'ancien président de la Société royale espagnole de géographie, Beltrán y Rózpide, affirma qu'il existait une preuve dans des archives privées portugaises…

– Oui, l'interrompit Tomás. Je suis déjà au courant. Armando Cortesão en fait mention. Le document n'a jamais été trouvé, car Beltrán y Rózpide est mort sans avoir révélé sa localisation.

Le comte Vilarigues inspira profondément, puis leva les yeux vers la grande structure octogonale dorée qui pointait vers le sommet du dôme, orné des symboles héraldiques du roi Manuel et de l'ordre du Christ. La splendeur de l'Église des Templiers culminait dans ce lieu. Il se tourna ensuite vers Tomás.

– Avez-vous déjà entendu parler du *Codex 632* ?

Tomás passa une main sur son visage.

– C'est étrange que vous en parliez, dit-il. J'ai justement trouvé une référence à ce codex au dos de documents dans le coffre du professeur Toscano, avec le morceau de papier sur lequel était inscrit votre numéro de téléphone. Les voici, dit-il en sortant les photocopies.

Vilarigues prit les documents, y jeta un coup d'œil et leva les yeux vers Tomás.

– Vous savez ce que c'est ?

– La *Chronique du roi Jean II* de Rui de Pina. Le passage qui raconte la célèbre rencontre avec le roi.

Le comte soupira.

– Ceci, mon ami, est un extrait du *Codex 632*.

Tomás examina les pages que le comte tenait dans ses mains.

– La *Chronique du roi Jean II* est le *Codex 632* ?

– Non, mon cher. Le *Codex 632* est une version de la *Chronique du roi Jean II*. Quelque part au début du XVIe siècle, le roi Manuel demanda à Rui de Pina d'écrire cette chronique. Pina avait été un ami proche du roi défunt et connaissait sa vie en détails. Ce manuscrit fut envoyé aux copistes, qui en firent des duplicatas sur parchemin et sur papier. L'original fut perdu, mais il existe trois copies principales, datant toutes du XVIe siècle. La plus belle est gardée sous verrou dans un coffre des archives de la Torre do Tombo, où sont conservés les livres les plus précieux du Portugal. C'est le *Parchemin 9*, un manuscrit enluminé, écrit en lettres gothiques et orné de miniatures colorées. Les deux autres copies sont à la Bibliothèque nationale du Portugal. L'une est connue sous le nom de *Códice Alcobacense*, car elle a été trouvée au monastère d'Alcobaça, et l'autre est le *Codex 632*. Les trois copies racontent la même histoire dans une calligraphie différente. Mais il y a un détail, un minuscule détail, qui brise leur uniformité.

Il prit les photocopies.

» Ce détail est dans le *Codex 632*, plus précisément dans le passage où Pina décrit la rencontre entre Colomb et le roi Jean. – Il montra les photocopies à Tomás. – Est-ce que vous remarquez quelque chose d'anormal dans ce texte ?

Tomás prit les feuilles et étudia le bas de la première page, puis le haut de la seconde.

– Non, avoua-t-il au bout d'un moment. C'est la description de l'arrivée de Colomb à Lisbonne, au retour de l'Amérique. Tout me paraît normal.

Le comte souleva légèrement un sourcil, comme un professeur face à un élève qui viendrait de donner une mauvaise réponse.

– Vraiment ? Regardez bien les espaces entre les mots. Elles sont toutes uniformes. Mais il y a un endroit où le copiste s'est éloigné de son modèle. Vous le voyez ?

Tomás se pencha de nouveau sur les deux pages et examina le texte. Il le regarda d'abord dans son ensemble, puis dans les détails.

– Il y a un blanc après le mot *Capítulo*, au bas de la première page…

– Ce qui signifie que le copiste n'a pas inscrit le numéro du chapitre, en attendant les instructions de son supérieur. Quoi d'autre ? demanda patiemment le comte.

– Et il y a une espace anormalement large avant et après « *y taliano* ». C'est un petit détail, mais il saute aux yeux quand on le compare avec les espaces entre les autres mots.

– Exact. Qu'est-ce que cela signifie ? Allez-y, n'ayez pas peur. Lancez-vous.

– Eh bien… comme ça, au pied levé… on dirait que le copiste a laissé une espace dans le passage qui fait référence aux origines de Colomb. Comme s'il attendait qu'on lui dise ce qu'il devait écrire.

– Bingo ! s'exclama le comte. Comme tous les chroniqueurs de la cour, Rui de Pina n'écrivait que ce qu'on lui demandait d'écrire ou ce qu'on l'autorisait à écrire. Beaucoup de choses ont été supprimées.

– Oui, dit Tomás. Il est évident qu'ils ne faisaient mettre par écrit que ce qui représentait un intérêt pour la Couronne.

Le comte Vilarigues montra du doigt les troisième et quatrième lignes de la seconde page.

– Est-ce que vous avez remarqué que, dans ce passage, le nom « *Colo nbo* » est coupé en deux ? « *Colo* » sur la troisième ligne et « *nbo* » sur la quatrième. Comme si le copiste avait ultérieurement reçu l'ordre d'écrire « *nbo y taliano* » à la place d'autre chose dans l'espace vide au début de la quatrième ligne. – Il leva un doigt et ouvrit grand les yeux. – À la place de la vérité. – Il baissa la voix, murmurant presque. – À la place du secret.

– Incroyable ! s'exclama Tomás, les yeux fixés sur l'espace fatidique.

Le comte, assis depuis trop longtemps sur le banc dur et inconfortable, changea de position.

– Lorsque j'ai discuté avec le professeur Toscano peu de temps avant sa mort, il a proposé une hypothèse différente. J'ai toujours pensé que ces espaces anormalement larges autour de « *y taliano* » prouvaient que, lorsque le texte avait été rédigé, une espace vide avait délibérément été laissée pour y ajouter plus tard ce qui arrangerait le roi. Pour le professeur Toscano, les espaces étaient un signe de falsification. Autrement dit, il pensait que le copiste avait inclus la véritable identité de Colomb dans le manuscrit original de Pina, qui a depuis été perdu. Le passage a été effacé et remplacé par « *nbo y taliano* ». Il comptait se pencher plus sérieusement dessus, mais il ne m'en a jamais reparlé. – Il haussa les épaules. – Je suppose que ses soupçons se sont révélés sans fondement.

– Peut-être, dit Tomás. – Il brandit les deux photocopies. – Vous savez si elles ont été faites à partir du document original ?

– Non. Ce sont des photocopies d'un microfilm de la Bibliothèque nationale. Comme vous le savez, personne n'a accès aux originaux. Le *Codex 632* est un manuscrit très précieux, conservé dans un coffre. On ne peut pas le consulter pour un oui ou pour un non.

Tomás se leva et s'étira.

– C'est ce que je voulais savoir, dit-il.

Le comte se leva à son tour.

– Qu'allez-vous faire, maintenant ?

– Quelque chose de très simple, répondit Tomás en défroissant ses vêtements. Ce que j'aurais déjà dû faire depuis longtemps.

– C'est-à-dire ?

Tomás se dirigea vers une petite porte près du banc sur lequel ils étaient assis. Il était sur le point de quitter la Charola pour se diriger vers le cloître principal lorsqu'il s'arrêta, se retourna et regarda le comte, son visage partiellement caché par la pénombre.

– Je vais aller à la Bibliothèque nationale consulter le *Codex 632* original. – Le comte sourit. – Juste une question, ajouta Tomás, qui venait de penser à autre chose. Pourquoi ne pas avoir raconté tout cela à d'autres chercheurs ? Pourquoi à Toscano ? Pourquoi à moi ? Et pourquoi maintenant ?

Le comte hocha la tête, regarda vers le ciel et répondit :

– On m'a demandé de révéler ce secret. C'est tout ce que je peux vous dire. Il est temps que le monde sache. Ceux que je représente ne font rien sans une bonne raison.

XX

L'ascenseur s'ouvrit au troisième étage de la Bibliothèque nationale de Lisbonne, sur un hall désert et maussade. Un éclairage diffus drapait les murs nus des couloirs vides, avant d'être absorbé par la lumière vive qui se répandait par de larges fenêtres. Les pas de Tomás résonnèrent sur le sol en marbre poli lorsqu'il traversa l'espace vide et poussa les portes vitrées de la salle de lecture.

Un mur de fenêtres plongeait la pièce dans un bain de lumière. Les cloisons internes étaient couvertes d'étagères chargées de catalogues et de vieux livres de toutes sortes, des volumes d'une valeur inestimable posés côte à côte, exposant leurs dos de toile reliées. Voûtées sur les tables alignées en rangées, plusieurs personnes examinaient des manuscrits anciens, ici un parchemin usé, là un livre enluminé, des trésors fatigués auxquels seuls les universitaires avaient accès. Tomás reconnut quelques visages : au fond, un professeur de l'Université classique de Lisbonne, un vieil homme mince et grincheux, à la barbe blanche hirsute, examinait un codex médiéval ; dans un coin, un jeune maître de conférence ambitieux de l'Université de Coimbra, au visage rond affublé d'une épaisse moustache, était plongé dans un vieux livre usé ; au premier rang, une jeune femme mince et nerveuse, aux cheveux mal peignés et aux vêtements froissés, feuilletait un vieux catalogue.

– Bonjour, monsieur, dit la bibliothécaire, une femme d'une cinquantaine d'années avec des lunettes en écailles de tortue, bien connue des habitués des archives.

– Bonjour, Alexandra, dit Tomás. Comment allez-vous ?

– Bien, je vous remercie. – Elle se leva. – Je vais chercher le livre que vous avez réservé.

Tomás s'assit sur une chaise près d'une fenêtre, ouvrit son carnet et parcourut les informations qu'il avait rassemblées sur l'auteur du document. Rui de Pina était, d'après ce qu'il avait lu, un employé haut placé du palais qui bénéficiait de la confiance inconditionnelle du roi Jean II. Il avait suivi les conflits entre le Portugal et la Castille en tant que diplomate, et avait été l'émissaire de la Couronne portugaise à Barcelone en 1493, où il avait rencontré les Rois catholiques pour discuter de la situation générée par le voyage de Colomb en « Asie ». Il avait aidé à préparer les négociations qui avaient conduit au traité de Tordesillas, le célèbre document qui divisait le monde entre le Portugal et l'Espagne. Après la mort du Prince parfait, dont il fit exécuter le testament, il était devenu le chroniqueur de la cour et avait écrit la *Chronique du roi Jean II* au début du XVIe siècle, sous le règne du roi Manuel.

Le fil des pensées de Tomás fut interrompu par des bruits de pas qui l'arrachèrent à ses notes. C'était Alexandra, qui tenait dans ses bras un manuscrit visiblement très lourd. Elle le posa sur la table avec un soupir de soulagement.

– Voilà ! s'exclama-t-elle, presque à bout de souffle. Prenez-en soin.

– Ne vous inquiétez pas, dit Tomás en souriant, les yeux fixés sur le manuscrit.

Codex 632. Le numéro du manuscrit était inscrit sur le dos de l'épais volume en cuir marron. Il le feuilleta avec soin, presque avec déférence, tournant délicatement les pages du bout des doigts, comme s'il caressait une relique. Les pages étaient jaunies et tachées par le temps, avec des enluminures en début de paragraphe. Sur la première page figurait le titre : *Chronique du roi Jean II*. Les pages n'étaient pas numérotées et Tomás les tourna lentement, les examinant une par une, lisant parfois chaque mot, sautant parfois des paragraphes ou des pages entières, cherchant dans la difficile calligraphie portugaise du XVIe siècle l'extrait énigmatique de ses photocopies.

Il s'arrêta à la soixante-seizième page. Une initiale enluminée précédait la phrase « L'année suivante… le roi était dans la vallée de Paraíso… » Il tourna la page et étudia le haut de la suivante, à la recherche des espaces vides autour de la référence à Christophe Colomb. Son cœur s'emballa lorsque son regard se posa sur ce qu'il cherchait. Les yeux rivés sur le manuscrit, il voyait les mots, mais refusait d'y croire. Au début de la quatrième ligne, sur la gauche, une marque blanche au-dessus des mots « *nbo y taliano* » prouvait que le document avait été falsifié. Quelque chose avait été supprimé.

Quelque chose de très important.

Tomás eut soudain très chaud. Le souffle court, il tira sur son col et regarda autour de lui, comme s'il était en train de se noyer et qu'il cherchait quelqu'un pour le sauver. Il voulait hurler sa découverte, la fraude qu'il avait enfin démasquée, mais toutes les personnes présentes dans la pièce semblaient inconscientes, immergées dans la torpeur de leurs études monotones.

Il se concentra de nouveau sur le manuscrit, craignant que ce qu'il venait de voir n'ait disparu. Mais non, l'altération était toujours là, subtile mais bien présente. Elle semblait lui rire au nez. Tomás secoua la tête, répétant mentalement une conclusion inévitable : quelqu'un avait trafiqué la *Chronique du roi Jean II*. Le passage qui identifiait la nationalité de Colomb avait été retouché ; une main inconnue avait effacé les mots originaux et les avait remplacés par « *nbo y taliano* » pour qu'on lise « *Xpova Colonbo, italien* ». Qui avait fait ça ? Et, plus important encore, que disait le texte original ? Cette dernière question commença à danser dans son esprit, insistante, obstinée, insidieuse. Quel secret avait été effacé ? Qui était Colomb ? Tomás plaça le codex devant la fenêtre pour voir si la lumière pouvait révéler ce qui était écrit sous la modification. Mais la page resta dense et opaque.

Impénétrable.

Après avoir passé plus de dix minutes à essayer de déceler l'invisible, Tomás décida de changer de tactique. Il allait devoir parler à un expert en imagerie électronique pour savoir s'il était possible de retrouver une quelconque trace du texte original. Il rapporta le manuscrit à la réception et le posa sur le comptoir.

– Vous avez déjà terminé ? demanda Alexandra en levant les yeux de son roman.

– Oui, j'y vais.

Elle souleva le codex pour le rapporter aux archives.

– Ce manuscrit est très demandé ces derniers temps, dit-elle en le plaçant sous son bras.

Tomás était déjà devant la porte lorsqu'il entendit sa remarque.

– Pardon ?

– Le *Codex 632* est très demandé en ce moment, répéta-t-elle.

– Demandé ? Par qui ?

– Eh bien, un professeur l'a consulté il y a environ trois mois.

– Ah, dit Tomás. Oui, le professeur Toscano est effectivement venu étudier le codex.

– Vous le connaissiez ? Pauvre homme… Mourir comme ça, au Brésil, si loin de sa famille.

Tomás fit claquer sa langue et soupira d'un air résigné.

– Oui, je le connaissais un peu. Quel dommage...

– Oui, dit Alexandra. Moi qui avais une réponse à sa requête… Je ne sais pas quoi en faire maintenant qu'il est mort.

– Quelle requête ?

Elle souleva le manuscrit.

– Ce codex, dit-elle. Il a demandé à nos labos de le passer aux rayons X. Les résultats sont arrivés il y a deux semaines environ, et je ne sais pas quoi en faire.

– Comment ça ? dit Tomás, le cœur battant à tout rompre. Le professeur Toscano a demandé une radio du manuscrit ?

– Non, répondit Alexandra en riant. D'une seule page.

Ce ne pouvait être que la page qui avait été trafiquée.

– Où sont ces résultats ? demanda Tomás.

– Ici, dit-elle en désignant le comptoir. Dans mon tiroir.

Tomás se pencha en avant pour voir le tiroir, son cœur martelant sa poitrine.

– Je peux les voir ?

Alexandra reposa le manuscrit sur le comptoir, ouvrit le tiroir et en sortit une grande enveloppe blanche avec le logo de la Bibliothèque nationale de Lisbonne.

– Les voilà, dit-elle en lui tendant l'enveloppe.

Tomás la déchira et en sortit la radiographie. Un rapide coup d'œil lui suffit pour voir qu'il s'agissait bien de la page du *Codex 632* qui avait été modifiée. Son regard alla directement au côté gauche de la quatrième ligne. Les mots « *nbo y taliano* » étaient toujours visibles, mais leurs lettres se mêlaient à d'autres signes, confus, à moitié effacés. Tomás étudia les lignes entremêlées et se concentra sur les nouvelles lettres, leur forme, la façon dont elles étaient reliées les unes aux autres, les mots qu'elles formaient.

Soudain, tout s'éclaircit. Tomás réussit à déchiffrer ce que Rui de Pina avait réellement écrit dans sa première version du codex. La vérité surgit du texte.

Il savait ce que Toscano avait découvert.

La structure de pierre blanche s'élevait au-dessus de la surface resplendissante de l'eau avec une vigueur froide sous le soleil brûlant de midi. Elle se dressait, fière et distante, tel un navire de pierre immobile dans le roulement des vagues. C'était un hommage gothique aux temps de l'excellence, une sentinelle surveillant l'entrée du Tage et protégeant Lisbonne de l'inconnu, du géant au-delà de l'océan, un fantôme submergé dans l'infinité de cet océan.

Tomás se promena sur la jetée au-dessus des eaux calmes de la rivière, les yeux fixés sur la tour de Belém, qui se tenait devant lui, imposante et raffinée. Les tours de guet étaient couronnées de coupoles cannelées, et des fenêtres arquées donnaient sur d'étroits balcons chargés d'ornements. La croix de l'ordre du Christ, symbole des Templiers portugais, était partout, en particulier sur les créneaux, venant s'ajouter aux fières sphères armillaires sculptées dans les murs de pierre.

Tomás entra dans le bâtiment et se dirigea vers le point de rendez-vous, amusé par l'obsession de Moliarti pour les monuments emblématiques de la période des grandes découvertes. L'Américain était adossé aux créneaux inférieurs, près d'une des tours de guet, mâchant un chewing-gum.

– J'ai de bonnes nouvelles, annonça Tomás en serrant la main de Moliarti avec une euphorie à peine contenue. – Il leva sa mallette marron. – J'ai terminé mon enquête.

Moliarti sourit.

– C'est merveilleux ! Excellent ! Racontez-moi...

Tomás s'adossa aux créneaux et révéla ce qu'il avait découvert lors de ses voyages à Jérusalem et à Tomar. Il parlait avec une intensité telle qu'il oublia l'opéra de couleurs, de sons et d'odeurs autour de lui. Les mouettes battaient bruyamment des ailes avec des croassements mélancoliques. Une brise imprégnée de l'odeur d'eau de mer parfumait l'air, et le profond soupir de l'océan chargeait le vent de son souffle froid et revigorant, tandis que les vagues venaient embrasser délicatement la base de la tour.

Moliarti écoutait le compte-rendu de Tomás avec une expression impassible. Il semblait presque s'ennuyer. L'expression de son visage ne changea qu'à la fin, lorsque Tomás sortit la radiographie de sa mallette.

Moliarti l'examina, peinant à dissimuler son impatience, puis leva les yeux vers Tomás.

– Les textes sont superposés, expliqua ce dernier. Vous verrez que la version plus récente est plus sombre. On y lit « *nbo y taliano* ». Mais c'est sur ces lignes plus claires que vous devez vous concentrer. Vous les voyez ?

Moliarti approcha la radiographie de ses yeux, comme s'il était myope.

– Oui, dit-il. Il y a bien quelque chose ici.

– Vous arrivez à lire ?

– Oui. Il y a un *n*... et un *a*...

– Bien. Et ensuite ?

– Ça ressemble à un... *l* ?

– C'est un *d*. Et après ?

– Un *o*.

– Exactement. Donc qu'est-ce qui est écrit ?

– *Nado*.

– Excellent. Et les autres mots ?

– Eh bien, on dirait un *e*, suivi d'un *n*, non ?

– Oui.

– Ce qui donne *en*.

– Et qu'est-ce qu'il y a sous la fin de « *y taliano* » ? Regardez bien, car ce n'est pas facile.

– Hmm, fit Moliarti. Ça commence par un *c*, et puis… un *n* ?

– Un *u*.

– Ah oui. Un *c* et un *u*. Puis un b. C'est bien un *b*, n'est-ce pas ?

– Oui, c'est un *b*.

– Et un *a*.

– Excellent. Lisez toute la phrase, maintenant.

– « *Nado en cuba* ».

Tomás fit un sourire entendu.

– Vous comprenez ?

Moliarti relit la phrase, hésitant.

– Non.

– Alors allons au dernier mot de la troisième ligne, dit Tomás en montrant du doigt le mot en question. Ici, on peut lire « *colo* », ce qui, dans le texte corrigé, donne « *colo nbo y taliano* », c'est-à-dire « Colonbo, italien ». Le mot *colo* n'a pas été modifié, comme on peut le voir sur la radio. Mais celle-ci révèle deux lettres qui faisaient, à l'origine, partie de ce mot. Quelles sont ces lettres ?

Moliarti regarda de plus près.

– Un *n* et un *a*.

– Et qu'est-ce que ça donne ?

– *Na* ?

– Oui. Et qu'est-ce qu'on obtient quand on l'ajoute à *colo* ?

– Colo*na* ?

Tomás attendit un instant, dans l'espoir qu'une étincelle jaillisse dans l'esprit de Moliarti.

– Allez-y, quelle est la phrase d'origine écrite par Rui de Pina ?

– D'accord. Ça dit : « *colona nado en cuba* ». Vous comprenez ?

– Pas vraiment.

Tomás passa une main dans ses cheveux, geste qui trahissait son impatience.

– D'accord, alors écoutez. Au début du XVIe siècle, Rui de Pina a écrit la *Chronique du roi Jean II*. Lorsqu'il mentionna la célèbre rencontre entre le roi Jean II et Colomb à son retour du Nouveau Monde, Pina crut que ce détail confidentiel était désormais obsolète. Le texte original fut donné à un copiste, qui commença à travailler sur le manuscrit que nous connaissons aujourd'hui sous le nom de *Codex 632*. Lorsqu'il eut terminé, un des lecteurs, probablement le roi Manuel lui-même, fut horrifié de voir la véritable identité de Colomb révélée et fit corriger l'information. Au bout de la troisième ligne, où il était écrit « *colona* », le *na* fut supprimé, ne laissant que le *colo*. À la quatrième ligne, le texte original « *nado en cuba i* fut effacé et remplacé par « *nbo ytaliano* ». Comme cette dernière phrase est légèrement plus courte que l'originale, le copiste dut étirer le mot *ytaliano*, ce qui donna « *y taliano* ». Malgré tout, il y avait toujours un problème avec les espaces. Le manuscrit original de Pina fut détruit, et les autres copies, le *Pergaminho 9* et le *Códice Alcobacense*, furent recopiées à partir du *Codex 632*. C'est comme ça que « *Xpova colona nado en cuba* » est devenu « *Xpova colo nbo y taliano* ». – Il marqua une pause. – Vous me suivez ?

– Oui, répondit Moliarti, toujours un peu hésitant. Mais que signifie « *colona nado en cuba* » ?

– Commençons par « *nado en cuba* ». *Nado en* est une forme archaïque du portugais *nascido em*, ou « né à ». « Cuba » est son lieu de naissance. « *Nado en Cuba* ». « *Nascido em Cuba* ». Né à Cuba.

– Né à Cuba ? Mais comment est-ce possible ? Quand il est né, pour autant que je sache, Cuba n'avait pas encore été découverte.

Tomás éclata de rire.

– Allons, Nelson. Il n'est pas né sur l'île de Cuba.

– Ah. Où est-il né alors ?

– Il existe un village dans le sud du Portugal nommé Cuba. Vous comprenez, maintenant ?

Moliarti finit par comprendre.

– Cette information, soit dit en passant, cadre parfaitement avec les liens familiaux de Colomb. Souvenez-vous, je vous ai dit qu'il avait fui en Castille en 1484 après la conspiration pour assassiner le roi Jean II, menée par le duc de Viseu, qui était également duc de Beja. Beja est une ville importante dans le sud du Portugal. Elle est proche du village de Cuba. Le duc de Viseu et Beja avait, comme on peut s'y attendre, de la famille et des amis dans ces régions. Colomb, né à Cuba, près de Beja, en faisait partie.

» Lorsque l'amiral arriva sur l'île que nous appelons aujourd'hui Cuba, il la baptisa Juana. Mais quelque temps plus tard, il décida de changer son nom pour Cuba. – Tomás regarda Moliarti d'un air interrogateur. – Pourquoi ? Pourquoi n'avoir changé que le nom d'une île ? Qu'avait-elle de spécial ? Pourquoi ne pas avoir fait la même chose avec d'autres îles ? Il n'y a qu'une explication possible. En entendant les indigènes l'appeler Colba, Colomb remarqua qu'il y avait une certaine ressemblance entre ce nom et le nom de son village natal du Portugal, et décida donc de renommer l'île. Au lieu de l'appeler Colba, comme le faisaient les habitants de l'île, il l'appela Cuba. Cuba, son vrai lieu de naissance.

Tomás fit un clin d'œil.

» Une sorte d'hommage privé à ses racines.

– Je vois, murmura Moliarti. Et que signifie *colona* ?

– C'était apparemment le vrai nom de Colomb : Colona. Il y avait bien une famille Colona à l'époque. Leur nom s'écrivait indifféremment avec un ou deux *n*. C'étaient les Sciarra Colona, ou famille Colonna. Sciarra est une variante de Guiarra. Ou Guerra. Ce qui règle les dernières parties du mystère. Vous vous souvenez de toute cette confusion au sujet des noms de l'amiral, que l'on appelait aussi bien Colon et Colom que Colomo, Colonus, Guiarra et Guerra ? Son vrai nom n'était pas Colomb, un nom qu'il n'a lui-même jamais utilisé, mais Sciarra Colonna. Vous vous souvenez que Fernand avait dit qu'il était allé à

Plaisance et qu'il avait trouvé les tombes de ses ancêtres ? Eh bien, la famille Colonna était originaire de Plaisance, comme les ancêtres paternels de la première femme de Colomb, la famille Palestrello, dont le nom est devenu Perestrello.

– Donc vous dites que Colomb était un Portugais d'origine italienne ?

– Cristóvam Colonna était un noble portugais d'origine italienne et portugaise, avec des ancêtres juifs. Lorsque la famille Sciarra Colonna est arrivée de Plaisance, ils se sont liés par le mariage à la noblesse portugaise. Ce n'est pas un hasard si Fernand dit que le vrai nom de son père aurait été Christophorus Colonus en latin. Et puisqu'il s'appelait aussi Sciarra, cela explique pourquoi tant de personnes différentes, dont Pierre Martyr et des témoins des procès *Pleyto de la Prioridad*, affirmaient que son vrai nom était Guiarra ou Guerra. Cristóvam Sciarra Colonna. Cristóvam Guiarra Colon. Cristóvam Guerra Colom.

– Et d'où venait son sang juif ?

– Il y avait beaucoup de Juifs au Portugal à l'époque. Ils étaient protégés par les nobles, qui étaient leurs amis. Il était naturel qu'ils se marient entre eux, ou même qu'ils aient des enfants en dehors du mariage. En réalité, la plupart des Portugais ont du sang juif qui coule dans leurs veines, mais ils l'ignorent.

Moliarti regardait la surface lisse de l'eau. Le vent commençait à se lever, et il inspira profondément, remplissant ses poumons de l'air vivifiant du vaste estuaire, savourant les arômes nés de la rencontre entre la rivière et la mer.

– Félicitations, Tom, dit-il finalement d'une voix monotone, sans quitter le Tage des yeux. Vous avez résolu le mystère.

– Je pense, oui.

– Vous avez mérité le bonus. – Il plongea son regard dans celui de Tomás. – Un demi-million de dollars, ajouta-t-il avec un sourire étrangement froid. C'est beaucoup d'argent, n'est-ce pas ?

– Hmm… oui, admit Tomás.

Il était un peu gêné de parler du bonus, mais d'un autre côté, c'était désormais ce qui l'intéressait le plus. Un demi-million de dollars, c'était beaucoup d'argent. Beaucoup, beaucoup d'argent.

Ce serait, sans l'ombre d'un doute, une grande aide pour Margarida.

– Bien, Tom, dit Moliarti en posant la main sur l'épaule de Tomás dans un geste presque paternel. Je vais rentrer à New York et présenter mon rapport. Je vous appellerai au sujet des détails pour le chèque. D'accord ?

– D'accord, parfait.

Moliarti glissa la radiographie dans la grande enveloppe et la brandit.

– C'est le seul exemplaire, n'est-ce pas ?

– Euh… oui, dit Tomás avec circonspection.

– Il n'y en a pas d'autres ?

– Non.

– Je le garde, dit l'Américain.

Il se tourna et traversa en hâte la cour de la forteresse, disparaissant dans la bouche sombre de la petite porte de la tour, sous l'élégant balcon qui ornait la façade sud.

Tomás n'eut pas de nouvelles de Moliarti pendant quatre jours. Puis, le soir du cinquième, l'Américain l'appela pour fixer un rendez-vous le lendemain matin.

Pour s'y rendre, Tomás longea le bord de mer, conduisant avec les vitres baissées, savourant la brise fraîche de l'océan sur son visage. Il se sentait terriblement mal. Ses nuits étaient d'une solitude insupportable, qu'il tentait de combattre pathétiquement en se noyant dans le travail, préparant ses cours, notant les devoirs de ses étudiants, lisant toutes les nouvelles études paléographiques qu'il pouvait trouver. Constance avait rompu tous les liens. Il ne la voyait plus que lorsqu'elle déposait Margarida un week-end sur deux, mais même ces contacts avaient été interrompus ces derniers temps parce que Margarida souffrait de poussées de fièvre qui la forçaient à rester au lit. Dans un moment de désespoir, Tomás avait même essayé de contacter Lena, mais elle ne venait plus en classe, et son téléphone portable était hors service. Il en avait conclu qu'elle avait probablement arrêté les cours et quitté le pays.

Le square Rossio grouillait de passants. Certains, visiblement pressés, marchaient les yeux fixés au sol, tandis que d'autres prenaient leur temps, le regard perdu dans le vide. D'autres encore étaient assis et observaient le déferlement de la masse humaine. Tomás s'assit en terrasse au Café Nicola, les jambes croisées, le regard perdu dans son café.

Nelson Moliarti émergea de la foule, vêtu d'un costume et d'une cravate. Il avait quarante minutes de retard.

– Désolé pour le retard, dit-il. – Il tira une chaise et s'assit. – J'étais en train de parler à John Savigliano à New York et j'ai perdu la notion du temps.

– Aucun problème, dit Tomás avec un sourire forcé. C'était mon tour d'attendre. On est quittes.

– C'est vrai, mais je n'aime pas être en retard.

Tomás fit signe au serveur et passa commande.

– Comment va Savigliano ?

– Oh, très bien. – L'Américain regardait nerveusement derrière Tomás, comme s'il ne voulait pas croiser son regard. – John va très bien. Maintenant, Tom, j'ai pour instruction de vous payer votre salaire de cinq mille dollars par semaine ainsi que le bonus d'un demi-million, comme convenu à New York. – Il s'éclaircit la gorge. – Quand les voulez-vous ?

– Eh bien… maintenant, ce serait bien.

Moliarti ouvrit son attaché-case et en sortit un chèque.

– Je vais vous donner le chèque, dans ce cas, mais Tom, il y a une chose dont nous devons parler.

– Quoi ?

– C'est une question de confidentialité.

– De confidentialité ? demanda Tomás, surpris. Je ne comprends pas.

– Tout le travail que vous avez fait pour nous est confidentiel.

– Confidentiel ?

– Oui. Pas un mot au sujet de ces découvertes.

Tomás se gratta le menton, intrigué.

– Est-ce que c'est une sorte de stratégie commerciale ?

– C'est notre stratégie.

– D'accord, mais quelle est l'idée ? Garder le secret pour le moment, puis faire une grande opération au moment de la publication ?

Moliarti regarda Tomás.

– Tom, dit-il d'un ton détaché, il n'y aura pas de publication. Ni maintenant ni jamais.

Tomás resta muet un long moment, incapable d'exprimer sa surprise.

– Mais… mais… bafouilla-t-il, ça n'a aucun sens ! Ils ne sont pas convaincus par les documents ? Les preuves sont assez solides, Nelson. Le sujet est controversé, c'est vrai. Il y aura certainement des réactions négatives. Certains historiens seront furieux de voir la version officielle ainsi contestée, et ils diront que ce ne sont que des foutaises…

– Tom.

– Je les vois déjà, hystériques, hors d'eux, jurant et levant le poing au ciel. Mais, au bout du compte, les preuves que nous avons sont irréfutables.

– Tom, nous ne publierons pas ces recherches. Point.

Tomás se pencha en avant, le plus près possible de Moliarti.

– Nelson, nous avons fait une découverte extraordinaire. Nous avons déterré un secret vieux de cinq cents ans. Nous avons résolu une énigme qui intrigue les historiens depuis des siècles. Nous avons fait la lumière sur une zone obscure de l'Histoire. Pourquoi laisser le monde dans l'ignorance ?

– C'est mieux ainsi.

– Je suis désolé, Nelson, mais ce n'est pas une réponse. Pourquoi pensent-ils que ces découvertes ne devraient pas être révélées ?

Moliarti ignora la question.

– Tom, vous avez déjà signé une clause de confidentialité.

– Quoi ?

Moliarti posa sur la table le contrat qu'il avait signé à New York.

– Vous ne toucherez rien si vous publiez vos découvertes. En outre, la fondation peut vous poursuivre en justice pour rupture de contrat.

Moliarti lut à haute voix l'intégralité du document. La Fondation pour l'histoire des Amériques acceptait de payer cinq cent mille dollars à Tomás Noronha en échange de son travail et de la promesse de ne rien révéler au sujet des recherches qu'il menait pour l'institution. Il ne devait, en aucune circonstance, parler de ces découvertes dans des articles, des essais, des entretiens ou des conférences de presse, ni révéler le nom des personnes impliquées dans le processus. Il y avait également une clause de pénalité selon laquelle, en cas de rupture de contrat, Tomás devrait payer à la fondation le double de ce qu'il avait reçu, soit un million de dollars. Ils avaient visiblement pensé à tout.

– Vous ne pouvez pas faire ça.

– Bien sûr que si.

– Vous pensez que je suis à vendre ? Vous pensez vraiment que vous pouvez me faire taire avec de l'argent, quelle que soit la somme ?

– Tom, les découvertes que vous avez faites lors de ces recherches appartiennent à la fondation, et c'est à la fondation de décider quoi en faire.

– Ces recherches, Nelson, appartiennent au professeur Toscano. Je n'ai fait que suivre les indices qu'il avait laissés.

– Toscano travaillait pour la fondation.

– Il étudiait le Brésil pour la fondation, pas Christophe Colomb.

– Il a utilisé l'argent de la fondation pour étudier les origines de Colomb ; son travail nous appartient donc. Il a signé le même contrat que vous.

– Maintenant je comprends pourquoi la veuve du professeur vous déteste tant.

– Là n'est pas la question. Ce qui importe, c'est que votre travail et celui de Toscano appartiennent à la fondation.

– Ils appartiennent à l'humanité.

– Ce n'est pas l'humanité qui a payé les factures, Tom. Nous l'avons aussi expliqué au professeur Toscano.

– Et qu'en pensait-il ?

Moliarti chercha ses mots pendant quelques secondes. Puis il pencha la tête et sourit.

– Il avait un autre point de vue.

– Je suis vraiment désolé, Nelson, mais tout ça n'a aucun sens.

Moliarti resta silencieux un moment, réfléchissant à ce qu'il allait révéler. Presque instinctivement, il jeta un coup d'œil autour de lui, observa les personnes attablées, inspira profondément et se pencha vers Tomás.

– Tom, dit-il, presque dans un murmure, que savez-vous de la Fondation pour l'histoire des Amériques ?

– Eh bien, hmm… elle promeut les études sur les Amériques, dit-il impatiemment. Vous en faites partie, vous devriez le savoir mieux que moi.

– Je ne suis qu'un employé, dit Moliarti en pressant sa main contre sa poitrine. Je n'en suis pas le propriétaire. C'est John Savigliano, qui la dirige. Il est président de la fondation et de son conseil d'administration. Vous connaissez d'autres membres du conseil ?

– Non.

– Jack Mordenti est le vice-président. Il y a également Paul Morelli et Mario Ghirotto. Ces noms ne vous interpellent pas ?

– Non.

– Écoutez, Tom. – Il leva un doigt pour chaque nom. – Savigliano, Mordenti, Morelli, Ghirotto. Même la secrétaire de John, Mme Racca, cette femme austère que vous avez rencontrée à New York : qu'est-ce que ces noms ont de particulier ?

– De particulier ? Je suis désolé, mais je ne comprends pas la question…

– Quelle est leur origine ?

– Italienne ?

– Oui, mais plus précisément ?

Tomás le regarda d'un air perplexe.

– Ces personnes sont originaires de Gênes, Tom. Ce sont des Italiens génois. La Fondation pour l'histoire des Amériques est une institution financée par des Génois. – Il serra les dents. – Ces hommes sont très fiers de venir de la même ville que l'homme qui a découvert l'Amérique, l'homme le plus célèbre de l'histoire après Jésus-Christ. Vous pensez vraiment qu'ils publieraient une étude prouvant que Colomb n'était finalement pas génois, mais portugais ? – Il se frappa le front. – Jamais.

Tomás resta immobile, comme paralysé. Il comprenait ce que Moliarti disait, mais il était incapable d'y croire.

– Vous… vous êtes génois ?

– *Ils sont* génois, dit l'Américain avec un sourire forcé. Pas moi. Je suis né à Boston, et ma famille est originaire de Brindisi, dans le sud de l'Italie.

– Peu importe, Nelson, qu'est-ce que la nationalité peut bien changer ? Umberto Eco, entre autres, a bien reconnu que Colomb n'était pas italien.

– Umberto Eco n'est pas génois, dit Moliarti.

– Mais il est italien.

Moliarti soupira.

– Ne soyez pas naïf, Tom, dit-il patiemment. Si la fondation appartenait à des Américains originaires de Plaisance, vous pourriez être sûr que ces découvertes seraient publiées immédiatement. D'autres Italiens, ou Américains italiens, même s'ils n'en seraient pas forcément ravis, ne s'opposeraient pas à cette révélation. Mais vous devez comprendre que c'est trop demander à un Génois.

– La vérité est la vérité. Je suis désolé, Nelson, mais je ne comprends pas. Même si je promets de la fermer et que j'accepte votre pot-de-vin, qu'est-ce qui vous dit que je ne vais pas en parler à un collègue et lui dire d'aller voir lui-même le *Codex 632* ?

Moliarti sourit et s'adossa à sa chaise, étrangement sûr de lui.

– Vous savez pourquoi j'étais en retard aujourd'hui ?

– Vous étiez au téléphone avec Savigliano, vous l'avez déjà dit.

– C'est ce que j'ai dit, oui. La vérité est que j'étais scotché à la télévision, dit-il avec un clin d'œil. Vous avez regardé les informations, aujourd'hui, Tom ?

– Non, pourquoi ?

– Il semble qu'il y ait eu un cambriolage à la Bibliothèque nationale hier soir.

Un réparateur, debout sur une table, remplaçait le carreau d'une fenêtre, lorsque Tomás fit irruption dans la salle de lecture des archives. Une femme de ménage balayait des morceaux de verre éparpillés sur le sol et, à en juger par le martèlement en provenance du fond des archives, un charpentier réparait quelque chose.

– Cette porte ne devrait pas être ouverte. Nous sommes fermés, monsieur Noronha, dit une voix féminine.

C'était celle d'Alexandra, qui se tordait nerveusement les mains derrière le comptoir. Elle était toute rouge.

– Que s'est-il passé ? demanda Tomás.

– Quand je suis arrivée ce matin, j'ai trouvé cette fenêtre cassée et la porte des archives des manuscrits ouverte.

Alexandra agita sa main devant son visage comme un éventail.

– Bon sang, mes joues sont en feu ! – Elle soupira. – Je suis désolée, monsieur Noronha, ça m'a vraiment secouée.

– Qu'est-ce qu'ils ont pris ?

– Ma tranquillité d'esprit, monsieur Noronha.

Elle pressa sa main contre sa poitrine.

– Mais qu'ont-ils volé ?

– On ne le sait pas encore. On est en train de faire l'inventaire des manuscrits pour voir ce qui manque. – Elle soupira bruyamment, comme pour évacuer toute la pression qui s'était accumulée en elle. – Si vous voulez mon avis, ce sont des drogués qui ont fait ça. Il y a des gamins qui traînent par ici – des petits sauvages, sales, mal rasés. Pas des étudiants, je vous le dis. Je sais les reconnaître. De vrais voyous. – Elle porta ses doigts à sa bouche, faisant mine de fumer une cigarette. – Ils se droguent, fument de l'herbe, et Dieu sait quoi encore. Ils volent des ordinateurs et vont les revendre pour des cacahuètes. Alors…

– Montrez-moi le *Codex 632*, l'interrompit Tomás impatiemment.

– Quoi ?

– Allez me chercher le *Codex 632*, s'il vous plaît. J'ai besoin de le voir.

– Mais, monsieur Noronha, nous sommes fermés. Vous allez devoir…

– Apportez-le-moi. – Il roula de grands yeux pour montrer qu'il n'y avait pas à discuter. – Maintenant.

Alexandra hésita, surprise par sa véhémence, mais décida de ne pas le contrarier et disparut dans la pièce où étaient conservés les manuscrits anciens. Tomás s'assit et tapota nerveusement sur la table du bout des doigts, se préparant au pire. Quelques instants plus tard, Alexandra revint dans la salle de lecture.

– Alors ?

– Le voilà.

Elle tenait dans sa main un livre relié de cuir marron. En le voyant intact, Tomás soupira de soulagement.

– Moliarti, petit salaud. Tu m'as fait une peur bleue, marmonna-t-il dans sa barbe.

Alexandra lui tendit le manuscrit, qu'il prit dans ses mains en le soupesant. Puis il examina la première et quatrième de la couverture. Impeccables. Le numéro du manuscrit était toujours attaché au dos. Il l'ouvrit et examina le titre écrit en portugais du XVIe siècle : *Chronique du roi Jean II*. Il feuilleta les pages jaunies jusqu'à la soixante-seizième. Il chercha la quatrième ligne et lut les premiers mots : « *nbo y taliano* ». Les espaces suspects entre les mots étaient toujours là. Il passa son doigt sur la ligne pour sentir l'endroit de la retouche, mais la surface était lisse. Il fronça les sourcils, surpris, et toucha de nouveau la surface.

Parfaitement lisse.

Tomás regarda de plus près et eut du mal à le croire : il n'y avait plus aucune trace de la modification. Rien du tout. C'était comme si elle n'avait jamais existé. Il mit sa main devant sa bouche, abasourdi, et son cœur sembla cesser de battre. Il ne savait plus quoi penser. Il étudia le reste de la page, cherchant des traces de coupures, de déchirures, de collages, des différences de papier, une petite imperfection, n'importe quoi. Mais il ne trouva rien. La page semblait immaculée, parfaitement authentique. Seule la modification avait disparu. Un travail de professionnels, pensa-t-il. Il sentit les larmes lui monter aux yeux. Il secoua la tête, atterré. La conclusion était inévitable. Des faussaires professionnels. Ils avaient copié la page originale et l'avaient remplacée par une autre, sans laisser la moindre trace, le moindre indice. Des professionnels.

– Salauds.

XXI

Ayant perdu tout espoir d'entendre à nouveau sa voix, Tomás eut de la peine à contenir sa joie lorsque, contre toute attente, Constance l'appela.

– Oh, bonjour, dit-il en essayant de se dominer, il souffrait toujours et ne voulait pas paraître soulagé ou heureux. Comment vas-tu ?

– Je ne sais pas, dit Constance. Le docteur Oliveira veut nous voir ce matin.

– Ce matin ? C'est impossible. Je dois aller aux Archives nationales…

– Il dit que c'est urgent. On doit être à l'hôpital Santa Marta à 11 heures.

Tomás regarda sa montre : il était 9 h 30.

– Pourquoi si vite ?

– Je ne sais pas. J'ai emmené Margarida à l'hôpital hier pour des tests, et il n'a rien dit.

– Et les résultats des tests ?

– Ils ont dit qu'ils me les donneraient aujourd'hui.

– Hmm, fit Tomás en se frottant les yeux, se sentant soudain très fatigué.

– Je crois qu'ils ont trouvé quelque chose.

Constance avait du mal à cacher son inquiétude.

Ils se retrouvèrent au service des consultations externes une heure et demie plus tard, dans le cloître de l'ancien couvent, converti en service de cardiologie. Constance portait un tailleur gris avec une jupe qui lui donnait l'air d'une femme d'affaires. Dévastée, elle expliqua à Tomás qu'elle avait emmené Margarida à l'hôpital la veille pour un test de routine que le médecin lui avait demandé quelque temps plus tôt. Le cardiologue avait remarqué la pâleur et la léthargie de Margarida, et voulait s'assurer que tout était normal. Comme sa peau n'était pas bleutée, ce qui aurait indiqué que ses problèmes cardiaques s'aggravaient, le médecin ne pensait pas que c'était urgent, même s'il avait insisté pour qu'elle fasse une prise de sang et un test d'urine.

Ils prirent l'ascenseur jusqu'au service de cardiologie pédiatrique au troisième étage et trouvèrent le médecin au poste des infirmiers en soins intensifs. Oliveira leur fit signe de le suivre dans son bureau.

– J'ai les résultats des tests de Margarida, annonça-t-il lorsqu'ils furent tous assis. – Il jouait avec un morceau de papier et semblait agité. – Ce ne sont pas de bonnes nouvelles, dit-il d'une voix grave. Il est possible qu'elle souffre d'une leucémie.

Un silence lourd s'abattit sur le bureau tandis que Tomás et Constance essayaient d'absorber la nouvelle.

– Leucémie ? finit par dire Tomás. Mais ça a un rapport avec son cœur ?

– Non. Ce n'est pas un problème cardio-vasculaire. C'est un problème hématologique. Un problème de sang. – Il prit les résultats des tests et pointa du doigt un chiffre. – Margarida a une quantité trop élevée de globules blancs. – Il montra un autre chiffre. – Sept grammes, alors que le taux normal est de douze. C'est un signe d'anémie.

– La leucémie est un cancer du sang, dit Constance d'une voix tremblante, luttant pour contenir ses larmes. C'est grave, n'est-ce pas ?

– Oui, c'est très grave. Je vais être franc : elle est à un stade qu'on appelle leucémie aiguë, fréquent chez les enfants souffrant de trisomie 21.

– Mais il existe des traitements ? demanda Tomás, sentant une vague de panique grandir en lui.
– Oui, bien sûr.
– Alors qu'est-ce qu'on doit faire ?
– C'est en dehors de mes compétences. La leucémie aiguë ne peut être traitée qu'à l'Institut d'oncologie. J'y connais d'excellents spécialistes. Après avoir vu les résultats, j'ai pris la liberté de consulter un collègue de l'institut pour discuter de la suite. – Il se tourna vers Constance. – Où est Margarida en ce moment ?
– À l'école.
– D'accord. Allez la chercher, emmenez-la à l'Institut d'oncologie et faites-la admettre immédiatement.
Tomás et Constance échangèrent un regard choqué.
– Maintenant ?
– Oui, insista le médecin. Le plus vite possible. – Il écrivit un nom sur un morceau de papier. – En arrivant à l'Institut d'oncologie, demandez le docteur Tulipa. Elle s'occupera de vous.
– Mais ils vont la soigner, n'est-ce pas ?
– Comme je vous l'ai dit, ce n'est pas ma spécialité, mais elle recevra d'excellents soins, dit le médecin, qui s'efforçait de se montrer réconfortant. Le docteur Tulipa devra l'examiner, puis elle vous expliquera tout et vous présentera les meilleures solutions.

Comme un sentiment de déjà-vu. Dans la voiture, Constance sanglota tandis que Tomás, les mains serrées sur le volant, restait silencieux, submergé par l'impuissance et le découragement. Ils savaient tous les deux que ce n'était que le début, et ils n'étaient pas sûrs de survivre à cette vague dévastatrice. Ils n'étaient que deux êtres humains désorientés, perdus dans un labyrinthe d'inquiétude ; des parents désespérés par le nouveau coup que le destin venait de leur jouer. L'indignation les rongeait de l'intérieur.

En arrivant à l'école, Tomás fit promettre à Constance de ne pas pleurer devant leur fille. La gorge nouée, le cœur serré, mais souriants, ils lui annoncèrent qu'ils devaient l'emmener à l'hôpital.

– Je suis encore malade ? demanda Margarida, dont le regard trahissait la peur.

Le trajet jusqu'à l'Institut d'oncologie fut douloureux. Margarida criait qu'elle ne voulait pas y aller, puis elle finit par se calmer. Enfoncée dans le siège arrière de la voiture, Constance tenait sa fille dans ses bras, l'abritant dans une bulle d'affection.

Margarida fut placée sous la responsabilité du docteur Tulipa, une femme mûre et énergique, avec d'épaisses lunettes et des cheveux gris. Elle conduisit Margarida dans ce qui ressemblait à une petite salle d'opération, ce qui effraya ses parents.

– Ne vous inquiétez pas, on ne va pas encore opérer, dit-elle. J'ai regardé les résultats des tests que le docteur Oliveira m'a envoyés, et on va devoir faire une ponction de moelle osseuse. Nous allons prélever des cellules de sa moelle osseuse dans sa hanche pour confirmer le diagnostic.

La procédure se déroula sous anesthésie locale, en présence de Tomás et de Constance, qui réconfortèrent Margarida du mieux qu'ils purent. Les échantillons furent ensuite placés sur des lamelles de verre et emmenés au laboratoire. Le médecin interrogea Constance et Tomás sur les problèmes dont avait souffert leur fille au cours des derniers mois, et ils parlèrent de sa pâleur, de sa fatigue, de la fièvre et même des saignements de nez. Le docteur Tulipa leur expliqua qu'elle ne pouvait rien leur dire avant d'avoir reçu les résultats. Plusieurs heures plus tard, elle les convoqua dans un bureau austère.

– J'ai reçu les résultats, annonça-t-elle. Margarida souffre d'une leucémie aiguë myéloblastique.

Tomás et Constance regardèrent le médecin d'un air désespéré.

– Je suis désolée, docteur, dit Constance d'un ton sec, à bout de nerfs, mais parlez-nous en termes que nous pouvons comprendre, s'il vous plaît.

Le médecin soupira.

– Je pense que vous savez déjà que la leucémie est…

– Un cancer du sang.

– C'est une façon de la définir, oui.

– Vous dites que Margarida a une forme aiguë de leucémie, dit Tomás.

– Leucémie aiguë myéloblastique. C'est relativement fréquent chez les enfants souffrant de trisomie 21. Il s'agit d'un problème d'augmentation incontrôlée des myéloblastes, des cellules immatures. – Elle regarda les résultats. – Margarida a 250 000 myéloblastes par millimètre cube, alors qu'elle ne devrait en avoir qu'un maximum de 10 000.

– Vous dites que cette forme de leucémie est dangereuse. À quel point ?

– Elle peut être mortelle.

– En combien de temps ?

– Quelques jours.

Tomás et Constance entendaient les mots du médecin, mais ne semblaient pas vouloir y croire.

– Quelques jours ?!

– Oui.

Les yeux de Constance se remplirent de larmes.

– Qu'est-ce qu'on peut faire ? demanda Tomás, totalement désemparé.

– On va commencer immédiatement la chimiothérapie et essayer de stabiliser la situation.

– Et elle sera guérie ?

– Il est de mon devoir de vous dire que le taux de mortalité est très élevé.

Tomás et Constance échangèrent un regard horrifié. La situation était bien pire qu'ils ne l'avaient imaginée. Ils étaient tous les deux conscients que la santé de leur fille, avec les problèmes cardiaques dont elle souffrait depuis sa naissance, était extrêmement fragile, mais ils n'étaient pas du tout préparés à la possibilité de la perdre si brutalement. Tout semblait si injuste et arbitraire, la vie de leur fille était le sujet d'un jeu de dés despotique et aléatoire. La mort de Margarida était devenue une possibilité étrangement réelle, palpable, menaçante.

– Quel est le taux précis de mortalité ? demanda Tomás d'une voix basse, terrifié par sa propre question.

Il craignait la réponse plus qu'il n'avait craint quoi que ce soit auparavant.

– Le taux de survie dans le cas d'une leucémie aiguë myéloblastique se situe quelque part entre trente-cinq et soixante-cinq pour cent. Je suis désolée. – La doctoresse soupira, accablée par la terrible nouvelle qu'elle était obligée d'annoncer. – Vous devez être forts et vous préparer au pire. Vous devez savoir que seul un malade sur deux survit à ce type de leucémie.

Constance et Tomás étaient dévastés. Devant Margarida, malgré tout, ils s'efforçaient de sourire et essayaient de lui remonter le moral pendant les traitements qu'elle commença immédiatement. Les séances de polychimiothérapie agressive combinaient plusieurs médicaments et stratégies pour tenter d'éviter les complications dues aux infections et aux hémorragies. Margarida subit une ponction lombaire pour un examen cytologique, et des médicaments furent injectés directement dans sa colonne vertébrale. Le but était de détruire complètement les cellules cancéreuses pour forcer la moelle épinière à produire des cellules normales.

Margarida perdit rapidement ses cheveux et maigrit beaucoup. Mais la polychimiothérapie commença à faire effet. Les examens de contrôle montraient que le nombre de myéloblastes chutait considérablement. Lorsque la situation se stabilisa, le docteur Tulipa convoqua Constance et Tomás.

– Je pense que Margarida entrera en rémission la semaine prochaine, annonça-t-elle.

Ils échangèrent un regard méfiant.

– Qu'est-ce que ça signifie exactement, docteur ?

– Que le nombre de myéloblastes reviendra à la normale, expliqua-t-elle. Mais, selon moi, la situation restera instable et la rémission ne sera que temporaire. Margarida a besoin d'une greffe de moelle osseuse.

– C'est possible ?

– Oui.

– Au Portugal ?

– Oui.

Constance et Tomás échangèrent encore un regard, comme pour s'assurer du consentement de l'autre, puis se tournèrent vers le médecin.

– Alors qu'est-ce qu'on attend ?

Tulipa retira ses lunettes et se frotta les yeux du bout des doigts.

– Il y a un problème.

Ils restèrent silencieux.

– Quel problème ? demanda finalement Tomás dans un murmure.

– Notre service de transplantation est surchargé. On ne pourra pas opérer Margarida avant un mois.

– Et ?

– Je ne sais pas si elle vivra assez longtemps. Mes collègues pensent que oui, mais j'ai des doutes.

– Vous ne pensez pas que Margarida peut attendre un mois ?

– Si, mais c'est risqué. – Elle remit ses lunettes et regarda Tomás. – Vous voulez risquer de mettre la vie de votre fille encore plus en danger ?

– Bien sûr que non.

– Alors il n'y a qu'une solution : Margarida devra être opérée à l'étranger.

– D'accord.

– Mais cela coûtera très cher.

– Ce n'est pas pris en charge par la Sécurité sociale ?

– Normalement si, mais pas dans ce cas. Comme il est possible d'opérer au Portugal et qu'on ne peut pas prouver que c'est urgent, l'État ne se sent pas obligé de financer une opération à l'étranger.

– Mais l'urgence n'est pas prouvée ?

– Selon moi, si. Mais pas selon mes collègues. Malheureusement, c'est leur avis qui prévaudra aux yeux du gouvernement.

– Je vais leur parler.

– Vous pouvez leur parler autant que vous le voudrez, ce sera une perte de temps. Et vous ne pouvez pas vous permettre de perdre du temps, la vie de Margarida en dépend.

– Alors nous paierons nous-mêmes.

– C'est très cher.

– Combien ?

– Je me suis renseignée et j'ai trouvé un hôpital pédiatrique à Londres qui pourrait opérer Margarida la semaine prochaine. Je leur ai envoyé les références génétiques du chromosome n° 6 de Margarida ; ils ont fait des tests et ont trouvé un donneur compatible, ce qui est déjà un miracle. Dès qu'elle sera en rémission, la semaine prochaine je pense, elle pourra être transférée à Londres et opérée immédiatement.

– Combien ça va coûter ? demanda calmement Tomás.

– Le coût de la greffe, plus le séjour à l'hôpital, ça devrait s'élever à quelque chose comme 50 000 dollars.

Tomás baissa la tête, se sentant las et impuissant.

– Je dois passer un coup de téléphone.

L'eau turquoise de la piscine du Pavilhão, le restaurant de l'hôtel Lapa Palace, scintillait au soleil, sereine et attirante. Le ciel était bleu et chaleureux, de cet indigo profond caractéristique du printemps ; le temps était si agréable que Nelson Moliarti avait choisi ce restaurant pour le rendez-vous en urgence que Tomás avait demandé. Celui-ci traversa le jardin et trouva l'Américain, bronzé et tout de blanc vêtu, assis à une table sous un parasol blanc, un jus d'orange fraîchement pressé à la main.

– Vous avez mauvaise mine, observa Moliarti en voyant le teint pâle et les cernes noirs de Tomás. Vous êtes malade ?

– C'est ma fille, expliqua Tomás.

Il prit une chaise, et son regard se perdit dans le vide.

Dans un long silence, ils regardèrent une jeune fille grande et bronzée, avec des grosses lunettes de soleil et un bikini rouge, faire le tour de la piscine avec une serviette sur l'épaule. Elle posa la serviette sur un transat, retira ses lunettes, puis s'allongea face au soleil, s'abandonnant au plaisir oisif de l'insouciance.

– J'ai besoin d'argent, dit finalement Tomás, brisant le silence.

Moliarti but une gorgée de jus d'orange.

– Combien ?

– Beaucoup.

– Quand ?

– Maintenant. Ma fille doit se faire opérer à l'étranger. J'ai besoin d'argent.

Moliarti soupira.

– Comme vous le savez, nous avons toujours plus d'un demi-million de dollars à vous payer. Le chèque que vous avez refusé lors de notre dernière rencontre. Mais il serait peu judicieux de l'accepter si vous continuez à me dire que vous prévoyez de rompre votre contrat.

– Je sais. Je n'ai aucune intention de rompre le contrat.

– Un demi-million de dollars, hein ? Vous allez être riche, dit-il. Vous allez pouvoir payer le traitement de votre fille et reconquérir votre femme.

Tomás le regarda d'un air interrogateur.

– Ma femme ?

– Vous allez bien réussir à la reconquérir, non ? Avec tout cet argent…

– Comment savez-vous que nous sommes séparés ?

Moliarti semblait embarrassé.

– Vous me l'avez dit.

– Non.

La voix de Tomás devenait agressive.

– Comment l'avez-vous su ?

– Quelqu'un a dû me le dire.

– Qui ? Qui vous l'a dit ?

– Hmm… Je ne me souviens pas. Mais ce n'est pas la peine d'en faire toute une histoire…

– Arrêtez vos conneries, Nelson. Comment savez-vous que ma femme et moi sommes séparés ?

– Je ne sais pas. Je l'ai entendu dire.

– Conneries. Je ne partirai pas tant que vous ne m'aurez pas dit la vérité, Nelson. Comment le saviez-vous ?

– Écoutez, je n'en sais rien, et qu'est-ce que ça change ?

– Nelson, est-ce que la fondation m'a espionné ?

– Disons simplement que nous avons fait en sorte de rester informés.

– Comment ?

– Ça n'a pas d'importance.

– Comment ?

Tomás criait presque. Les personnes attablées se retournèrent. Moliarti fit signe à Tomás de baisser le ton.

– Calmez-vous, Tom.

– Je ne vais pas me calmer, bordel ! Je ne partirai pas tant que vous ne m'aurez rien dit.

Moliarti soupira. Tomás était sur le point de faire un scandale en public.

– D'accord, d'accord. Je vais tout vous dire, mais d'abord vous devez me promettre une chose.

– Quoi ?

– Que vous n'allez pas faire une scène.

– Ça dépend.

– Non, ça ne dépend pas. Je ne vous dirai la vérité que si vous n'attirez pas l'attention sur nous et que vous ne parlez à personne de cette conversation.

– Très bien. Expliquez-moi.

Moliarti soupira de nouveau. Il but une gorgée de jus d'orange tandis que le serveur apportait le thé vert de Tomás.

– Thé Ding Gu Da Fang, annonça-t-il avant de disparaître.

– Cette opération était très importante pour nous, expliqua Moliarti. Pendant ses recherches, initialement consacrées à la découverte du Brésil pré-Cabral, le professeur Toscano est tombé par hasard sur un document inconnu.

– Quel document ?

– Celui que vous avez trouvé, semble-t-il.

– Le *Codex 632* ?

– Oui.

– Celui que vous avez falsifié après être entré par effraction à la Bibliothèque nationale ?

– Je ne vois pas de quoi vous parlez.

– Vous voyez très bien. Vous n'avez pas pu vous empêcher de me le mettre sous le nez.

– Vous voulez connaître toute l'histoire, oui ou non ?

– Allez-y.

– Très bien. À cause de ce document, Toscano a commencé à s'intéresser à une question pour laquelle la fondation n'aurait jamais demandé de réponse : les vraies origines de Christophe Colomb. Nous avons essayé de le remettre sur la bonne piste en lui demandant de se concentrer sur la découverte du Brésil, mais il n'en démordait pas et a poursuivi ses recherches en secret. La fondation a paniqué. Nous avons envisagé de le renvoyer, mais ça ne l'aurait pas empêché de continuer à enquêter. Sa découverte était bien trop importante. Et il y avait aussi le problème de ce document, puisque nous ne savions pas de quoi il s'agissait, ni où il était conservé. Après la mort de Toscano un événement étrangement providentiel, selon moi, nous avons essayé de localiser ce document. Nous avons fouillé ses papiers, mais n'avons trouvé que des messages codés incompréhensibles.

» C'est à ce moment-là que nous est venue l'idée de vous embaucher. Nous avions besoin de quelqu'un qui soit portugais, historien et cryptanalyste, quelqu'un qui pourrait entrer dans l'esprit du professeur et découvrir son secret. Il est devenu évident qu'en reconstruisant toute l'enquête, vous étiez également arrivé à la conclusion que Colomb n'était pas génois, et nous ne pouvions pas risquer que le problème que nous avions eu avec le professeur se répète. C'est là que John a eu une idée. Il a demandé à des amis à lui travaillant pour des compagnies pétrolières en Angola s'ils connaissaient une prostituée de luxe lusophone. Ils lui ont présenté une jeune femme magnifique que John a embauchée sur-le-champ.

Tomás était hébété. Quel idiot il avait été…

– Lena.

– Son vrai nom est Emma.

– Quels fils de pute.

– Vous m'avez promis de ne pas vous emporter. – Moliarti marqua une pause, les yeux fixés sur Tomás. – Vous allez faire une scène ?

Tomás fit un effort surhumain pour contrôler sa colère. Il inspira profondément et essaya de se calmer.

– Non. Continuez.

– Vous devez comprendre qu'il était très important pour la fondation que les choses ne tournent pas mal à nouveau. Vous me teniez régulièrement informé, mais comment pouvions-nous être sûrs que vous nous disiez tout ? Emma était notre garantie. Elle a vécu plusieurs années en Angola, où elle fricotait avec de gros bonnets de l'industrie pétrolière. Elle était débrouillarde et savait refuser les clients lorsqu'elle ne les aimait pas, peu importe qui ils étaient. Nous lui avons montré une photo de vous, elle vous a trouvé à son goût et a accepté le travail. Vous devriez être flatté ! Nous lui avons trouvé des tuteurs pour qu'elle soit crédible en tant qu'étudiante et nous l'avons envoyée à Lisbonne avant même de vous contacter.

– Mais j'ai rompu avec elle.

– Oui, ça nous a mis des bâtons dans les roues, dit Moliarti en hochant la tête. Nom de dieu ! Il en faut pour envoyer promener une fille aussi belle ! J'étais impressionné. Quel exploit ! Et quelle migraine pour nous… – Il leva les mains pour lui donner une idée de la taille de la migraine. – Parce que nous avons perdu notre source d'informations la plus fiable. John a alors eu l'idée de la faire parler à votre femme. Il s'est dit que si votre épouse vous mettait à la porte, vous retourneriez peut-être avec Emma. Comme prévu, votre femme vous a quitté, et nous avons attendu de voir si vous alliez recontacter Emma.

– Où est-elle, maintenant ?

– Nous avons mis fin à son contrat et nous ignorons où elle se trouve. Ça n'a pas d'importance.

Tomás inspira lentement, choqué et écœuré par ce qu'il venait d'entendre.

– C'était mon mariage, espèces de salauds ! Comment vous avez pu faire ça ?

Moliarti baissa la tête et finit de remplir le chèque.

– Oui, admit-il. On n'en est pas très fiers. Mais que voulez-vous ? C'est la vie.

Il tendit le chèque à Tomás. Six chiffres à l'encre bleue, un cinq et cinq zéros. Un demi-million de dollars.

Le prix du silence.

XXII

Londres

La façade néo-classique du magnifique British Museum défila sur leur gauche. Margarida, dont le crâne chauve était protégé par un gros bonnet bleu, avait le nez pressé contre la vitre du taxi, couvrant le verre de buée. Elle observait ces rues étranges et froides, leur exotisme blanc et gris, mais sentait que cette ville avait quelque chose d'accueillant, avec ses grands espaces, ses bâtiments élégants, ses arbres bien taillés qui recouvraient le sol de leurs feuilles, et ces passants qui arpentaient les trottoirs enveloppés dans des manteaux couleur crème, les mains agrippées à des parapluies sombres.

Une pluie fine tombait encore lorsque Tomás ouvrit la portière du taxi et posa les yeux sur l'énorme bâtiment qui se tenait devant lui. L'hôpital pour enfants de Russel Square était un grand complexe installé dans un bâtiment ancien de quatre étages. Margarida sortit seule du taxi, et Constance lui prit la main pendant que Tomás payait la note et sortait leurs valises du coffre. À l'intérieur, une réceptionniste vérifia la réservation qu'ils avaient faite depuis Lisbonne. Pendant que Constance remplissait les formulaires d'admission, Tomás signa un autre formulaire et un chèque de quarante-cinq mille dollars, le montant estimé du traitement.

– Si les dépenses dépassent cette estimation, vous devrez payer la différence, lui expliqua la réceptionniste sur un ton détaché, comme si ce n'était rien de plus qu'une simple transaction commerciale. D'accord ?

– Oui.

– Vous recevrez la dernière facture trois jours après la fin du traitement, et vous aurez vingt-huit jours pour vous en acquitter.

Comme une réceptionniste d'hôtel, elle leur indiqua le chemin du service et de la chambre où Margarida allait séjourner. Ils prirent l'ascenseur jusqu'au deuxième étage et arrivèrent dans un petit vestibule, où un panneau indiquait trois sections différentes. Ils prirent la direction du Grail Ward, un couloir calme dans l'unité d'hématologie. Tomás ne put s'empêcher de sourire en lisant le nom : Grail Ward, l'unité du Graal. Quiconque boirait dans le Saint-Graal recevrait la vie éternelle. Quel meilleur nom pouvait-on trouver pour une unité dédiée aux maladies du sang, dont le but était d'offrir un nouvel espoir ? Ils trouvèrent l'infirmière de service, qui les conduisit à la chambre de Margarida. Il y avait deux lits, un pour le patient, et l'autre pour l'un des parents, séparés par une table de nuit, avec une lampe et un vase rempli de fleurs aux pétales mauves.

– Qu'est-ce que c'est, maman ? demanda Margarida en montrant les fleurs.

– Des violettes.

– Raconte-moi leur histoire, supplia Margarida en s'installant sur le lit avec un regard plein d'attente.

Tomás posa leurs valises, et Constance s'assit à côté de sa fille.

– Il était une fois une belle jeune fille prénommée Io. Elle était si belle que le puissant dieu grec Zeus tomba amoureux d'elle. Mais la femme de Zeus, Hera, n'apprécia pas du tout et, folle de jalousie, elle demanda à Zeus pourquoi il s'intéressait tant à cette jeune fille. Zeus répondit qu'il ne s'intéressait pas à elle et transforma Io en génisse pour la déguiser. Il lui donna un champ de délicieuses violettes pour paître. Mais Hera avait toujours des soupçons et elle envoya un taon pour tourmenter la jeune fille. Io, désespérée, se jeta dans la mer, aujourd'hui nommée mer

Ionienne en son honneur. Hera convainquit Io de ne plus jamais revoir Zeus et, en échange, lui rendit son apparence de jeune fille. Le mot « violette » vient de Io. Ces fleurs représentent l'amour innocent.

– Pourquoi ?

– Parce que Io était innocente. Ce n'était pas sa faute si Zeus l'aimait bien, si ?

– Non, dit Margarida en secouant la tête.

L'infirmière, qui était partie chercher un formulaire, revint dans la chambre pour remplir un questionnaire. C'était une femme d'âge mûr, coiffée d'un chignon et vêtue d'une blouse blanche. Elle s'appelait Margaret, mais préférait qu'on l'appelle Maggie. Elle s'adossa à la tête du lit de Margarida et posa des questions sur ses habitudes, la nourriture qu'elle aimait, ses antécédents médicaux. Elle fit monter Margarida sur une balance et la mesura. Elle prit sa température, son pouls, sa pression sanguine et sa fréquence respiratoire.

Tomás et Constance commencèrent à défaire leurs valises. Ils assirent sur le lit la poupée rousse préférée de Margarida et rangèrent dans le placard les vêtements de Constance, qui dormirait dans l'autre lit pendant deux nuits, jusqu'au jour de l'opération.

Un homme en blouse blanche, bedonnant et dégarni, entra dans la chambre.

– Bonjour ! dit-il en tendant la main. Je suis le docteur Stephen Penrose, et c'est moi qui vais opérer votre fille.

Ils se serrèrent la main, et le médecin commença immédiatement à examiner Margarida. Il posa d'autres questions sur ses antécédents médicaux, puis appela l'infirmière à qui il demanda d'emmener Margarida pour effectuer une nouvelle ponction de moelle osseuse. Maggie prit Margarida par la main et Constance se leva pour l'accompagner, mais le médecin lui fit signe de rester dans la pièce.

– Je pense que c'est le moment de répondre aux dernières questions que vous vous posez, dit-il. Je suppose que vous connaissez déjà les détails de cette opération.

– Pas très bien, admit Tomás.

Le médecin s'assit sur le lit de Margarida.

– L'opération consiste à remplacer la moelle osseuse malade en retirant toutes les cellules pour en injecter de nouvelles, qui produiront de la nouvelle moelle. C'est une allogreffe, ce qui signifie que les cellules injectées proviennent d'un donneur compatible.

– Qui est-ce ?

– Juste un type qui gagnera un peu d'argent, dit le docteur en souriant. Il n'y a aucune implication médicale pour lui, et il aura quelques billets en plus à dépenser au pub. La moelle osseuse de votre fille sera complètement détruite et elle recevra une nouvelle moelle, un peu comme une transfusion sanguine. Le processus est extrêmement compliqué et les risques sont très grands. La nouvelle moelle prendra au moins deux semaines pour se développer, et c'est la période la plus critique. – Il prit un ton plus sérieux. – Pendant ces deux semaines, Margarida sera particulièrement vulnérable aux infections et aux hémorragies. Si elle est attaquée par une bactérie, son corps ne pourra pas produire assez de globules blancs pour combattre cette attaque.

Tomás se frotta le front, essayant de digérer le problème.

– Mais comment allez-vous empêcher les bactéries d'entrer dans son corps ?

– En la plaçant en isolation dans une pièce stérile. C'est la seule chose qu'on puisse faire.

– Et si elle attrape quand même une infection ?

– Elle n'aura aucune immunité.

– Qu'est-ce que ça signifie ?

– Qu'il est possible qu'elle ne survive pas.

Tomás et Constance savaient qu'il était encore plus risqué de ne pas procéder à la greffe. Mais c'était un maigre réconfort. Ils auraient aimé pouvoir reporter tout ça, prétendre que le problème n'existait pas, le balayer sous un tapis.

– Mais la bonne nouvelle, dit le docteur, qui se sentait obligé d'annoncer quelque chose de positif, c'est qu'après ces deux semaines critiques, sa nouvelle moelle osseuse commencera à produire une grande quantité de cellules normales et Margarida sera probablement guérie de sa leucémie. Bien sûr, elle aura besoin d'un suivi régulier, mais vous n'avez pas à vous en soucier pour le moment.

La perspective d'une guérison leur remonta un peu le moral ; puis l'espoir fit place au désespoir, et de nouveau revint l'espoir, dans une succession infernale d'émotions contradictoires.

À 7 h 30, le matin du troisième jour, Maggie entra dans la chambre de Margarida pour lui donner un sédatif. Constance et Tomás avaient passé la nuit éveillés, assis sur l'autre lit, à regarder leur fille dormir sereinement. L'arrivée de l'infirmière les ramena à la réalité. Constance regarda Maggie et, presque inconsciemment, elle pensa au condamné à mort que des gardes viennent chercher pour le conduire devant le peloton d'exécution. Elle dut se pincer pour se convaincre que l'infirmière n'emmenait pas sa fille pour la tuer, mais pour la sauver. « C'est pour la sauver », se répétait-elle, cherchant du réconfort dans cette pensée.

« C'est pour la sauver. »

Ils transférèrent Margarida sur un brancard et la poussèrent à travers le Grail Ward jusqu'à la salle d'opération. Margarida était réveillée, mais somnolente.

– Est-ce que je vais rêver, maman ? murmura-t-elle d'une voix endormie.

– Oui, ma chérie. Des rêves roses.

– Des rêves roses, répéta l'enfant, presque en chantonnant.

Le docteur Penrose, à peine reconnaissable derrière son masque et son bonnet chirurgical, se tenait devant la porte de la salle d'opération.

– Ne vous inquiétez pas, dit-il, d'une voix assourdie par son masque. Tout va bien se passer.

Les portes s'ouvrirent et le brancard disparut, poussé par Maggie. Lorsqu'elles se refermèrent, Tomás et Constance restèrent figés devant pendant une longue minute, comme si leur fille avait disparu à jamais. Puis ils retournèrent dans sa chambre et s'occupèrent l'esprit en rangeant leurs affaires dans leurs valises, puisque Margarida ne reviendrait pas dans cette chambre après l'opération. Leurs mouvements étaient lents, pour que les heures passent plus vite, mais le temps ralentissait de plus en plus, et ils se retrouvèrent bientôt assis sur le lit, à se tourmenter.

La torture prit fin deux heures plus tard. Penrose apparut devant eux sans son masque, et son sourire confiant les rassura immédiatement.

– Tout s'est bien passé, annonça-t-il. La greffe est un succès, et il n'y a pas eu de complications.

Ils se trouvèrent de nouveau sur des montagnes russes : l'inquiétude qui les tourmentait une minute plus tôt avait laissé place à la joie.

– Où est-elle ? demanda Constance, en réprimant son envie d'embrasser le médecin.

– Elle a été transférée dans une chambre d'isolement, de l'autre côté de l'aile.

– Est-ce qu'on peut la voir ?

Penrose leur fit signe d'être patients.

– Pas encore. Il vaut mieux la laisser dormir pour le moment.

– Mais quand pourra-t-on la voir ?

– Ne vous inquiétez pas, répondit le docteur en souriant, vous pourrez la voir cet après-midi. À votre place, je sortirais prendre l'air, j'irais déjeuner et je reviendrais vers 15 heures. Elle sera certainement réveillée et vous pourrez la voir.

Tomás et Constance quittèrent l'hôpital pleins d'un agréable sentiment d'espoir, comme transportés par une douce brise de printemps. Tout s'était bien passé, avait dit le médecin. Tout s'était bien passé. Quels mots merveilleux, si agréables, si apaisants. Ils n'auraient jamais imaginé qu'une phrase aussi simple puisse être aussi puissante. Ces quelques mots étaient comme une formule magique, capables, à eux seuls, de changer la réalité, de décider d'une fin heureuse.

Tout s'était bien passé.

Ils se promenèrent dans le quartier, riant pour un rien. Les couleurs étaient plus vives et l'air semblait plus pur. Ils prirent Southampton Row jusqu'à Holborn Station, où ils tournèrent à droite sur New Oxford Street. Ils se perdirent ensuite dans la joyeuse confusion d'Oxford Street, où ils firent un peu de lèche-vitrines. Lorsque la faim se fit sentir, ils se dirigèrent vers Soho, où ils mangèrent du teriyaki dans un restaurant japonais. Après une longue marche digestive, ils revinrent à Russel Square peu avant 15 heures.

Maggie leur dit qu'elle allait les accompagner voir Margarida. Tomás craignait d'apporter des microbes dans la chambre, mais Maggie sourit et le rassura. Elle leur fit se laver les mains et le visage, puis leur donna des blouses, des gants et des masques.

– Vous ne pourrez pas vous approcher, dit-elle en les escortant.

– Mais il n'y a pas de risque que des bactéries entrent si on ouvre la porte ? demanda Constance.

– Ce n'est pas un problème. L'air de la chambre est stérilisé, et sa pression atmosphérique est plus haute que la normale, ce qui signifie que lorsque les portes s'ouvrent, l'air extérieur ne peut pas entrer.

– Et comment mange-t-elle ?

– Avec la bouche, comme vous.

– Il n'y a pas de risque qu'elle attrape une infection par la nourriture ?

– Ses repas aussi sont stérilisés. – Ils arrivèrent dans la zone d'isolement post-opératoire du service d'hématologie. – Et voilà ! dit Maggie en ouvrant la porte.

L'air était frais, et une odeur d'antiseptique flottait dans la pièce. Appuyée sur un coussin, Margarida bavardait avec une infirmière. Elle leva la tête et sourit en voyant ses parents.

– Salut, dit-elle.

L'infirmière leur fit signe de ne pas s'approcher trop près, alors Tomás et Constance s'assirent au bout du lit.

– Faites-moi des bisous, dit Margarida en tendant les bras vers eux.

– J'aimerais, ma chérie, mais les médecins ne veulent pas, dit Constance en réprimant un sanglot.

– Pourquoi ?

– Parce qu'il y a des petites bestioles dans mon corps, et si je te fais un bisou, elles en profiteront pour aller dans le tien.

– Vraiment ? dit Margarida, d'un air surpris. Tu as des petites bestioles ?

– Oui.

– Beurk !

Ils continuèrent à parler jusqu'à ce que Maggie revienne une heure plus tard et leur demande de partir. Ils convinrent d'une heure pour leur visite quotidienne et dirent au revoir à leur fille, avec beaucoup de gestes et de baisers soufflés du bout des doigts.

Les jours qui suivirent, Tomás sentait son cœur bondir chaque fois que le moment de la visite approchait. Il arrivait à l'hôpital en avance et patientait nerveusement sur le canapé de la salle d'attente, tournant la tête à chaque mouvement, luttant pour contenir sa nervosité. Cette agitation, tempérée par un sentiment qu'il n'arrivait pas à définir, ne se calmait que lorsque Constance passait la porte, généralement dix minutes avant l'heure de la visite. L'agitation était alors remplacée par une tension subtile, gênante, mais étrangement désirée. C'était le moment le plus important de sa journée, celui pour lequel il vivait. C'était sa manière de suivre le rétablissement de sa fille, qui restait positive et gaie, même lorsqu'elle souffrait de pics de fièvre qui, d'après Penrose, étaient normaux. Mais il ne pouvait nier que Margarida n'était pas la seule personne qui faisait de cet instant son préféré.

Il y avait Constance.

Leurs conversations dans la salle d'attente étaient maladroites, saccadées, ponctuées de silences embarrassés et de sous-entendus, d'allusions subtiles et de gestes ambigus. Le troisième jour, Tomás commença à prévoir des sujets de conversation. Sous sa douche ou pendant son petit déjeuner, il établissait une sorte de script, prenait des notes mentales de sujets dont il pourrait parler en attendant de voir Margarida. Lorsque Constance arrivait, il débitait sa liste de sujets comme un étudiant pendant un examen oral. Lorsqu'il terminait un sujet, il passait tout de suite au suivant, et ainsi de suite. Ils parlaient de films, de livres qu'ils avaient vus dans des librairies de Charing Cross Road, d'une exposition à la Tate Gallery, de l'état du système éducatif au Portugal, de la direction que prenait le pays, de poèmes, d'amis et d'histoires communes à leurs passés. Bientôt, les silences disparurent, jusqu'au silence assourdissant qui s'abattit sur la salle d'attente ce jour-là.

Ils restèrent assis sans parler pendant longtemps, le regard fixé sur le mur, jouant à un jeu de nerfs, de patience et d'estime de soi blessée. Ni l'un ni l'autre ne voulait faire le premier pas, ravaler sa fierté, soigner des plaies ouvertes, ramasser les morceaux et reconstruire ce qui pouvait encore être sauvé. L'heure de la visite arriva, et ils firent semblant de ne pas avoir remarqué, attendant que l'autre abandonne. Jusqu'à ce que l'un des deux réalise que quelqu'un devait faire un compromis. Après tout, Margarida les attendait de l'autre côté du couloir.

– Je suis impatiente de voir Margarida, murmura finalement Constance avant de se lever.

– Attends.

Tomás prit sa main dans la sienne, et elle s'immobilisa, refusant toujours de le regarder dans les yeux.

– Est-ce qu'un jour tu me pardonneras ?

Constance resta silencieuse et leva les yeux vers le plafond blanc et stérile de l'hôpital. Elle soupira, comme si les jeux de l'amour et du mariage étaient, pour elle, trop difficiles à supporter. Au bout de quelques secondes de silence, elle répondit.

– Penses-tu que pardonner soit possible ? Dans cette situation ?

– Je ne sais pas, répondit Tomás en baissant les yeux. Tu penses que ça l'est ?

Elle se mordit la lèvre.

– Tu sais, ma mère peut être une femme très sage, quand elle le veut. Elle dit qu'il y a des choses dans la vie qui ne peuvent pas être pardonnées. Jamais.

– Je vois, balbutia Tomás.

Constance lâcha la main de Tomás et se dirigea vers la chambre de Margarida. Avant d'entrer, elle s'arrêta, se tourna et regarda enfin Tomás dans les yeux. Elle esquissa un sourire.

– L'opinion de ma mère n'est pas forcément la mienne.

Tomás passa la matinée suivante à marcher. Il était de plus en plus confiant. Les choses s'arrangeaient, petit à petit. Malgré ses épisodes de fièvre, Margarida résistait aux effets de la greffe. Et Constance, même si la fierté lui faisait toujours garder ses distances, semblait confuse. Il savait qu'il devait agir avec tact, bien sûr, mais il était maintenant convaincu que, s'il s'y prenait comme il le fallait, ils pourraient se réconcilier.

Pour se changer les idées, il descendit Charing Cross Road, passant d'une librairie à l'autre pour regarder les rayons « histoire ». Il alla à Foyles, Wasterstones et chez plusieurs vendeurs de livres anciens, à la recherche de textes sur le Moyen-Orient, de quoi nourrir son désir d'étudier l'hébreu et l'araméen.

Il déjeuna dans un restaurant indien près de Leicester Square, où il commanda un curry de crevettes, puis rentra par Covent Garden, s'arrêtant à un stand de fleurs pour acheter un bouquet de sauge ; Constance lui avait dit qu'il symbolisait des vœux de bonne santé et de longue vie, parfait pour Margarida. Il passa devant le British Museum et, puisqu'il lui restait encore une heure et demie à tuer, il décida de jeter un coup d'œil à l'intérieur.

Il franchit l'entrée principale, sur Great Russell Street, et alla voir la collection d'art égyptien, un des joyaux du musée. Il flâna entre les obélisques et les curieuses statues d'Isis et d'Amon, et ne s'arrêta que lorsqu'il arriva devant une stèle noire et brillante, gravée de trois séries de symboles. C'étaient des messages de civilisations disparues depuis longtemps qui avaient voyagé dans le temps, jusqu'à ce moment et ce lieu précis, apportant à Tomás des nouvelles d'un monde qui n'existait plus. La pierre de Rosette.

Il quitta le musée vingt minutes avant l'heure de la visite et arriva bientôt dans la zone d'isolement du service d'hématologie, son bouquet de sauge à la main. Il s'approcha de l'infirmière de garde et demanda à voir Margarida. Elle consulta son ordinateur, puis se leva et s'approcha de Tomás.

– Suivez-moi, s'il vous plaît, dit-elle. Le docteur Penrose souhaite vous parler.

Tomás la suivit d'un pas rapide jusqu'au bureau du médecin.

– Docteur, M. Tomás Noronha est arrivé.

Tomás sourit en entendant la prononciation britannique de son nom.

– Entrez, dit une voix à l'intérieur.

L'infirmière repartit et Tomás entra en souriant. Penrose se tenait derrière son bureau, une silhouette lourde avec un visage sérieux et un regard sombre.

– Vous vouliez me parler ? demanda Tomás.

Penrose lui fit signe de s'asseoir sur le sofa et prit place à côté de lui, le corps penché en avant, comme prêt à se lever à tout moment. Il inspira profondément.

– J'ai peur d'avoir de mauvaises nouvelles.

L'expression sombre sur son visage parlait d'elle-même. Tomás sentit ses jambes se couper et son cœur s'emballer.

– Ma fille… balbutia-t-il.

– Je suis désolé de devoir vous l'annoncer, mais nous sommes confrontés au pire scénario imaginable, dit Penrose. Elle a été infectée par une bactérie, et sa situation est critique.

*

Le regard vide, Constance se tenait derrière la fenêtre de la chambre de Margarida, pleurant en silence, la main pressée contre sa bouche. Tomás la prit dans ses bras, et ils restèrent là, à regarder leur fille, allongée dans son lit de l'autre côté de la vitre. Le crâne de Margarida était lisse et brillant, et elle dormait d'un sommeil agité, luttant entre la vie et la mort. Des infirmières s'affairaient autour d'elle et Penrose apparut quelques minutes plus tard. Il alla voir Margarida et donna de nouvelles instructions aux infirmières avant d'aller parler à ses parents, terrifiés.

– Est-ce qu'elle va survivre, docteur ? demanda Constance.

– Nous faisons tout ce que nous pouvons, dit Penrose sur un ton grave. Mais la situation est très sérieuse. Sa nouvelle moelle n'a pas eu le temps de se reconstituer et elle n'a aucune défense immunitaire. Vous devez vous préparer au pire.

Tomás et Constance étaient incapables de s'éloigner de la fenêtre. Si elle devait mourir, décidèrent-ils, ce ne serait pas seule. Ses parents seraient aussi près d'elle que possible. Ils passèrent l'après-midi et toute la nuit collés à la fenêtre. Une infirmière leur apporta des chaises, et ils restèrent là, à l'agonie, les yeux fixés sur leur fille.

Vers 4 heures du matin, ils remarquèrent que les choses s'accéléraient autour d'eux et ils se levèrent, inquiets. Margarida, qui dormait jusque-là d'un sommeil agité et fébrile, était à présent immobile, le visage serein. Une infirmière courut appeler le médecin de service. De l'autre côté de la fenêtre, tout se passait dans le silence, comme si Tomás et Constance regardaient un film muet, un film d'horreur, si terrifiant qu'ils tremblaient de peur tous les deux. Le pire était arrivé.

Le docteur arriva rapidement. Il semblait un peu dans les vapes, comme s'il venait de se réveiller. Il se pencha sur Margarida, vérifia sa température, son pouls, ses pupilles et une machine à laquelle elle était reliée, puis il parla aux infirmières pendant plusieurs minutes. Lorsqu'il fut sur le point de partir, une des infirmières montra la fenêtre derrière laquelle se trouvaient les parents, et sembla lui dire qu'il allait devoir leur annoncer la nouvelle. Après une seconde d'hésitation, il se dirigea vers eux.

– Je suis le docteur Hackett, dit-il, embarrassé.

– Tomás serra sa femme dans ses bras. – Je suis désolé…

Tomás ouvrit, puis referma la bouche sans émettre aucun son. Horrifié, paralysé, incapable de parler, si désorienté qu'il ne sentit pas ses yeux se remplir de larmes, ses genoux se dérober, et son cœur battre à tout rompre, il vit la compassion dans le regard du médecin, comprenant qu'il portait une nouvelle terrible. Son pire cauchemar était devenu réalité ; la vie n'était plus qu'un souffle fragile, un bref éclair de lumière dans l'obscurité éternelle du temps. Son petit monde était devenu insupportablement pauvre sans la pureté et l'honnêteté qu'il chérissait tant dans le visage innocent de Margarida. Et dans ce moment d'incompréhension, dans la fraction de seconde entre le choc de la nouvelle et le déferlement de la souffrance, il fut surpris de réaliser qu'au lieu de se sentir outré par la cruelle trahison du destin, tout ce qu'il ressentait était un terrible sentiment de manque, la douloureuse et profonde nostalgie d'un père qui savait qu'aucune petite fille ne serait jamais plus belle que la sienne.

– Fais de beaux rêves roses, ma chérie.

XXIII

Aucune souffrance n'est plus grande que la perte d'un enfant. Tomás et Constance étaient complètement désorientés. Ils ne s'intéressaient plus à rien, ils étaient étrangers à la vie, et tombèrent dans une indifférence malsaine. Se coupant du monde, ils cherchèrent la consolation dans l'autre, se remémoraient des souvenirs communs, partageaient des émotions sauvées de l'oubli, et dans ce processus de réconfort mutuel, ils se créèrent un cocon, se rapprochant enfin. Presque sans s'en rendre compte, comme si l'infidélité de Tomás n'était plus qu'une futilité, un événement lointain dont ils n'avaient qu'un souvenir vague et insignifiant, ils recommencèrent à vivre ensemble.

La vie dans leur petit appartement devenait de plus en plus difficile. Chaque recoin cachait un souvenir, chaque espace une histoire, chaque objet un instant. Pendant plusieurs semaines, ils passèrent devant la chambre de leur fille sans jamais oser y rentrer. Ils n'étaient pas encore prêts, alors ils se contentaient de fixer la porte du regard, craignant ce qui se trouvait derrière. C'était comme s'il y avait une barrière insurmontable, un passage vers un monde perdu, un lieu magique suspendu dans le temps, dont ils avaient peur de rompre le charme. Ils ne voulaient pas faire face à la réalité de la chambre vide, devenue le symbole de la petite fille qu'ils avaient perdue.

Lorsqu'ils ouvrirent enfin cette porte et se trouvèrent face aux poupées allongées sur le lit de Margarida, à ses livres alignés sur les étagères et aux vêtements soigneusement pliés dans ses tiroirs, comme si la chambre venait d'être rangée, ils se sentirent comme des voyageurs dans le temps. Quelque chose d'indéfinissable flottait dans l'air, une odeur, un sentiment, une atmosphère, restés intacts, évoquant douloureusement l'innocence de Margarida. Submergés par les émotions, ils fuirent la chambre et recommencèrent à l'éviter. Leur vie était devenue un supplice, lourde de nostalgie et hantée par les souvenirs. Ils souffraient dans l'appartement, et ils souffraient à l'extérieur.

Les jours se suivaient, vides et dénués de sens.

Peu à peu, ils comprirent qu'ils devaient réagir, changer le cours des choses, mettre fin à cette descente dans l'abysse. Un jour, assis sur le canapé en silence, malades de tristesse, pensant à l'impasse dans laquelle les circonstances les avaient conduits, ils prirent une décision. Ils allaient laisser le passé derrière eux. Mais pour ce faire, ils avaient besoin d'un projet, d'une direction, d'un guide, et ils comprirent rapidement que leur salut dépendait de deux choses.

Un nouvel enfant et une nouvelle maison.

Avec l'argent de la fondation, ils achetèrent une petite maison près de la mer, à Santo Amaro de Oeiras ; et ils attendirent le bébé. Ils espéraient que leur futur enfant serait aussi gai et généreux que Margarida. Leur désir d'un enfant était comme un désir d'effacer un mauvais rêve, comme si cela permettrait à leur enfant perdue de retourner enfin à ceux qu'elle aimait.

La mort de Margarida conduisit Tomás à réfléchir à son intégrité professionnelle. Il avait vendu son honneur pour sauver la vie de sa fille, mais tout ce qui s'était passé lui donnait l'impression qu'il payait pour la décision honteuse qu'il avait été obligé de prendre, comme si tout cela était une punition divine, un test d'honnêteté, une épreuve morale à laquelle il avait lamentablement échoué. Il repensa alors à l'enquête qu'il avait menée pour la fondation. Agité, perturbé par l'idée de ne pas avoir fait son devoir, il y réfléchit pendant longtemps. Il lut et relut le contrat, en long, en large et en travers, étudiant chaque clause à la loupe, pesant les mots, à la recherche de la moindre faille, de la moindre faiblesse. Il alla même jusqu'à demander à Daniel, un cousin de Constance qui était avocat, de jeter un coup d'œil au document. Il se jura que s'il trouvait un moyen de se libérer de ce contrat, même la peur, bien réelle, de ce dont la fondation était capable, ne l'empêcherait pas de dire la vérité.

Il était maintenant convaincu que la mort de sa fille était une punition pour son erreur. Mais il ne pouvait pas accabler Constance et leur nouvelle vie d'une dette d'un million de dollars. Il ne possédait pas l'argent qui serait nécessaire pour briser son silence.

Il y avait deux vérités qu'il avait été contraint de passer sous silence. L'une était la vérité objective, la vérité ontologique, la vérité historique elle-même, la vérité au-delà de laquelle tout le reste était faux : le fait que l'homme qui avait découvert l'Amérique s'appelait Colonna, que c'était un noble portugais d'origine juive et italienne, qui avait mené une mission secrète pour le roi Jean II du Portugal. Cette vérité dormait dans l'obscurité depuis cinq siècles et semblait destinée à y rester. L'autre vérité était la vérité morale, subjective, la vérité de quelqu'un qui n'était à l'aise qu'avec la vérité au-delà de laquelle tout le reste est un mensonge. Il en allait de l'éthique, des valeurs qui donnent forme à l'honnêteté et à l'intégrité, deux notions intrinsèquement liées. Garder sous silence cette vérité morale était ce qui blessait le plus Tomás. Il sentait le mensonge déchirer comme un couteau tout ce en quoi il croyait, détruire les valeurs morales sur lesquelles il avait bâti sa vie. Ce qui le tourmentait le plus était cette trahison de sa conscience.

Il avait l'impression de s'être prostitué. Il se sentait misérable, souillé, indigné. Pour la première fois, il prit conscience qu'il était capable de sacrifier la vérité pour de l'argent. D'une certaine manière, il comprenait le dilemme auquel avait été confronté le roi Jean II cinq cents ans plus tôt. Il imagina le Prince parfait assis sur le mur du château de São Jorge, près des oliviers de la résidence royale, avec Lisbonne à ses pieds, réfléchissant à ses propres choix. Il y avait un continent à l'ouest et l'Asie à l'est. Il aurait aimé avoir les deux, mais il savait qu'il ne pouvait en avoir qu'un. Lequel choisir ? Lequel sacrifier ? Lui aussi s'était trouvé à un carrefour et avait été forcé de faire un choix. Et il l'avait fait. Colomb avait été sa clause de confidentialité, et l'Asie, sa Margarida.

Mais Tomás regrettait ce choix.

Le roi Jean n'avait sacrifié la vérité que le temps nécessaire pour obtenir l'Asie. Son plus grand confident, Rui de Pina, s'était plus tard chargé de corriger les faits, qui, selon lui, n'étaient plus une menace à la survie de la stratégie portugaise ; et sans l'intervention du roi Manuel, la *Chronique du roi Jean II* aurait raconté une toute autre histoire. Mais Tomás n'avait pas de Rui de Pina pour l'aider, personne pour lui écrire un autre *Codex 632*, dans lequel la vérité cachée sous la falsification serait révélée. Il avait l'impression d'avoir les mains liées, d'être enchaîné par la fraude, de plier sous le poids des conditions qu'il avait acceptées ; le mensonge avait vaincu la vérité.

Il ignorait pourquoi, mais à cet instant, il se souvint de la première fois qu'il avait dû céder, le premier compromis que Moliarti l'avait forcé à faire, la première fois qu'il avait manqué à ses principes. Assis sur un banc du cloître du monastère des Hiéronymites, Moliarti l'avait convaincu d'aller chez Toscano contre son gré, pour mentir à sa veuve dans le but d'obtenir les informations dont il avait besoin. C'était un petit mensonge, insignifiant, mais c'était le premier pas sur le chemin qu'il avait pris, le début de la descente sur le terrain qui était rapidement devenu un précipice.

Il se rappelait également une flamme qui l'avait illuminé dans le cloître pendant un instant fugace, un cri qui avait résonné dans sa conscience – violent, audacieux, tempétueux. Un instant de lucidité rapidement réduit au silence par la voix de la cupidité.

Le poème de Fernando Pessoa. Celui qui était écrit sur sa tombe dans le monastère, gravé dans la pierre pour l'éternité.

Tomás chercha les vers dans sa mémoire, et peu à peu les lettres devinrent des mots, et les mots devinrent des idées qui gagnèrent du sens et de la splendeur :

Pour être grand, sois entier : rien
En toi n'exagère ou n'exclus
Sois tout en chaque chose. Mets tout ce que tu es
Dans le moindre de tes actes.
Ainsi en chaque lac brille la lune entière
Pour ce qu'elle vit haut.

Il se répéta le poème encore et encore à voix basse et sentit la flamme perdue s'embraser à nouveau, d'abord une lueur lointaine, mais bientôt plus forte, éclairant son cœur, grandissant en même temps que sa voix, s'étendant, mettant le feu à son âme.

Il cria.

– « Sois entier. » Je le serai. « Sois tout en chaque chose. » Je le serai. « Mets tout ce que tu es dans le moindre de tes actes. » Je le ferai. « Rien en toi n'exagère ou n'exclus. » Rien.

Il avait pris sa décision.

Tomás s'assit devant son ordinateur.

En premier lieu, il lui fallait un autre nom. Peut-être un pseudonyme.

Non, j'ai besoin de quelqu'un qui acceptera d'être mon Rui de Pina. Hmm... Mais qui ? Un historien célèbre. Non, en y réfléchissant, ça ne peut pas être un historien. Ce serait trop risqué, car le lien serait fait trop facilement. Il me faut quelqu'un de différent, en dehors du système, quelqu'un qui acceptera de prêter son nom à la vérité que je dois révéler. Oui, c'est ça. Mais qui ? J'y réfléchirai plus tard. Ma priorité est de trouver comment raconter cette histoire. Le contrat m'interdit d'écrire des essais et des articles, de donner des interviews et de participer à des conférences de presse. Mais si je mettais tout ça dans un roman ?

Ce n'est pas une mauvaise idée. Le contrat ne dit rien au sujet des romans. Je pourrai toujours affirmer que c'est une fiction.

C'est une fiction. Et de toute façon, ce ne sera pas publié sous mon nom, n'est-ce pas ? L'auteur sera quelqu'un d'autre. Mon Rui de Pina. Un romancier. Ça me plaît : un romancier. Ou pourquoi pas un journaliste ? Ça marche aussi. Un journaliste. Leur quotidien consiste à construire la réalité. Hmm... Ce qui serait parfait, ce serait un journaliste qui écrit aussi des romans ; il y en a quelques-uns. Peut-être que je réussirai à convaincre l'un d'entre eux de l'écrire avec moi. Mais, pour l'instant, je vais me concentrer sur ce que j'ai à dire, sur la réalité que je vais écrire dans un roman, la fiction dont je vais me servir pour dire la vérité, pour réécrire l'histoire. Je changerai les noms des personnages, bien sûr, et je n'écrirai que ce que j'ai vu, vécu et découvert. Rien de plus. Enfin... Peut-être à l'exception du chapitre d'introduction. Après tout, tout commence avec la mort du professeur Toscano, et je n'en ai pas été témoin. Je vais devoir faire appel à mon imagination. Mais je sais qu'il est mort en buvant un verre de jus de mangue dans sa chambre d'hôtel à Rio de Janeiro. Ce sont des faits. Le reste, la façon dont ils se sont produits, est une question d'imagination. Tout ce dont j'ai besoin, c'est un point de départ.

Tomás était comme en transe devant son écran, étourdi par la douce possibilité de libérer la fureur confinée dans son âme. Il leva les mains et, guidé par un élan rédempteur vers la vérité, tel un chef d'orchestre dirigeant ses musiciens pendant une symphonie, il posa finalement ses doigts sur le clavier, puis laissa la mélodie de son histoire danser sur l'écran.

Quatre.
Le vieil historien ne pouvait pas savoir qu'il ne lui restait que quatre minutes à vivre.

REMERCIEMENTS

Les origines de Christophe Colomb ont toujours été entourées de mystère, de pistes entremêlées qui ne nous offrent qu'un vague aperçu de ce personnage extrêmement complexe. Cette toile de secrets semble avoir été tissée par le grand explorateur lui-même, qui a délibérément et systématiquement dissimulé les détails de son passé et laissé derrière lui de nombreux indices et déclarations aussi contradictoires qu'ambigus. Les raisons d'un tel mystère restent inconnues et sont encore aujourd'hui la source de nombreuses spéculations, chez les historiens comme chez les profanes.

Ce qui rend cet homme – dont personne ne connaît le visage – encore plus difficile à cerner est le fait que de nombreux documents qui auraient pu nous éclairer ont été perdus. Plus gênant encore, la plupart des textes qui ont survécu ne sont pas des originaux mais des copies qui ont pu – ou non – être altérées. Et comme si cela ne suffisait pas, certains documents se sont révélés être des faux très convaincants, tandis que d'autres laissent encore beaucoup de doutes quant à leur authenticité. Ces mystères autour des détails de la vie de Colomb sont aujourd'hui la source de toutes sortes de spéculations sur la véritable identité de l'homme qui a découvert l'Amérique.

J'aimerais insister sur le fait que, bien qu'inspiré par des faits et basé sur des documents authentiques, que l'on peut consulter dans certaines bibliothèques, ce livre est une fiction. Les sujets évoqués dans ce roman viennent d'une très grande variété de sources, en particulier bibliographiques. La liste des documents que j'ai consultés est si longue et variée qu'elle ne sera pas incluse ici pour ne pas abuser de la patience du lecteur. Je citerai simplement les auteurs les plus pertinents ayant écrit sur les aspects les plus controversés des origines et de la vie de Colomb : Luis de Albuquerque, Moses Bensabat Amzalak, Enrique Bayerri y Bertomeu, Armando Cortesão, Arthur d'Ávila, Ferreira de Serpa, Jane Frances Almer, Alexandre Gaspar da Naia, Jorge Gomes Fernandes, Vasco Graça Moura, Sarah Leibovici, Luiz Lencastre e Távora, Salvador Madariaga, Mascarenhas Barreto, Ramón Menéndez Pidal, Patrocínio Ribeiro, Pestana Júnior, Alfredo Pinheiro Marques, Luciano Rey Sánchez, Santos Ferreira, Maurizio Tagliattini, Gabriel Verd Martorell et Simon Wiesenthal.

Beaucoup de mes amis ont directement ou indirectement contribué à ce roman, même si, évidemment, ils n'ont aucun lien avec les aspects fictionnels de ce récit. Je dois beaucoup à João Paulo Oliveira e Costa, professeur spécialiste des grandes découvertes à la Nouvelle université de Lisbonne ; Diogo Pires Aurélio, directeur de la Bibliothèque nationale de Lisbonne ; Paola Caroli, directrice des Archives d'état de Gênes ; Pedro Corrêa do Lago, président de la Bibliothèque nationale de Rio de Janeiro et l'un des plus grands collectionneurs de manuscrits originaux au monde ; l'ambassadeur António Tanger, qui m'a ouvert les portes du Palácio de São Clemente de Rio de Janeiro ; António da Graça, père et fils, et Paulino Bastos, mes guides à Rio de Janeiro ; Helena Cordeiro, qui m'a offert une fenêtre sur Jérusalem ; le rabbin Boaz Pash, le dernier kabbaliste de Lisbonne ; Roberto Bachmann, président de l'Associação Portuguesa de Estudos Judaicos ; Alberto Sismondini, professeur d'italien à l'université de Coimbra et expert en langues liguriennes, qui m'a été d'une aide inestimable pour comprendre le dialecte génois ; l'adorable Doris Fabris-Bucheli, qui m'a fait visiter l'hôtel Lapa Palace à Lisbonne,

João Cruz Alves et António Silvestre, gardiens des mystères de Quinta da Regaleira ; Mário Oliveira et Conceição Trigo, cardiologues à l'hôpital de Santa Marta à Lisbonne ; Miguel Palha, médecin et fondateur de l'Associação Portuguesa de Portadores de Trissomia 21, et sa Teresa ; Dina, Francisco et Rosa Gomes, qui ont partagé leurs expériences avec moi ; et Isabelle, Hervé et Éric, qui ont rendu possible l'édition française de ce roman.

Mais, comme toujours, ma première lectrice et la plus importante, est Florbela, l'étoile qui m'a guidé à travers les chemins complexes de ce récit.

Dépôt légal 2e trimestre 2015
ISBN 9782357201774

Directrice éditoriale : Isabelle Chopin
Directeur de collection : Éric Garnier
Conception de couverture : Le fruit du hasard
Maquette : Point Libre

Imprimé au Canada

164, rue de Vaugirard – 75015 Paris
www.hc-editions.com